# 팀 바탕학습

# 팀 바탕학습

## Team-Based Learning for Health Professions Education

A Guide to Using Small Groups for Improving Learning


김 선, 박주현, 유남진, 이수정 공역

Larry K. Michaelsen, Dean X. Parmelee
Kathryn K. McMahon, Ruth E. Levine 편저



아카데미프레스

## Team-Based Learning for Health Professions Education

### A Guide to Using Small Groups for Improving Learning

Larry K. Michaelsen, Dean X. Parmelee, Kathryn K. McMahon and Ruth E. Levine



Authorized translation from English language edition published by Stylus Publishing, LLC Stering through Agency One Korea, Seoul.



ISBN 978-89-91517-63-9

# 역자 서문

대학에서 대집단 학생을 한 강의실에서 가르치는 교수는 한번쯤 어떻게 하면 학생들의 참여를 유도하여 더 유도할 수 있을까, 어떻게 하면 학생을 조금 더 집중시키고 수업에의 참여를 배운 내용을 터득할 수 있도록 할 수 있을까 고민해 보게 된다. 최근 교육의 패러다임이 교수자 중심 교육에서 학습자 중심 교육으로 바뀌면서 학생들의 참여 유도와 동기유발, 자기주도학습 등과 관련한 전략이 더욱 중시되고 있다.

팀 바탕학습(Team Based Learning, TBL)은 이렇게 변화하는 교육 패러다임에 부응하는 교육방법이다.

TBL은 전통적인 의학교육의 대규모 수업 상황에서 학생들의 적극적인 참여를 유도하여 자기주도적인 학습과 팀 활동을 통한 능동적인 학습을 가능하도록 해 준다. 개인학습과 팀 내 토론, 팀 간 토론을 통하여 학생들은 학습주제에 대한 이해의 폭을 넓혀가게 되며 이렇게 얻어진 지식을 실제 상황에 적용해 보는 과정을 통해 그동안 학생들의 동기유발과 상호작용 없이 단순히 보고 듣기에 그쳤던 수동적인 강의식 수업에 비하여 높은 학습 효과를 거둘 수 있게 해준다.

TBL은 그 효과성에 대한 인식을 시작으로 의학교육뿐만 아니라, 여러 학문분야에 걸쳐 그 적용이 활발히 논의되고 있다. 그러나 현재 국내에서는 TBL에 대한 경험 및 관련 연구가 아직 미비하여 체계화되지 못했기 때문에 TBL에 대한 일반적인 원리는 물론 실질적인 운영 전략 등에 대한 정보를 얻기가 쉽지 않은 상황이다. 이에 이 책은 TBL의 적용을 계획하고 있는 교수들에게 훌륭한 지침서 역할을 해 줄 수 있을 것이라 기대한다.

이 책은 총 2부, 18개의 장으로 구성되어 있다.

1부에서는 TBL의 기본 개념과 원리를 충실히 설명해 주고 있다. 구체적으로는 보건의료 전문직을 대상으로 한 교육에서 TBL이 '왜 효과적인 교육방법인가' 라는 물음에 대한 답을 시작으로, TBL의 기본 원리와 실제 적용을 위한 전략, 효과적인 팀 과제 개발, TBL을 통한 의학전문가로서의 비평적 사고역량 향상 전략, TBL을 사용하는 교육학적 이유, 팀 구성 전략, 팀 운영 전략, 촉진자로서의 교수 전략, 동료평가 전략 등을 실제 사례를 바탕으로 안내해 준다. 또한 1부의 마지막 장에서는 TBL 관련 연구 및 학문적 성과를 소개함으로써 TBL의 적용을 후속 연구로 발전시키기 위한 개념적 모델을 제시해 주고 있다.

2부에서는 의과대학 예비과정, 생화학 입문 과정, 학부 간호교육과정, 임상의사 보조 프로그램, 해부학 수업, 스포츠 심리학, 정신과 임상실습, 전공의 교육 프로그램 등 다양한 교육 상황에 TBL을 적용하였던 교수들이 자신의 경험을 바탕으로 효과적인 TBL 운영을 위한 실제적이고 구체적인 전략을 소개하고 있다.

역자들은 이 책이 TBL의 개념 정립과 효과적인 운영 전략 수립을 위한 초석이 되어 의학교육의 질 향상에 기여할 수 있기를 기대한다. 만약 번역상의 오류가 있다면, 이는 역자들의 책임이며, 계속하여 수정하고자 한다. 끝으로 이 책의 번역을 위해 적극적으로 지원을 해준 "한국의학교육학회" 에 깊은 감사의 뜻을 전하며, 아카데미프레스 홍진기 사장님과 편집부 여러분께도 고마움을 표한다. 그리고 원고 교정에 큰 도움을 준 가톨릭의대 의학교육학과 조아라, 백승애, 김상미 연구조교에게도 감사의 말을 전한다.

2009년 역자 일동

# 추천사

오늘날 보건의료 전문직 교육을 담당하는 교수들은 "고차원적인 학습"을 증진시켜 주어야 하는 상황에 직면해 있다. 여기서 "고차원적인 학습"이란 오늘날의 복잡한 보건의료서비스 상황에서 환자를 돌보는 데 요구되는 심층학습 또는 적용학습을 의미한다. 즉, 의과대학 졸업생이 진출 가능한 다양한 환경에서 안전한 임상진료를 수행할 수 있도록 적합한 교육과정과 유의미한 학습이 제공되어야 한다는 것이다.

미국의학연구소(Institute of Medicine)에서 "21세기를 위한 새로운 보건의료 시스템(Crossing the Quality chasm: A New Health System for the 21st Century, 2001)"이라는 기념비적인 역작을 출간한 이래 보건의료 전문직 교수들은 이 책에서 권장하는 바에 부응하는 여러 가지 역량을 지닌 보건의료인력을 배출하고자 노력하고 있다. 여기서 강조하는 것은 팀으로 활동할 줄 알고, 증거를 종합하며, 환자와 의사소통하고, 의사결정 보조 수단을 활용할 줄 알고, 무엇보다도 안전한 환자 의료서비스를 제공할 수 있는 능력이다. 이에 부응하기 위해서는 현재 시행되고 있는 보건의료관련 교육과정을 재고해 보아야 할 것이다. 기존 교육과정에 포함되어 있지 않은 내용과 비평적 사고역량 향상 기술 등이 새롭게 첨가되어야 할 것이며, 이와 더불어 다학제간 교수-학습을 포함하도록 학습활동을 개편해야 할 것이다.

지식의 양이 계속적으로 늘어남에 따라 교과서는 금새 낡은 정보로 가득하게 되고, 접근성은 용이하나 비판적인 정보수용이 쉽지 않은 인터넷 자료로 인해 점차 학습 지도가 어려워지고 있는 것이 현실이다. 앞으로도 역시 "지식 내용"이 교육과정의 기초가 될 테지만, 점차 학생들이 정보를 종합하여 임상적인 판단을 내리는 기술을 개발시킬 수 있는 기회를 제공해 주어야 한다.

현 의학교육에는 이외에도 또 다른 문제가 있다. 준비된 교수는 부족한데 반해 점차 다양한 학생들이 입학하면서 교수는 수업을 진행하는 방식에 변화를 줄 수밖에 없는 상황에 처한 것이다. 학생이 가지고 있는 세대, 문화, 인종, 성별, 언어, 학습 유형 등의 차이는 교수로 하여금 다양한 요구(needs)에 맞도록 학습 경험을 재조직하는 데 매진하도록 독려하고 있다.

이러한 맥락에서 "팀 바탕학습(Team-Based Learning for Health Professions Education)"은 보건의료 전문교육자를 위한 참고자료로서 가장 필요한 시점에 출간되었다고 할 수 있다. 이 책은 보건의료 전문분야에서 가르치고 배우는 과정 아래 숨어 있는 문제, 즉 학생을 능동적인 학생으로 만드는 것과 적용학습에 집중하도록 만드는 데 초점을 두고 있다. 이 책의 처음 부분은 TBL의 전제와 팀을 만들고 유지하는 방법, 학습 촉진자로서의 교수 역할, 능동적이고 책임감 있는 학습자로서의 학생 역할에 대하여 안내하고 있다. 뒤 이은 장에서는 실제 수업에 적용한 교수들의 경험 사례를 담아 여러 분야의 교수들이 어떻게 TBL의 원리를 자신의 상황에 맞게 적절한 형태로 구안하여 사용하였는지 설명하고 있다.

이 책은 이미 검증을 거친 전략을 담고 있으므로 교수들이 새로운 교수전략으로 '가르치기'에서 '배우기'로의 전환을 하고자 할 때 틀림없이 훌륭한 지침서 역할을 할 것이다. 이러한 수업의 변화를 통해 교수는 학생을 가르치며 예전과는 달리 새로운 만족을 느낄 수 있을 것이다. 또한 TBL에 참여하는 학생들은 필수 지식과 기술뿐 아니라 "전문가답게 생각하는 능력"을 개발하게 될 것이며 점차 학생에서 훌륭한 보건의료서비스를 제공해 주는 전문 인력으로 성장해 갈 수 있을 것이다. 훌륭한 보건의료 전문가 양성으로 인해 안전하고도 효과적인 보건의료서비스를 제공하게 된다면 이로 인한 궁극적인 수혜자는 다름 아닌 환자가 되지 않겠는가.

Diane M. Billings, RN, EdD, FAAN
Chancellor's Professor Emeritus
Indiana University School of Nursing
Indianapolis, IN

# 저자 서문

이 책의 목적은 현재 의학교육이 직면하고 있는 도전에 팀 바탕학습(Team-Based Learning, TBL)을 적용함으로써 얻어지는 놀라운 발견을 과학 및 보건의료 전문 교육자와 함께 공유하고자 하는 것이다.

과학 및 보건의료 전문 분야에 종사하는 전 세계의 교수들은 세 가지 위압적인 도전에 직면한다.

첫째, 어마어마한 분량의 정보를 학습하여야 하며 그 정보의 양은 계속해서 증가한다.

둘째, 학생들은 이 정보를 임상증례로부터 집단사례에 이르기까지 다양한 상황에 적용하는 방법을 배워야 한다.

셋째, 이 같은 장기적인 도전과 더불어, 이 분야의 교육자들은 일반 대중의 기대에 부응하기 위하여 임상전문가들에게 커뮤니케이션 능력이 중요하다는 점을 인식하고 있어야 한다. 이 말은 진단, 치료, 건강 유지 과정 전체에서 마주치는 동료의료인, 환자, 그 밖의 이해관계자와 효과적으로 의사소통하고 협동하는 방법을 배워야 한다는 뜻이다. 게다가 많은 경우 과학 및 보건의료 전문 교육은 대규모 강의 상황에서 이뤄지며, 이러한 상황은 학습의 증진을 가져오기 어렵다.

지난 10여 년 동안 몇몇 의학교육자들은 고등교육에서 소집단 상호작용을 특별한 방식으로 사용하는 TBL이 위에서 말한 도전을 해결하는 데 효과적이라는 사실을 발견하였다. 이들은 개척자로서 자신의 초기 발견을 서로 공유하였는데, 이 책의 목적은 이 과정에서 얻어진 정보를 확고한 원리로 수립하고 모든 보건의료 및 과학 분야 교육에서의 학습을 보다 효과적으로 증진시키는 데 기여하기 위하여 더 많은 혁신가들과 함께 이 아이디어를 공유하고자 하는 것이다.

TBL의 아이디어는 어디에서 발생하였는가? 왜 보건의료 전문직 교육에 관여하는 교수나 다른 사람들은 TBL에 대하여 좀더 충분히 터득하고 이해하여야 하는가?

## TBL 아이디어의 근원

TBL은 1970년대 말 래리 미켈슨에 의해 시작된 개념이다. 오클라호마(Oklahoma) 대학교 경영대학 교수였던 미켈슨(Larry Michaelsen)은 교육 방법에 관하여 위압적인 도전을 맞이하게 되었다. 그의 학과와 대학이 입학생을 늘려야 하는 압박 때문에 한 학기로 개설된 기초 강좌를 듣는 학생 수를 40명에서 120명까지 갑작스럽게 세 배나 늘려야만 하게 되었기 때문이다.

그는 소집단 학급에서 집단 활동과 숙제를 사용하여 수업을 진행하였는데 이 방법은 개념을 단순히 배우는 데 그치지 않고 배운 개념을 적용하는 방법을 터득하도록 돕는 데 효과적이었다. 그는 이러한 경험을 토대로 집단 활동이 대집단 수업에서도 효과가 있을 것이라는 확신을 가지게 되었다. 그 결과 그는 수업을 강의식으로 바꾸라는 동료 교수들의 권유를 뿌리치고 수업을 집단 활동으로 진행하는 방식을 택하였다.

첫 학기 중간 즈음에는 이 새로운 교수 전략이 효과가 있다는 것이 분명해졌다. 사실 새 교수 전략은 효과가 너무 좋아서 미켈슨이 예상조차 하지 못한 세 가지 성과를 달성할 수 있었다.

첫째, 학생들은 대규모 수업 상황을 해롭다기보다 오히려 훨씬 더 이롭다고 지각하였다. 둘째, 이 방식은 어떤 상황에서도 학습을 증진시킬 수 있는 몇 가지 조건을 낳았다. 예를 들어 학습 단위가 큼에도 불구하고 학생들로 하여금 자신이나 동료들의 학습에 책임을 지도록 만들었다.

셋째, 미켈슨 자신이 즐거움을 느꼈다. 학생들이 스스로의 힘으로 학습 내용을 먼저 공부하고 수업에 임하기 때문에, 그는 가르치는 일 가운데 자신이 가장 좋아하는 부분에 정성을 쏟을 수 있게 되었다. 즉, 교수가 가깝고도 소중하다고 여기는 주제(subject matter)가 학생들에게도 왜 중요한지를 스스로 깨달을 수 있도록 과제물과 활동을 설계하는 일에 노력을 기울일 수 있었다.

## 발전과 개량

이렇듯 규모는 작지만 기분 좋은 시작을 하게 되자, 미켈슨은 뭔가 중요한 것을 손에 넣었다는 것을 알았다. 그것은 자신뿐만 아니라 다른 대학 교수들에게 중요한 의미를 갖는 것이었다. 결국 그는 그 때부터 소집단을 이용한 방식이 왜 그렇게 효과가 좋은지를 확인하는 연구에 전문적인 노력을 기울였다. 또한 다른 교수들이 이 혁신적인 교수 전략을 이용할 수 있도록 돕는 데 열중하였다. 시간이 가면서 그는 소집단학습 과정에서 학생들이 학습주제를 스스로 이해해 나가는 능력이 두 가지 활동과 직접 연관된다는 사실을 깨달았다.

첫 번째 활동은 여러 가지 상황에서 팀을 개발하고 관리하는 방법에 대한 연구문헌에 관한 것이다. 그는 이미 이러한 문헌을 숙지하고 있었지만 이제는 새로운 방식으로 읽고 이해할 수 있게 되었다. 새로 만들어진 집단이 성숙하여 효과적인 팀이 되는 경우를 수백 개 관찰한 결과, 교육 현장의 팀과 다른 상황의 팀이 유사하다는 사실을 좀 더 뚜렷이 알 수 있었다. 게다가 그는 소집단을 활용함으로써 집단 안에서 일어나는 역동이 새롭고도 더 높은 수준의 잠재력으로 발전한다는 것을 발견하였다. 그가 가르치는 학생 집단은 팀 바탕학습 과정을 통하여 강력한 학습 팀으로 성장하였는데, 이런 현상은 이전의 문헌에는 잘 기술되어 있지 않았다. 결국 팀 개발 과정에 대한 새로운 자료를 수집하고 분석하여 사신의 논문을 발표함으로써 효과적인 팀 개발과 관리에 관한 연구 성과를 달성하였다.

두 번째 활동은 사업 상황이나 교육 상황에서 팀을 활용하였거나 활용하려는 사람들을 만나는 것이었나. 미켈슨은 여러 해에 걸쳐 기업 간부들과 함께 광범위한 작업을 하며 기업 상황에서 효과적인 작업 팀을 개발하고 관리하는 방법을 발견하게 되었다. 교육 상황에서는 광범위한 활동을 통하여 교수들이 효과적인 학습 팀을 만들 수 있도록 도왔다. 교수들을 상대로 300회 이상의 워크숍을 실시하고 여러 대학교육 전문학술지에 논문을 발표하였다. 이렇듯 기업과 학계에 참여한 결과 일선에서 활발히 일하고 있는 수천 명의 사람들과 더불어 효과적인 팀 개발 방법을 배우고 가르쳤다. 그가 이러한 활동을 통하여 얻게 된 가장 중요한 결과는 광범위한 학계와 기업 상황에 걸쳐 효과적인 팀 개발에서 보이는 패턴을 발견할 수 있었다는 것이다.

TBL과 관련한 다음 단계의 급격한 발전은 오클라호마의 교수 개발 전문가 디 핑크(Dee Fink)와 알레타 나이트(Arletta Knight)가 미켈슨에게 단행본 책과 웹 사이트를 만들자고 권유함으로써 이루어졌다. 효과적인 학습 팀 형성에 대한 지견이 매우 빠르게 축적되어 가고 있으나 흩어져 있기 때문에 이들을 한데 모아서 좀 더 접근하기 좋게 하자는 것이었다. 단행본 책은 "*TBL: A Transformative Use of Small Groups in College Teaching*(Michaelsen, Knight, & Fink, 2004)"이라는 제목인데, 초반 양장본은 한정판으로서 출판사가 도서관에만 판매를 하였고, 그 뒤에 좀 더 구하기 쉬운 문고판으로 출판을 하게 되었다. 이 책이 출간됨에 따라 독자나 관심을 가진 사용자들이 더 많은 자료를 필요로 한다는 것을 알게 되어 이들을 돕고자 다양한 자료를 제공하는 웹 사이트(http://www.teambasedlearning.org)를 개설하게 되었다.

## 보건의료 전문직 교육자에게의 소개와 교수 개발

원래 보건의료 학문 교육은 TBL을 각자 발견하여 사용하는 교수들이 여럿 있었으나, 웨이크 포리스트(Wake Forest) 의과대학의 교수로 있던 보이드 리차즈(Boyd Richards)와 같은 의대 이학년에 재학 중이던 미켈슨의 아들 더그(Doug)가 만나면서 이 방법을 의과대학 및 보건의료 학문 교육에서 널리 사용하게 되는 첫 돌파구를 맞이하게 되었다. 당시 그 학교에서 사용하고 있던 집단 활동을 경험하였으나 별로 생산적이지 않자, 더그는 리차즈 교수를 찾아가 몇 가지 건설적인 비평을 하고 대안으로 수업 중 학습 팀 운영에 대한 아버지의 아이디어를 제안하였다. 이후 같은 학기에 아버지 미켈슨 교수가 아들을 만나러 방문하였을 때 미켈슨 교수와 리차즈 교수가 처음으로 만나게 되었으며, 그 인연을 계기로 훗날 일련의 TBL 워크숍과 TBL 교수들의 비공식 단체가 만들어지게 되었다. 웨이크 포리스트 의과대학에서의 TBL 시도는 불행하게도 불발에 그치고 말았는데 이는 두 가지 요인 때문이었다. 웨이크 포리스트 의과대학과 관련 보건의료학 분야 대학에서는 문제바탕학습(Problem-Based Learning, PBL)을 교육과정의 주요 요소로 도입하여 상당한 투자를 한 상태였던 것이 한 이유였다. 또 하나는 리차즈 교수가 웨이크 포리스트 대학교를 떠나 베일러 의과대학(Baylor College of Medicine)으로 자리를 옮겼기 때문이었다.

베일러 대학으로 간 다음 리차즈 교수는 미켈슨 교수를 다시 초청하여 TBL에 대하여 교수 워크숍을 개최하였다. 하지만 이번에는 반응이 훨씬 더 긍정적이어서 보건의료 전문 교육에서 팀 바탕학습의 전망이나 잠재적 가치를 극적으로 높이게 되는 일련의 사건들로 이어지게 된다. 당시 베일러 의과대학에서는 PBL이 시간 할애가 많다는 단점 때문에 담당하려는 사람이 적었던 상황이었으므로, 이 대학의 교수 몇 명이 TBL 방법에 즉각 관심을 나타내어 시험 연구를 실시하였고 순조로운 결과를 얻게 되었다. 베일러 의과대학 교수진의 열광적인 반응에 힘입어 리차즈 교수는 관심 있는 베일러 의과대학 교수들로 팀을 구성하였고, 이들은 베일러에서 실시한 방법을 한층 공식적으로 평가하고자 고등교육개선기금(Fund for the Improvement of Postsecondary Education, FIPSE)에 응모하여 일 년간의 연구기금을 얻었다. 이 팀은 일 년간 실험을 성공리에 마친 다음 삼 년간의 연구기금을 더 받아 이 방법을 전국의 다른 교육기관에 전파하고 평가하였다.

FIPSE 기금을 이용하여 베일러 대학 팀은 10개 교육기관에서 이 방법의 초기 실험을 장려하고 지원하였다. 그 가운데 첫 번째로 라이트주립대학교 분쇼프트 의과대학(Boonshoft School of Medicine at Wright State University)의 딘 파멜리(Dean X. Parmelee) 교수와 그의 동료가 이 연구비에서 일부를 받아 그들의 캠퍼스에서 TBL을 시작하여 이 년 동안 그 기금으로 임상 전 교육과정의 모든 강좌와 두 개의 임상실습에 적용하였다. FIPSE 지원으로 연차 춘계 심남회 후원과 현지 자문도 이뤄졌다. 그 밖에 베일러 팀은 평가도구를 만들어 조기채택자들로 하여금 자신들의 실험 결과를 판정하고 전파하도록 도움으로써 그 결과를 의학교육 저널을 통해 논문으로 발표하게 되었다.

연례 집담회나 간행물과 더불어 열광적인 사용자가 자신의 경험을 다른 사람들과 나누는 파급 효과에 의하여 이 방법에 대한 관심이 급격히 증가하였고 점차 많은 보건의료학 분야의 교육기관이 이 방법을 채택하기 시작했다. 사실 이 책을 집필할 때에 즈음하여 추산한 바에 따르면 미국 내 77개 의과대학에서 교수 한 명

이상이, 해외 6여 개국에서 TBL을 채택하고 있었다. 간호학, 신체운동학, 보조 의사, 수의학과 등 다른 보건의료 전문가 교육프로그램을 운영하는 학교는 아마도 더 많은 곳에서 이 방법을 사용하고 있을 것이다. 게다가 TBL에 대한 관심에서 출발하여 팀 바탕학습 협력회(Team-Based Learning Collaboration, TBLC)라는 공식 기구를 결성하게 되었는데, 이 기구에서 선출된 임원진은 보건의료학계 TBL 사용자를 증진시키고 지원하는 임무를 가지고 있다. 이 협력회 회원의 특전 가운데 하나는 적용 증례 등의 강좌 자료와 메일리스트를 이용할 수 있다는 것이다. 이 책을 집필하고 있을 당시 TBLC의 회원 수는 108명에 달하였다.

## 이 책을 집필한 이유

TBL의 아이디어를 만들고 개발한 사람은 미켈슨이 분명하지만, 루스 레빈(Ruth E. Levine), 캐스린 맥마흔(Kathryn K. McMahon), 파멜리(Parmelee) 등이 그와 함께 여러 해 동안 긴밀한 공동 작업을 하면서 의학교육 상황에서의 TBL에 대한 연구논문을 발표하고 워크숍을 개최하였다. TBLC는 수차례 전국 규모 학술집담회를 개최하였고 회원들은 광범위한 영역의 전문단체와 보건의료직업 교육기관에서 TBL에 대한 워크숍과 연제발표를 수도 없이 진행해 왔다. 2006년에 텍사스 주 루복의 텍사스테크 보건의료학 연구소에서 열린 2006년 전국 학술집담회에서 TBLC 회원 몇 명이 보건의료직 교육에 종사하는 더 많은 교수들이 자신의 강좌에 적용할 TBL을 개발하는 데 도움이 되고 교수-학습에 이바지할 수 있는 책을 편찬할 때가 이제는 되었다는 의견을 표명하였다. 레빈, 미켈슨, 맥마흔이 지원과 지도를 아끼지 않는 가운데 파멜리가 이러한 집필자 대표로 선출되었다.

이 책의 편집진과 집필진은 TBL이야말로 교수나 학생 모두에게 수업 경험의 질을 진정으로 변화시킬 수 있는 방법이라고 믿고 있다. 다른 동료교수들이 TBL을 시도해 보고 나서는 TBL 자체와 TBL이 학생들의 학습을 현저히 향상시킬 수 있는 가능성에 대하여 열광하는 것을 보아왔기 때문이다. 이 책은 다양한 보건의료 학문과 전문직 교육 프로그램에서 활동하는 교수들이 TBL에 관심을 가지게 되고, 다음 단계로 발전하는 데 도움이 되리라 기대한다. 그동안 이러한 분야의 교육프로그램에서 교수나 학생들의 소집단 학습 경험은 실망스러웠다. 다행히 TBL의 전략으로 인하여 소집단에서의 책무성이라는 핵심 문제를 해결하고 더 나아가 소집단을 실질적인 학습 팀으로 성장시킬 수 있게 되었다. 보건의료 전문직 교육을 하는 교수들에게 이 책은 소집단을 효과적으로 이용하는 방법을 배우는 더없이 좋은 기회를 제공할 것이다.

아무쪼록 이 책이 여러분에게 영감을 주어 단순 강의로는 절대 불가능한 새로운 경험을 학생들에게 선사해 줄 수 있기를 바란다.

L. Dee Fink, Dean X. Parmelee

## 참고문헌


Michaelsen, L. K. (1983a). Team learning in large classes. In C. Bouton & R. Y. Garth (Eds.), *Learning in groups* (pp. 13–22). New Directions for Teaching and Learning Series, No. 14, San Francisco: Jossey-Bass.

Michaelsen, L. K. (1983b). Developing professional competence. In C. Bouton & R. Y. Garth *(Eds.), Learning in groups* (pp. 41–57). New Directions for Teaching and Learning Series, No. 14. San Francisco: Jossey-Bass.

Michaelsen, L. K. (1992). Team-based learning: A comprehensive approach for harnessing the power of small groups in higher education. In D. H. Wulff & J. D. Nyquist (Eds.), *To improve the academy: Resources for faculty, instructional and organizational development* (Vol. 11). Stillwater, OK: New Forums Press.

Michaelsen, L. K. (1999). Myths and methods in successful small group work. *National Teaching and Learning Forum, 8*(6), 1–5.

Michaelsen, L. K., & Black, R. H. (1994). Building learning teams: The key to harnessing the power of small groups in higher education. In *Collaborative learning: A sourcebook for higher education* (Vol. 2). State College, PA: National Center for Teaching, Learning and Assessment.

Michaelsen, L. K., Knight, A. B., & Fink, L. D. (2004). *Team-based learning: A transformative use of small groups in college teaching.* Sterling, VA: Stylus.

Michaelsen, L. K., Watson, W. E., & Black, R. H. (1989). A realistic test of individual versus group consensus decision making. *Journal of Applied Psychology, 74*(5), 834–839.

Michaelsen, L. K., Watson, W. E., Cragin, J. P., & Fink, L. D. (1982). Team-based learning: A potential solution to the problems of large classes. *Exchange: The Organizational Behavior Teaching Journal, 7*(1), 13–22.

Watson, W. E., Kumar, K., & Michaelsen, L. K. (1993). Cultural diversity's impact on group process and performance: Comparing culturally homogeneous and culturally diverse task groups. *Academy of Management Journal, 36*(3), 590–602.

Watson, W. E., Michaelsen, L. K., & Sharp, W. (1991). Member competence, group interaction and group decision-making: A longitudinal study. *Journal of Applied Psychology, 76,* 801–809.

## 관련 웹사이트

General: http://www.teambasedlearning.org
Medical Education:

1. **Baylor College of Medicine**
   http://www.bcm.tmc.edu/fac-ed/team_learning/index.html
2. **Wright State University School of Medicine**
   http://www.med.wright.edu/aa/facdev/TBL/index.htm
3. **The Team Learning Collaborative**
   http://www.tlcollaborative.org/
4. **University of British Columbia**
   http://ipeer.apsc.ubc.ca/wiki/index.php/Team-Based_Learning

## 차 례

## 제2부 적용 사례

# 제1부

# 총론

# 제 1 장

# 보건의료 전문직 교육에서의 팀 바탕학습

## *왜 적절한 교육방법인가?*

*Dean X. Parmelee*

## 보건의료 전문직 교육에서의 적용 사례

*의학과 1학년 학생이 있다. 이 학생의 이름은 George로 25세이며, 학부 교육과정을 졸업하고 의과대학에 들어오기 전에 약 2년간 응급의료기술자로 일한 경험이 있다. George는 현재 의학과 1학년 과정을 절반 정도 이수하고 있는 중인데 암기해야 할 학습량이 너무 많아 매우 당황하고 있다. 또한 강의도 항상 만족스러운 것이 아니라 가끔 괜찮은 강의를 접할 뿐이며 강의 내용에 흥미를 느끼지도 못한다. 소집단 학습은 한두 명의 학습자들이 자신들이 알고 있는 지식을 뽐내기 위한 자리로 활용되거나 교수가 미니 강의를 하기 위한 자리로 이용될 뿐이다. 시험 문제는 모두 다지선다형으로 출제되는데 지나치게 세부적인 내용을 시험 문항으로 다루어 시험 자체가 무척 어렵게 느껴진다. George는 자신이 의학 서적들을 통해 쌓은 모든 지식과 훗날 의사가 되어 해야 할 일들 사이의 연계성을 찾지 못하여 어려움을 느끼고 있다.*

*간호학과 4학년 학생이 있다. Ellen이라는 이름의 이 학생은 곧 간호학사학위를 받을 예정이다. Ellen은 그동안 유의미 학습을 한 적이 별로 없었으며, 교수들이 항상 지식 축적만을 지나치게 강조했기 때문에 간호학 교육을 받으면서 학업을 여러 번 포기할 뻔했었다.*

*Ellen은 자신이 경험한 학습 과정을 회상하면서 임상교육을 받기 전에 배웠던 기초 과학의 내용을 더 효율적으로 배울 수 있는 다른 방법은 없었을까하는 생각을 하였다. 또한 Ellen은 동료들과 함께 팀으로 일하는 방법을 더 일찍 경험했어야 한다고 생각하였다. 왜냐하면 다른 사람과 협력하여 일하는 것은 많은 경험과 피드백을 필요로 하는 기술이기 때문이다.*

*치과대학에 한 해부학 교수가 있다. B라고 하는 이 의사는 지난 12년 동안 치과대학 학생들에게 해부학, 조직학, 발생학을 가르치고 있다. 학생들의 피드백 결과와 교육평가 이사회의 보고에 의하면 B교수의 수업은 성공적이다. 그러나 B교수는 요즘 강의를 하고 싶은 마음이 더 이상 생기지 않는다. 전체 학생의 절반 정도만이 출석하고, 질문하는 학생들은 거의 없기 때문이다. 또한 수업을 통해 학생들이 진정 무언가를 배우고 있는지조차 의심스럽다. 소집단 학습 교육도 마찬가지이다. 학생들이 학습에 참여하지 않기 때문에 교수 혼자 모든 수업을 이끌고 있다. 이와 같은 이유로 B교수는 강의 하는 것에 의욕을 잃고 있다.*

*수의과대학에 S라는 한 학장이 있다. S학장은 기초 과학과 수의학 분야의 교육에 탁월한 이력을 가지고 있다. S학장의 교육을 받은 학생들은 기초 과학 분야에서 우수한 학생들로 손꼽히고 있으며, 수의학을 공부하는 대학원 교육과정에서도 학업을 성공적으로 이끄는 방법을 제대로 터득하고 있다. 그러나 S학장은 학생들이 다지선다형 시험문제를 해결하는 능력보다는 일찍부터 팀으로 학습하는 방법을 익히고 복잡한 임상 문제들을 다룰 수 있는 능력을 터득하길 바라고 있다.*

앞에 제시된 사례 보고는 학습자들과 교수들이 경험하는 여러 가지 문제 중 몇 가지 대표적인 경우에 불과하다. 이 책의 목적은 의료전문직 교육에 종사하는 교육자들에게 팀 바탕학습(Team-Based Learning, TBL)을 소개하여 미래의 의료전문가들을 교육에 참여시킬 수 있도록 유도하는 것이다. 이를 성공적으로 이끌기 위해서는 교수들에게 학습내용을 다루는 데 급급한 일방적인 강의식 교육방법의 교수-학습 체계가 아닌, 임상 문제에 지식을 적용하는 데 초점을 맞추는 개념으로의 인식 전환이 요구된다.

의료전문직 교육에 종사하는 교육자들은 학습자들이 방대한 정보를 습득해야 하고, 그렇게 쌓인 지식을 선택형 시험을 통해 증명해야 하며, 이를 임상치료 등의 문제들을 다룰 때 잘 활용해야 한다는 점을 익히 알고 있다. 그러나 의과대학 교육과정의 대부분은 학습자들에게 의학에 필요한 필수내용을 습득하도록 하는 데 초점을 두고 설계되어 있다. 물론, 의과대학의 일부 교육과정에서 문제바탕학습(Problem-Based Learning, PBL) 전략을 활용하여 학습자들에게 지식의 통합을 요구하는 경우가 있긴 하지만, 교육과정 설계에서부터 지식의 적용을 초석으로 간주하는 경우는 매우 드물다.

전문 교육/훈련과정을 수료한 졸업생들에게는 그 과정에 걸맞는 전문능력이 요구되는데, 이는 의료상황에 필요한 태도와 기술을 갖추는 것이다. 이러한 전문성이 학습의 성과로 측정될 수 있어야 한다고 보고 있다. 그러나 불행하게도, 아직까지는 학습자/수련생들이 임상적 사고나 판단을 요구하는 문제들을 해결하는 과정에서 습득한 정보들을 통합할 수 있는 능력을 보여주기 전에 사실적 지식과 개념을 잘 습득했는지를 보여주는 것이 더 중요하다는 의견이 지배적이다. 모든 의료전문직 훈련 과정에서 의사소통 기술, 대인관계 기술, 팀워크 등의 내용을 포함하고는 있지만, 이러한 기술을 개발하기 위한 유의미한 학습의 제공 방법이나 측정 방법에 대해서는 제대로 다루지 못하고 있는 실정이다.

40여 년 전 캐나다 온타리오 주에 위치한 맥마스터 대학(McMaster University)은 의학교육과정에 PBL을 도입하였다. 그 후 다수의 대학에서 PBL을 활용하여 의료전문가들이 집단으로 문제를 해결하는 기술을 터득하도록 하였으나, 전체 교육과정에 광범위하게 활용되지 못하였다. 왜냐하면 PBL에서 요구되는 촉진자의 역할을 수행할 교수 인력을 충분히 구하는 데 어려움이 있었으며, 교실 학습의 경우에 다수의 학습자와 교수가 강의식 교수-학습 방법을 선호했기 때문이다. 강의식 교수-학습 방법이 선호되는 이유로는 교수들이 많은 시간을 교육에 투자할 필요가 없고, 학습자들은 강의에 대비하여 학습 준비를 많이 하지 않아도 되며, 교수-학습 현장에서 교수와 학습자 또는 학습자들 간의 상호작용이 요구되지 않는다는 점을 들 수 있다. 따라서 PBL을 통해 다양한 전문적 능력의 습득이 가능함에도 불구하고, 이러한 이유로 의예과 교육과정을 거쳐 의과대학에 들어온 학습자들에게 강의식 교육방법이 특히 선호되고 있는 것이다.

경영학 교수인 Larry Michaelsen은 1970년대 후반 오클라호마 대학(University of Oklahoma)의 대강의실에서 진행하던 경영학 수업의 분위기와 역동성을 극적으로 변화시킨 대강의 학습전략을 개발하였다. 강의 첫 시간, Michaelsen 교수는 학습자들을 여러 개의 팀으로 나눈 후, 교수가 학생들에게 강의를 하는 것이 아니라 각 팀에 소속된 학습자 스스로 학습할 내용을 터득해야 하며, 수업시간마다 자신이 배운 내용을 적용하게 될 것이라고 설명하였다. 그는 교수의 역할은 학습자들에게 학습할 내용을 제시해주고, 도전적인 문제들을 풀도록 던져준 후, 결론에 도달하기까지의 과정을 탐색해 볼 수 있도록 도와주는 것이라고 보았다. 일부 학습자는 자신에게 교수가 직접 "가르쳐"주지 않는다는 사실에 기만당한 느낌을 받았으나 곧 새로운 형식의 수업에서는 학습자 스스로 질문하고 토론하며, 서로를 가르쳐주고, 심지어 열띤 논쟁을 벌이는 과정을 통해 결국에는 더 많은 것을 배울 수 있다는 사실을 발견하였다.

TBL은 문제해결 학습을 적용할 수 있는 모든 교과목에서 활용이 가능하기 때문에, Michaelsen 교수는 다른 교수들이 이를 시도해볼 수 있도록 수년의 시간을 투자하여 TBL의 원리를 정리하였다. 그는 오랜 기간 동안 여러 종합대학과 단과대학을 방문하며 TBL의 전략과 관련하여 교수개발 워크숍을 개최하였다. 그 워크숍에는 기초과학 교육과정 단계의 예과 학습자들을 가르치는 교수진들이 참가하였는데, 그들은 워크숍이 끝난 후 TBL을 활용하여 문제해결 학습 교육이 가능하다고 생각하게 되었다. 그러나 워크숍 참가자들 중 일부는 TBL 학습전략은 전통적인 의학교육 패러다임에서 너무 벗어나기 때문에 학습자들이 대학원 수준의 의학교육과정으로 올라갔을 때 재적응의 문제가 심각할 것이라는 우려를 나타내기도 하였다.

2001년도를 시작으로, 미국 교육부에서는 대학원교육개선을 위한 기금(Fund for the Improvement of Postsecondary Education, FIPSE)을 베일러 의과대학(Baylor Medical College)에 수여하여 TBL을 의학교육에 보다 확산시키고자 하였다. 또한 *TBL: A Transformative Use of Small Groups*(Michaelsen, Knight, & Fink,

2002)라는 저서와 이후 개정판으로 출간된 *TBL: A Transformative Use of Small Groups in College Teaching*(Michaelsen, Knight, & Fink, 2004)을 통해 TBL에 대한 개념을 널리 알리고자 하였다. 이러한 노력과 워크숍, 학술논문 그리고 의료 환경이 점차 의료전문가들의 팀워크를 기반한 의료 활동을 중시하는 분위기로 변화하면서 의학, 간호학, 치의학, 수의학 분야에서 TBL에 관심을 보이기 시작하였다. TBL은 현재 50개 이상의 의료전문기관에서 활용되고 있으며, FIPSE 지원 정책이 실시된 이후 TBL을 의료전문인 교육에 적용한 연구논문이 20편 이상 발표되었다. 어떠한 전문학위과정에서도 TBL이 해당 교육과정의 핵심 학습방법으로 활용되는 것은 아니지만, 몇몇 대학에서는 TBL이 여러 수업에 적용되고 있으며 교수들의 관심도 날로 높아지고 있다. 그러나 너무나 많은 교과과정을 소수의 교수들이 담당하고 있고, 이들의 노력으로 해부학, 생리학, 생화학 등 기초의학교육의 통합까지 시도되고 있는 현실에서, TBL을 통합교육과정에 성공적으로 접목시키기 위해서는 최소한 한두 명의 교수들의 헌신적인 노력이 필요하다. 나아가 서로 다른 전문영역의 교수들이 함께 TBL 모듈을 개발하게 될 경우 각자의 전공 분야에 해당하는 학습내용을 서로 통합시켜야 하므로 결과적으로 학습자에게 돌아가는 이득은 매우 크다. 예를 들어, 해부학자, 생화학자, 생리학자들이 협력하여 비타민D와 관련된 TBL의 교육내용을 개발할 수 있다. 만약 구루병을 학습주제로 선정했다면, 학습자들이 알고 있는 해부학과 신체 조직학, 비타민D의 구성과 형성과정, 신체 골격 형성의 생리과정 관련 지식을 적용할 수 있는 문제와 구루병을 진단, 치료, 예방하는 방법을 다룰 수 있는 보다 복잡한 문제를 개발하도록 한다. 이와 같이 팀으로 학습할 수 있는 내용을 다룬 후에는 정상과 비정상적인 골격 형성과 구조 등의 핵심 내용에 대한 수업이 자연스럽게 진행될 수 있다.

교수는 팀 활동 문제를 풀기 위해 필요한 지식의 수준을 규명하고, 수업 전에 학습자들이 읽어야 하는 참고문헌이나 조직학 실험, 골격의 밀도 해석, 생화학 분야 문제들을 포함한 기타 활동을 제시한다. 팀 활동이 끝나면 교수는 학습자들이 학습내용을 얼마나 잘 습득하였는지에 대해 평가할 수 있으며, 학습자들 간의 지식의 격차나 지식을 적용하는 데에서 오는 격차를 파악할 수 있다.

또한 교수들은 해당 교육수준에서 치의학 및 의학과 학습자, 의사들이 문제를 해결해 나가는 과정에 대한 고찰을 통해 학습자의 수준에 맞는 적절한 난이도의 문제를 개발할 수 있다. 의과학자를 양성하는 교육프로그램을 이수하는 학습자에게는 복합적인 문제뿐만 아니라 창의적인 사고를 필요로 하는 문제들도 함께 제공해야 한다. 이처럼 효과적인 TBL 모듈을 만들기 위한 교수들의 협력 과정은 교육과정에서 필요로 하는 내용을 채우기 위한 필수 강의들을 짜깁기하는 것보다 더 어렵고 더 많은 시간을 필요로 하는 일일 것이니, 교수들이 TBL을 교육과정에 접목시키거나 교육내용을 TBL 형식으로 전환하는 데에 주저하는 것을 이해할 수 있다. 그러나 전문가로 성장할 학습자들을 능동적으로 학습에 참여시키고, 그들에게 지적으로 도전적인 과제 및 대인관계 능력과 팀워크 기술을 개발할 수 있는 기회를 제공하는 데 있어서 TBL 전략이야말로 이러한 교육과정을 개발하는 데 가장 적절한 학습방법이라 할 수 있다.

학습자들의 적극적인 참여는 TBL의 핵심이다. 경험이 풍부한 교육자에게는 익숙한 내용이겠지만, 학습자들이 수업내용과 관련된 학습활동에 적극적으로 참여하는 것은 학습자들의 학습만족도 및 학업성취도와 상관이 있다. 특히, 어려운 교과목의 경우에는 그 상관관계가 더욱 뚜렷하다. 훌륭하게 설계된 TBL 모듈을 팀 구성이 잘 된 학습 집단에 적용할 경우, 학습자와 교수 간에 놀라운 상호작용이 일어난다. 이러한 학습 환경에서는 학습자들 간에 불필요하게 비교할 필요가 없으며, 지루하고 일방적인 강의도 필요 없다. 더욱이 오랜 기간 팀으로 함께 학습을 하면 할수록 학습자 스스로 보다 어려운 과제에 도전하려 한다.

도대체 TBL 전략이 무엇이기에 학습자들의 적극적인 학습참여가 보증된다는 것인가? 이에 대한 해답은 바로 학습에 대한 책임과 판단에 달려있다.

## 책무성

책무성은 TBL의 일부를 구성하는 요소이다. 학습자는 자신의 개인 학업점수가 TBL 수업을 얼마나 잘 준비해 갔는지, 팀 구성원들과 얼마나 잘 관계 맺는지, 팀 생산성에 얼마나 기여하는지에 대한 동료들의 평가는 어떠한지, 팀 구성원들이 하나의 공동체로서 팀 준비도를 얼마나 잘 보여줄 수 있는지, 그리고 문제해결을 위해 팀으로 협력하여 각자의 지식을 얼마나 잘 적용시켜 문제를 해결할 수 있는지에 따라 달라진다는 것을 쉽게 인식하게 된다. 책무성을 심어주기 위한 이 같은 평가요소들은 학습자들로 하여금 개인이 열심히 공부하게 만드는 유인책이기는 하지만, 팀으로 학습하기 때문에 시간이 흐름에 따라 개인보다는 팀을 더 중요시하게 된다. 하나의 팀으로 성장한 집단의 구성원은 개별적으로 매우 열심히 예습한다고 한다. 그 이유는 자신이 최선을 다해 팀에 도움이 되도록 이바지함으로써 자신이 속한 팀이 성공적인 학습을 하게 되길 원하기 때문이라는 것이다. 단순한 강의 형태의 수업에서는 TBL 수업에서 볼 수 있는 학습자 개인의 지적 영향력과 학습자들의 적극적인 학습 참여도를 결코 이끌어낼 수 없다.

## 판단력

Kenneth A. Bruffe(1978)는 판단에 대한 정의를 다음과 같이 기술하였다. "의사결정 과정, 구별, 평가, 분석, 종합, 준거 기준의 개념 틀 수립 또는 인식, 사실 규명" (p.450).

의료전문가에게 타인을 돌볼 수 있는 책무성이 주어질 때, 임상의사가 된다. 임상의사에게는 타인에게 봉사할 수 있는 열정과 같은 마음가짐 이외에도 의사결정을 내리기 위한 정확한 판단력이 요구된다. TBL은 개인과 팀이 의사결정을 내려야 진행이 가능한 방식으로 구성되어 있다. 그리고 교수가 수업을 중재할 때에는 개인과 팀은 어떻게 그러한 결정을 내리게 되었는지 그리고 다른 의견들을 왜 제외시켰는지에 대해 설명해야만 한다. 팀 내에, 그리고 팀 간에 일어나는 모든 논쟁과 대화 과정을 통해 학습자들은 판단에 대해 학습하게 된다. 또한 이러한 판단 기술을 연습하는 동안에 학습자들은 학습의 내용에도 깊이 관여할 수 있게 된다. 많은 의학교육자들은 좋은 판단력을 갖추는 것이 바람직한 임상적 사고능력의 기초가 된다고 생각한다.

이 책의 나머지 장들을 살펴보면 TBL 교수전략이 의료전문직 교수-학습 방법에 변화를 줄 수 있는 희망이라는 것을 발견하게 될 것이다. 책무성과 판단력 향상, 학습 내용의 숙지과 같은 TBL의 숨은 전략은 학습자들이 미래의 전문가로서 필요한 역량을 갖추고 가치를 찾을 수 있도록 한다. TBL의 장점은 다음과 같다.

- 대규모의 강의에서도 적용할 수 있는 교육방법이다.
- 수업 시간 내내 학습자를 학습에 참여시킬 수 있다.
- 학습자들이 제 시간에 수업에 출석하게 되며, 준비된 상태에서 참석한다.
- 한 명의 교수로 전체 수업을 통제할 수 있다.
- 몇 가지 전문적 역량들을 향상시킬 수 있다. (예. 의사소통 능력, 해석 능력, 팀워크 기술, 피드백 교환 능력, 지식 습득 능력, 습득한 지식을 실제 사례에 적용할 수 있는 능력 등)
- 학기말 학업 성취도가 전통적인 강의 수업과 비교하여 보다 월등하거나 최소한 동일하다.
- 학습자에게 보완적이고 참여적인 동료학습자들과 함께 임상적 사고능력을 개발할 수 있는 기회를 제공한다.
- 해당 학급에 학습공동체를 형성할 수 있는 분위기를 조성한다.

이 책을 통해 의료전문가 교육에 종사하는 교수에게 TBL 과정을 개발하고 제공할 수 있도록 도움을 주고자 한다. Michaelsen과 Sweet이 저술한 다음 두 개의 장은 TBL의 구조와 과정에 대해 매우 구체적으로 다루고 있어, TBL을 시도해 보고자 하는 사람들에게 TBL 수업을 제대로 계획할 수 있도록 하였다. 다른 장에서는 팀을 구성하는 방법이나 팀의 생산성을 향상시키는 방법, 동료평가를 활용하는 방법에 대해 실제적인 정보를 제시하고 있다. 4장에서는 미래의 임상의들이 어떻게 임상적 사고능력을 개발할 수 있을 것인지에 대한 관심이 증가하고 있는 상황과 관련하여 TBL 상황에서의 비판적 사고능력에 대한 내용을 다루고 있다.

앞으로 새로운 학습전략이 수용되는 분위기로 나아가고, 이를 교육현장에서 잘 활용하기 위해서는 관련된 연구결과들이 학술지에 발표되어야 한다. 이에 10장에서는 세 명의 학자들이 TBL 연구에 있어 가장 중요한 내용은 무엇인지에 대하여 논한다. "경험의 목소리: 적용 사례(Voices of Experience)"라고 이름 붙인 제2부에서는 TBL을 직접 자신들의 교육현장에 과감하게 적용해 본 교수들의 경험을 소개한다. 이 경험자들은 TBL 적용 규칙을 따랐을 뿐만 아니라, 교육현장에서 효과적인 몇 가지 사항들을 발견하기도 하였다.

필자가 소속되어 있는 대학인 라이트 주립대학(Wright State University)의 분쇼프트 의과대학(Boonshoft School of Medicine)에서는 2002년도부터 기초의학 교육과정에 TBL을 적용한 후, 불과 1년 사이에 모든 기초의학 교육과정에서 TBL을 주요 학습방법으로 활용하게 되었다. 그 후 4년간 교수들은 TBL을 보다 잘 활용할 수 있는 방법을 터득하였고, TBL이 잘 정착될 수 있도록 대학문화를 조성하였다. TBL에서의 학습자 평가 또한 매우 우수한 결과를 보여 교수들이 과거의 소집단 학습으로 돌아가려는 생각을 하지 않게 되었다. 우리는 TBL을 본 대학의 교육과정에 지속적으로 확장하여 적용시키고 있으며, 학습자들에게 최선의 학습을 제공하기 위한 노력을 아끼지 않고 있다.

## 참고문헌

Bruffee, K. A. (1978). The Brooklyn plan: Attaining intellectual growth through peer group tutoring. *Liberal Education*, *64*(4), 447–468.

Michaelsen, L. K., Knight, A. B., & Fink, L. D. (Eds.). (2002). *Team-based learning: A transformative use of small groups*. Westport, CT: Praeger.

Michaelsen, L. K., Knight, A. B., & Fink, L. D. (Eds.). (2004). *Team-based learning: A transformative use of small groups in college teaching*. Sterling, VA: Stylus.

제 2 장

# 팀 바탕학습의 기본 원리와 실제

*Larry K. Michaelsen, Michael Sweet*

팀 바탕학습(Team-Based Learning, TBL)은 교수-학습 전략의 일환으로 학습 팀을 활용하고 개발한다는 점에서 다른 소집단 학습 유형과는 다르다. TBL을 교육현장에 도입하기 위해서는 각 학습활동을 서로 연계시켜야 하며, 학습자의 학습의 깊이를 더하고 높은 학습 수행을 보여주는 팀들을 보다 장려하고 발전시킨다는 두 가지 목적을 달성하기 위해 학습과제를 명확하게 설계해야 한다.

우리는 전통적인 강의 중심 교수-학습이 어떤 느낌의 학습형태인지 매우 잘 알고 있다. 우리가 학습자였을 때 대학 교육은 대부분 강의로 이루어져 있었다. 또한 그러한 교수 유형을 모델 삼아 우리의 교수생활 초기를 보냈다. 분필과 칠판을 이용한 학습에 익숙할 경우 TBL을 도입하려면 교실과 실험실에서 일어나는 상호작용에 대한 사고방식을 근본적으로 바꿔야 한다. 전통적으로 교수들은 사실과 지식에 초점을 맞추고 이를 어떻게 가르치느냐에 집중해왔다. 이와 반대로, TBL 교수는 배움에 초점을 두고 학습자들이 교실에서 무엇을 경험하고, 그것을 통해 어떻게 배우느냐를 강조한다.

이 장의 목적은 TBL의 주요 특성을 기술하고 교수-학습 전략으로 어떻게 가장 잘 활용할 수 있을지 함께 논의해 보는 것이다. 이 장 전반에 걸쳐 강조하고자 하는 것은 TBL의 엄청난 힘이 단 한 가지 요소에 의해 파생된다는 사실이다. 그 요소는 학습과정의 내용을 통해 만들어지는 학습 집단의 수준 높은 응집력과 신뢰이다. 다시 말하면, 학습 전략으로서의 TBL 효과는 교실 안에서 학습내용을 학습하는 과정에서 발생하는 자연적인 결과로, 학습자들 간에 높은 수준의 집단 응집력과 신뢰를 만드는 것에 기초한다. TBL에서는 내용 숙달 학습의 지속적인 연계와 구조 형태로부터 팀원들 간에 응집력과 신뢰가 형성된다. 학습이 전개됨에 따라 이 응집력의 발달로 인해 학습자들이 동기유발되어 매우 질 높은 토론이 이루어질 수 있으며, 이는 그 밖에 다양하고 긍정적인 학습결과를 가져온다. 집단 응집력의 중요성과 강력한 학습 팀의 기초가 되는 신뢰의 중요성을 이해한다면 이 장에서 설명하고자 하는 내용의 취지가 명확해질 것이다.

소집단을 개발하여 학습 팀을 만들어내는 과정은 변화(transformation) 과정으로 가장 잘 설명될 수 있다(Michaelsen, Knight, & Fink, 2002, 2004의 제4장 참조). 다음 단락에서는 이 변화 과정의 핵심이라 할 수 있는 원리와 실제를 설명할 것이다. 이 장의 1부에서는 TBL을 적용하는 데 필요한 네 가지 핵심 원리를 기술하고 있고, 2부에서는 TBL을 실제적으로 적용하는 데 필요한 단계에 대해 논의하고 있으며, 3부에는 TBL을 사용하면서 얻을 수 있는 기본적인 이득을 간략히 요약해 놓았다.

## 1부 – TBL의 네 가지 핵심 원리

전통적인 교수-학습 방법에서 TBL 방법으로 전환한다는 것은 (가) 해당 학습목표의 초점을 바꾸는 것이고, (나) 수업 중 경험하는 학습활동들을 변화시켜 학습목표를 성취하도록 해야 하며, (다) 이러한 학습활동에서 교수와 학습자의 역할을 완전히 변화시키는 것이다.

대부분의 수업에서는 학습자들이 학습개념에 익숙해지는 것을 기본적인 학습목표로 삼는다. 이와 대조적으로, TBL의 기본적인 학습목표(그리고 보건의료 교육에서 일관되게 요구되는 학습목표)는 학습자들이 습득한 학습개념을 활용하여 문제를 해결할 수 있도록 연습하는 것이다. 따라서 TBL 수업에서 일정한 시간이 학습개념을 습득하는 데 할애되기는 하지만, 대부분의 수업 시간은 학습개념을 활용하여 차후 의사가 되어 현장에서 부딪힐 수 있는 문제를 해결하기 위한 팀 활동에 할애된다. 이러한 수업이 가능하기 위해서는 교수의 일차적인 역할이 정보제공자에서 교수-학습 과정을 설계하고 관리하는 것으로 변해야 한다. 뿐만 아니라, 학습자들은 수동적인 자세로 정보를 수용하는 것이 아니라, 수업 중 팀 활동 과제를 이행하기 위해 사전에 학습 내용을 습득해 와야 하며, 학습에 대한 책무성을 지니고 있어야 한다. 그런데 이러한 변화는 자동적으로 이루어지지 않는다. 하지만 네 가지의 TBL 핵심 원리를 잘 적용시킬 수 있다면 이러한 변화를 자연스럽게 이룰 수 있다.

TBL의 네 가지 핵심 원리는 다음과 같다:

1. 집단이 제대로 구성되고 잘 관리되어야 한다.
2. 학습자들은 자신들의 개인적인 과제는 물론 집단 과제에도 책무성을 지녀야 한다.
3. 학습자들에게 피드백을 자주, 그리고 시의적절하게 제공해야 한다.
4. 팀 학습활동은 학습과 함께 팀의 개발도 촉진시켜야 한다.

이러한 원리들이 적용될 수 있도록 수업이 설계되고 관리된다면 학습자들은 자연스럽게 응집력 있는 학습 팀을 만들게 된다.

## 원리 1 – 집단은 제대로 구성되고 관리되어야 한다

효과적인 집단을 구성하기 위해서는 교수가 집단 구성 방법을 미리 계획하여 다음의 세 가지 변수를 잘 통제할 수 있어야 한다. 첫째, 집단이 주어진 학습과제를 잘 수행하기 위해 필요한 학습 자원의 수준을 비슷하게 하여 집단 간 공평한 학습활동이 이루어질 수 있도록 해야 한다. 둘째, 구성된 집단이 학습 팀으로 발전하기 위한 기회를 주어야 한다. 셋째, 집단 응집력 개발에 방해가 될 수 있는 특성이 발생하지 않도록 집단을 잘 구성해야 한다.

### *학습자원을 가진 집단 구성하기*

집단이 최대한 효과적으로 기능하기 위해서는 가능한 한 다양한 특성을 지닌 구성원이 속하도록 조직되어야 한다. 즉, 각 집단은 학업 수행에 많은 기여를 할 수 있도록 학습 내용(예. 사전 수업 내용이나 혹은 수업 관련 실전 경험 여부), 성별, 인종 등과 관련하여 다양한 특성을 가진 학습자들의 복합적인 집단으로 구성되어야 한다. 뿐만 아니라, 팀 발전이 촉진될 수 있도록 구성원들이 갖춘 특성들을 적절하게 잘 나누어야 한다. 그러나 처음에는 팀을 잘 구성하기 위한 정보를 서로 갖고 있지 않기 때문에 집단 구성은 교수가 책임지는 것이 바람직하다(집단을 구성하는 구체적인 방법에 대한 정보는 http://www.teambasedlearning.org; Michaelsen et al., 2002, pp.40-41; 2004, pp.39-40; 이 책 제6장과 부록 2.A 참조). TBL은 높은 수준의 지적 능력이 요구되는 과제이므로, 팀의 구성이 다양해야 하고 그 크기도 적당해야 한다. 구체적으로 예를 들면 성별과 인종이 최대한 다양하게 섞인 5~7명의 학습자들로 팀을 구성하는 것이 적절하다. 만약 팀의 규모가 이보다 더 작거나 구성원의 특성이 다양하지 못하다면, 성공적인 학습에 필요한 다양성을 충분히 지니지 못하여 학습과제를 해결하는 데 문제가 생길지 모른다. 특히, 팀 구성원 한두 명이 결석을 할 경우에는 학습과제 해결이 어려워진다 (Michaelsen et al., 2002, 2004의 제4장 참조).

### *시간 – 팀 개발의 핵심 요소*

학습자들은 한 학기 동안 해당 수업이 끝날 때까지 동일한 집단에 속하도록 유지되어야 한다. 잘 만들어진 학습과제를 해결하는 것도 다양하고 긍정적인 학습결과를 가져올 수 있지만, 집단의 구성원들이 서로 협력하고 응집하는 시간을 통해 스스로 관리가 되는 효과적인 학습 팀으로 발전하는 것도 중요하기 때문이다 (Michaelsen et al., 2002, 2004 제4장; 이 책 제6장과 부록 2.A 참조). 팀 개발은 팀 구성원들이 신뢰를 쌓을 수 있고 서로 존중하며 공평하게 대할 수 있는 일련의 활동을 동해서 이루어진다. 집단이 새로 구성되면 구성원들이 가지고 있는 자원을 언제, 어떻게 활용해야 할지 몰라 자기 주장이 강한 한두 명의 구성원에게 (비록 그들이 항상 그중 가장 유능한 것만은 아닐지라도) 지나치게 의존하는 상황이 벌어지게 된다. 그러나 적절한 상황이 주어지면 대부분의 집단은 보다 효과적으로 상호작용하는 법을 배운다. 뿐만 아니라, 집단 학습과정과 수행에 영향을 주는 집단 구성원의 다양성은 그들이 일정 기간 동안 함께 공부하는 사이 명백한 자산으로 변한다(Watson, Kumar, & Michaelsen, 1993).

집단이 팀으로 발전하면서, 의사소통은 학습이 잘 될 수 있도록 보다 개방적으로 변한다. 이는 구성원들이 서로 공격적이거나 오해가 생길 것을 우려하지 않아도 되는 진지한 상호작용을 원하게 되어 서로 신뢰를 쌓고 이해관계를 형성하는 시점에 다다르기 때문이다. 그리고 성숙한 팀의 구성원들은 (일시적인 집단에 비해) 서로 경쟁을 하기도 하는데, 이는 자신의 성공이 팀의 성공과 연관되어 있다는 것을 알기 때문이다. 따라서, 시간이 지나면서 팀원들이 처음 가지고 있었던 '잘못된' 결정을 하여 나쁜 인상을 줄지도 모른다는 걱정은 '팀의 성공' 이라는 동기에 의해 간과될 수 있다(Michaelsen et al., 2002, 2004의 제4장 참조). 이러한 현상이 나타나면, 98%의 팀들은 학습과 관련된 과제에서 팀의 가장 훌륭한 구성원의 실력을 훨씬 능가하는 수행능력을 보여줄 것이다(Michaelsen, Watson, & Black, 1989).

### *집단 응집력에 방해되는 요소 최소화하기 – 충돌 회피*

집단 응집력 개발에 가장 큰 위협은 충돌상황이다: 이미 알고 있던 사람들과의 관계(예. 남자/여자친구, 형제들 등) 또는 국가, 문화나 언어와 같은 배경으로 형성된 응집력 있는 집단과의 마찰이 있을 수 있다. 새로 형성된 집단의 경우, 이러한 요인들은 내부적 또는 외부적인 긴장을 유발시킬 수 있는데, 이는 수업 내내 매우 성가신 영향을 미칠 수 있다. 그렇기 때문에 학습자들로 하여금 직접 집단을 구성하도록 하면 이러한 요소를 지닌 하위 집단의 방해를 피할 수 없다(Fiechtner & Davis, 1985; Michaelsen & Black, 1994). 따라서 교수는 완전히 새로운 집단이 형성될 수 있도록 학습자들을 잘 섞어서 팀을 구성해야 한다(집단 구성 방법에 대한 구체적인 정보는 Michaelsen et al., 2002, pp.40-1; 2004, pp.39-40; http://www.teambasedlearning.org; 이 책 제2장과 6장 참조).

## 원리 2 – 학습자들은 개인과제와 집단과제의 질적 수준에 대한 책임을 져야 한다

전통적인 수업에서는 학습자들이 교수 이외의 사람에게는 책무성을 느낄 필요가 없다. 따라서 학습자들은 자신의 성적에만 신경을 쓰면 되었다. 반면, TBL에서는 학습자 개인이 교수와 자신의 팀을 염두에 두고 개인과제의 질적, 양적 수준을 맞춰주어야 한다. 또한, 팀은 하나의 집단으로서 집단과제의 질적, 양적 수준을 책임져야 한다.

이러한 책무성을 형성하기 위해서는 두 가지 조건을 충족해야 한다. 첫째는 학습자들의 개인과제와 팀워크에 대한 동기가 유발되어야 한다는 것이다. 둘째는 높은 수준의 활동을 이끌어내는 동기가 만들어지도록 개인과 팀 활동에 대한 결과가 확실히 보상되어야 한다는 것이다. 다음 문단에서 성공적인 TBL 팀워크와 개인학습에 있어서 가장 중요한 행동과 책무성을 심어줄 수 있는 다양한 예시들을 설명하고자 한다.

### *수업 준비에 대한 개인 책무성*

학습 준비가 제대로 되어 있지 않으면 개인학습이나 팀 개발에 있어서 명백한 한계를 느끼게 된다. 준비 없는 팀원과 어려운 집단 학습과제를 해결해야 한다면 해당 학습과제를 성공적으로 수행하기 어렵고, 부정행위를 유발시킬 수 있다. 아무리 토론을 많이 한다고 하여도 학습 준비를 하지 않은 팀원의 무지를 해결할 수는 없다. 그리고 학습 준비의 부족은 집단 응집력을 방해하는데, 이는 학습 준비를 해온 학습자가 나머지 동료들을 위해 희생하고 싶어 하지 않기 때문이다. 따라서 학습 집단이 효율적으로 운영되기 위해서는 학습자 개개인이 수업 준비를 철저히 해와야 한다.

TBL에서 개인적인 수업 준비를 책임 있게 해올 수 있도록 도와주는 것은 학습의 주요 단원이 시작될 때마다 실시하는 준비도 확인 과정(Readiness Assurance Process, RAP)이다(Michaelsen & Black 1994). 이 과정의 첫 단계는 준비도 확인시험(Readiness Assurance Test, RAT; 일반적으로 10~20개의 선택형 문항으로 구성)으로 수업 전 준비과제에 대해 확인한다. 준비과제에 대한 예로는 읽을거리, 실험실습, 정밀검사 등이 있다. 개인적으로 시험을 본 후 학습자들은 동일한 시험 문제를 이번에는 한 팀으로 서로 의견을 모아 다시 풀도록 답안지를 다시 받는다. 이 과정은 학습자들로 하여금 교수와 동료들 간에 책무성을 고취시킨다. 먼저, 학습자들이 교수에게 책임을 느끼는 것은 개인 시험 점수가 과목 성적에 들어가기 때문이다(아래에 보다 자세히 다루도록 함). 둘째, 집단 간 치르는 시험에서 각 팀원은 각 문제마다 자신이 선택한 답에 대해 발표하고 방어하도록 되어 있다. 그 결과 학습자들은 사전에 학습과제를 예습해야 한다는 것과 자신이 이해한 학습개념에 대해 서로에게 설명해야 하는 것에 대한 책무성을 명백히 느끼게 되는 것이다.

### *팀 기여에 대한 집단 책무성*

다음 단계는 팀원들이 집단 과제에 시간과 노력을 기울이도록 하는 것이다. 팀원들이 팀 과제에 기여한 정도를 정확히 사정하기 위해서는 학습자들로 하여금 동료평가를 하도록 해야만 한다. 즉, 팀원들에게 서로 팀 활동에 기여한 정도를 평가할 수 있는 기회를 주어야 한다. 팀에 대한 기여도에는 팀워크를 위한 개인적인 준비, 수업 출석, 수업 시간 외 가졌던 팀 모임에의 참석 정도, 팀 토론에의 기여도, 팀원들의 기여를 격려하고 가치 있게 여겨주는 것 등이 포함된다. 동료평가는 TBL 과정 중 핵심사항이라 할 수 있는데 이는 팀원들이야말로 서로의 기여도를 가장 정확히 사정할 수 있는 정보를 충분히 가지고 있는 유일한 사람들이기 때문이다(동료평가에 대한 추가 자료는 이 책 제9장과 2부 내용 참조).

### *높은 수준의 팀 수행에 대한 책임*

책무성을 심어주기 위한 세 번째 핵심 요소는 팀 수행을 사정할 수 있는 효과적인 방법을 개발하는 것이다. 팀을 효과적으로 사정하기 위한 두 가지 핵심 사항이 있다. 하나는 진문가의 의견(교수의 의견 포함)과 함께 팀 간에 비교될 수 있는 학습과제를 개발하여 활용하는 것이고, 또 다른 하나는 이러한 비교가 일정한 시간 간격을 두고 자주 일어날 수 있도록 하는 것이다.

## 원리 3 – 학습자들은 자주, 그리고 시의적절하게 피드백을 받아야 한다

즉각적인 피드백은 매우 상이한 두 가지 이유에서 TBL의 핵심적인 교수-학습의 원동력이 된다. 먼저, 피드백은 학습내용 습득과 기억에 필수적이다. 이는 직관력을 형성하는 개념이며, 교육연구문헌에도 잘 나타나 있다(예. Bruning, Schraw, & Ronning, 1994). 즉각적인 피드백이 TBL에서 가장 중요한 두 번째 이유는 피드백이 팀 개발에 끼치는 영향 때문이다. 피드백이 자주, 즉각적으로, 그리고 차별적으로 주어질 때 학습과 팀 개발에 줄 수 있는 영향은 더욱 커진다(예. 학습자들에게 옳은 선택과 그른 선택, 효과적이고 비효과적인 전략의 차이를 명백히 보여줄 수 있을 때). 이는 교육문헌에는 거의 언급되어 있지 않지만, 집단 역동성 연구에서는 수십 년간 강조되어 왔다(Michaelsen et al., 2002, 2004 제4장 참조).

### *RAT에서의 적절한 피드백*

차후 이 장에서 보다 자세히 논의할 RAT은 TBL 학습과 팀 개발에 필요한 피드백을 학습자들에게 제공하는 것이다. RAT은 각 주요 단원에 대한 학습을 시작할 때 주어지기 때문에 학습자들이 학습 개념을 가지고 보다 복잡하고 어려운 적용학습활동을 수행할 수 있도록 한다. 그리고 RAT 집단의 피드백은 두 가지 방법으로 팀 개발을 촉진시킨다. 하나는 집단 점수를 공개하여 팀원들이 서로 협력하여 이미지 관리를 하고자 노력하게 만드는 것이다. 또 다른 하나는 집단 시험 중에 받는 즉각적인 피드백을 통해 집단이 팀으로서 서로 의사소통하는 방법을 지속적으로 개선하도록 촉진시키는 것이다. 학습자들이 팀 시험 중에 실제적인 피드백을 받기 때문에 팀 내에서 어떻게 의견 취합을 잘못했는지에 대해 즉각적으로 반영할 수 있고, 반복적으로 실수하지 않도록 강력한 동기가 유발된다(Watson, Michaelsen, & Sharp, 1991). 따라서 시간이 지나면, 외향적이거나 독단적인 팀원들은 경청을 보다 많이 하게 되고 말을 더 적게 하며, 조용했던 학습자들은 오히려 더 활발히 팀 토론에 참여하여 집단 응집력이 향상되는데, 이는 팀원들이 서로의 기여와 노력에 대해 진심으로 감사한 마음을 갖게 되기 때문이다.

### *적용학습활동에서의 적절한 피드백*

적용학습활동에서 즉각적인 피드백을 제공하는 것은 학습과 팀 개발을 하는 것만큼 중요하다. 그러나 이는 RAT에서 즉각적인 피드백을 제공하는 것보다 더 큰 도전이다. 학습자들이 기본적인 학습개념을 잘 이해했는지를 확인하도록 설계된

RAT과는 달리 대부분의 적용학습활동는 복잡한 상황에서 보다 높은 수준의 사고를 개발하는 데 그 목적을 두고 있기 때문이다. 하지만 이러한 과제들은 설계와 성적 매기기에는 까다로울 수 있으나, 과제의 형식을 한 번 이해한 후에는 작업이 한결 용이해진다(제3장 참조).

실제로, 여러분이 이미 사용하고 있는 많은 과제들은 TBL의 적용학습활동으로 수정하여 활용할 수 있다. 예를 들어, 한 교수는 학습자들의 진단 능력을 향상시키기 위해 일련의 환자 사례 보고를 쓰도록 하고 있었다. 이 교수는 각 환자 사례별로 한 페이지 분량의 예상 진단을 적어보도록 하였다. 그러나 불행히도, 학습자들은 이 과제를 팀원들끼리 서로 나누어 작업하였고 그 결과 학습자들은 사례의 일부분에 대해서만 열심히 학습하게 되었다. 뿐만 아니라, 학급의 규모가 매우 크기 때문에 교수는 학습자들의 과제를 읽고 점수를 매기느라 상당한 시간을 소모해야 했다.

이 교수는 TBL을 활용하면서 그녀가 사용했던 과제를 두 가지 방법으로 개선하였다. 먼저, 진단에 대해 글을 쓰는 것에 초점을 맞추기보다 진단을 내리는 것에 초점을 두었다. 둘째, 교수는 팀들을 피드백-평가 과정에 참여시켰다. 교수는 동일한 사례에 대해 모든 학습자들이 수업 전에 미리 읽어서 수업 시간에는 진단을 내리는 데에 협력하도록 학습을 구성하였다. 그리고 수업 시간에 교수가 매우 중요한 새로운 정보를 하나 알려주고 일정 시간 내에 (가) 여러 가지 답안 중에서 가장 적절한 진단을 선택하거나, (나) 주어진 정보로는 정확한 진단을 내릴 수 없다는 입장을 확고히 하도록 하였다. 주어진 시간이 지나면 팀은 1페이지 분량의 보고서를 제출하는데, 그 내용에는 팀이 결정한 진단결과와 이를 뒷받침하는 근거를 서술하도록 한다. 팀이 자신들의 결정을 서술한 보고서를 제출한 다음 교수는 팀이 결정한 답에 해당하는 숫자 카드를 들게 하고, 모든 팀에게 자신들의 선택에 대해 발표할 수 있는 기회를 준다. 팀 내에서 토론이 이루어진 뒤 자신들의 의사결정을 합리화시키려 할 것이기 때문에 항상 다른 팀 간에 활발한 논쟁이 오가게 된다. 이러한 주고받는 토론은 학습 개념의 이해와 팀의 응집력을 촉진시킨다.

## 원리 4 – 팀 학습활동은 학습과 팀 개발을 촉진시켜야 한다

TBL을 성공적으로 활용하기 위해서는 적절한 집단 학습과제를 개발하는 것이 필수다. 대부분의 학습 집단의 문제점으로 보고된 것들(예. 무임승차, 팀원들 간의 갈등 등)은 부적절한 집단 학습과제로부터 발생된 것이다. 부적절한 학습과제를 사용하면 형편없는 결과를 예측할 수 있는데, 이는 거의 100% 예상된 것이다. 대부분의 경우, 집단 학습과제에서 문제가 생기는 것은 그것이 실제로는 집단 학습과제가 아니기 때문이다. 다시 말해서, 학습과제의 구조가 팀워크로 해결되는 것이 아닌 학습자 개인적으로 해결할 수 있게 되어 있는 과제인 것이다. 뿐만 아니라, 토론 시간이 제한되므로 이러한 종류의 학습과제는 개인적인 학습을 유발할 뿐 팀 개발을 촉진시키는 것이 아니라 오히려 저해한다.

효과적인 팀 과제를 설계하는 데 가장 중요한 것은 집단 상호작용을 유발시켜야 한다는 것이다. 대부분의 경우, (가) 어려운 문제를 해결하는 과정에서 의사결정을 내리도록 하고, (나) 팀의 의사결정을 간략한 형태로 보고하도록 하는 팀 과제는 높은 수준의 상호작용을 유발한다. 의사결정 능력을 강조하는 학습과제를 제시한다면, 집단 내 토론이 자발적으로 이루어지면서 집단은 합리적인 방법으로 과제를 수행하고자 할 것이다. 반면에 긴 보고서를 써야 하는 복잡한 결과물을 내야 할 경우, 과제를 성공적으로 마치기 위해 팀원들 간에 과제를 분할해서 개별적으로 하는 것이 합리적인 방법이라고 생각하기 때문에 집단 토론을 제한시키기 마련이다. 따라서, 팀원 간에 과제를 배분하는 형식의 학습과제는 피하는 것이 좋다(효과적인 팀 과제에 대한 심도 있는 논의는 제3장 참조).

## 결론

앞서 논의한 네 가지 핵심 원리를 바탕으로 TBL을 시행해 본다면 다수의 집단이 효과적인 학습 팀으로 거듭나기 위한 응집력의 수준과 신뢰도를 높일 수 있다. 집단을 적절히 구성하면 모든 학급의 학습자들을 공평한 시작점에 둘 수 있고, 팀원들 간의 관계로 인해 생길 수 있는 불신의 가능성을 대폭 줄일 수 있다. 학습자들이 수업을 준비하고 출석하도록 하는 것은 팀원들의 응집력과 신뢰를 쌓을 수 있는 동기가 된다. RAT과 다른 학습과제를 활용하여 개인과 팀의 수행에 대한 즉각적인 피드백을 주는 것은 팀에게 팀원들의 지적 자원을 활용할 수 있다는 자신감을 불어 넣어 준다. 학습과 팀 개발을 촉진시키는 학습과제는 팀원들로 하여금 팀의 이득을 위해 도전적인 의사소통을 하게 만든다. 또한, 학습자들이 가지고 있는 자신이 속한 팀에 대한 자신감이 시간이 흐름에 따라 커지게 되어 외부의 도움 없이 어려운 과제를 수행할 수 있는 의지가 형성된다.

## 2부 – TBL 적용하기

TBL을 효과적으로 활용하려면 수업 내용을 처음부터 끝까지 재설계해야 한다. 그리고 이러한 재설계 과정은 학기가 시작되기 전에 미리 이루어져야 한다. 재설계 과정은 네 가지의 서로 다른 시점에 대한 학습활동의 설계와 의사결정을 포함한다. 이 네 가지 시점은 (가) 수업 시작 전, (나) 수업 첫 날, (다) 수업의 각 단원마다, (라) 수업의 마지막이다.

### 수업 시작 전

제1장에서 기술된 바와 같이 전통적인 의료전문가 교육은 많은 양의 지식을 오랜 학기 또는 여러 해 동안 습득하는 것으로 시작한다. 이 기간 동안 학습자들은 수차례의 강의 중심 수업을 듣는데 이 수업에서 학습자들은 차후 (때론 한참 후에야) 활용할 수 있는 엄청난 양의 지식을 습득해야 한다.

그러나 TBL은 근본적으로 다른 지식-습득/지식-적용 모형을 활용한다. TBL에서 학습자들은 각각의 수업마다 지식-습득/지식-적용 주기를 여러 번 반복하게 된다. TBL에서는 학습자들이 개별적인 학습 내용을 공부한 후 동료들과 그 내용을 함께 토론한다. 그리고 교수는 전문가가 되어 진료 현장에서 경험할 수 있는 문제해결로 즉시 연관되도록 한다. 따라서 TBL에서의 학습자들은 학습 내용에 대한 현실과의 연관성을 깊이 느끼게 되어 학습한 내용을 현실에서 언제 활용할 수 있을

지에 대한 고민을 하지 않게 된다. TBL에서는 차후 많은 노력을 통해 정보를 기억해 내야 하는 "내적 지식"(Whitehead, 1929)으로 머리를 채우기보다 시작부터 실용적인 문제해결과정을 통해 지식을 현실에 적용해 보는 훈련을 하게 된다.

이러한 효과는 우연히 만들어지는 것이 아니다. 성공적인 TBL 과정 설계는 다음과 같다. (가) 교수-학습의 목적과 목표를 규명하고, (나) 수업 내용을 대단원으로 나누어 각 단원의 핵심 개념을 규명하고, (다) 강의 성적 체제를 설계한다.

### *역행 설계*

TBL 과정을 설계할 때 교수가 역행 사고를 할 수 있어야 교육과정 설계에서 필요한 의사결정을 효과적으로 할 수 있다. 역행 사고를 한다는 것은 무슨 의미인가? 고등교육의 형식은 대부분 전통적으로 교수가 학습자들이 알아야 하는 것들이 무엇인지 생각하여 과정을 설계하고, 학습자들에게 교육을 제공한 다음, 학습자들에게 가르친 것이 얼마나 잘 학습되었는지 평가해보는 것이다. TBL에서는 학습자들이 알아야 하는 내용들로 학습내용을 구성하는 것이 아니라, 학습자들이 할 수 있도록 하고픈 내용으로 구성해야 한다. Wiggins와 McTighe(1998)는 "역행 설계" 개념을 사용하여 이와 같은 방법으로 교육내용을 설계하는 방법을 설명하였다. 실제 환자가 겪는 질병을 올바르고 재빨리 진단할 수 있는 것과 어느 한 질병과 다른 질병의 차이점을 찾아내는 것은 매우 다른 종류의 지식이라는 사실은 경험 있는 의사라면 누구든지 공감할 것이다.

학습자들이 정말 무언가 할 줄 "안다"는 것은 무엇인가? 여러분이 얼마 전에 가르친 학습자들과 어깨를 나란히 하고 일을 하고 있는데 어느 한 순간 그들이 무언가를 하여 당신이 다음과 같은 생각을 하게 된다고 상상해보자. "야호! 내 수업을 통해 실제로 배웠으면 했던 것을 정말로 습득했어. 여기 그 증거가 있군!"

수업 내용을 역행 설계할 때 "배웠다는 근거가 될 수 있는 구체적인 내용은 무엇인가?"라고 여러분은 스스로에게 질문한다. 학습자들이 정말 교수가 가르치고자 했던 것을 내면화하여 실제에 활용하고 있다는 근거를 어떻게 보여줄 수 있는가?

이 질문을 모든 과정에 적용해 본다면 여러 가지 답을 유출할 수 있다. 그리고 이 답들은 재설계된 수업의 각 단원에 따라 달라질 것이다. 조작된 실제적 상황에서 필요한 지식은 한 가지 수업에서의 지식만을 요구할 수 있다. 어떤 수업에서든지 여러분은 예전에 가르친 학습자들이 여러분이 가르치고자 했던 것을 제대로 배운 자랑스러운 순간들을 여러 가지로 상상해볼 수 있을 것이다. 일단, 물리적인 환경인 강의실은 생각하지 말고 학습자들이 실제 임상 상황이나 실험실 환경에서 무언가 하고 있다고 상상한다. 또한 이러한 상상을 하는 동안 매우 구체적으로 시각화하도록 한다. 학습자가 무엇을 어떻게 하고 있으며, 어떠한 상황에서, 어떠한 순서로, 어떠한 결정을 내리고 있는지 등 가능한 한 구체적으로 생각해 보도록 한다.

이러한 구체적인 시나리오는 세 가지 이유에서 매우 유용하다. 첫째, 시나리오가 이루어지는 배경은 학습 단원을 결정하는 데 도움을 준다. 둘째, 시나리오는 수업 시간에 학습자들에게 내적 지식이 아닌 적용 가능한 지식을 개발할 수 있도록 도와준다. 셋째, 시나리오의 구체적인 사항들은 학습자들의 성적을 매길 수 있는 평가 항목들을 설계하도록 도와준다.

"아하! 학습자들이 습득했어!" 라는 시나리오와 세부적인 내용을 브레인스토밍했다면, 이제 교실 상황을 고려해 보도록 하자. 여러분이 상상한 여러 가지 시나리오들(약 여섯 가지)은 수업을 마친 후 학습자들이 할 수 있었으면 하는 사항들이다. 즉, 교수가 설정한 교수-학습목표이다. 이제 세 가지 질문을 더 해보도록 한다.

1. **학습자들이 학습목표를 성취하기 위해서는 무엇을 알아야 하는가?**
   이 문제에 대한 답은 교과서 선정과 수업 내용, 실험실 활동, 기타 추가로 제작해야 하는 학습자료 또는 학습자들이 초점을 맞추어야 하는 내용으로 안내하는 학습가이드 등을 선정하는 데 도움이 될 것이다. 뿐만 아니라, RAT 문제를 개발하는 데에도 핵심적인 역할을 할 것이다.
2. **문제를 해결하기 위해 의사결정을 내려야 한다면 학습자들에게는 어떤 지식이 필요한가?**
   이 질문에 대한 답은 브레인스토밍으로 그린 실제 세계의 시나리오를 교실로 옮겨올 수 있도록 도와줄 것이다. (디지털 비디오, 시뮬레이션 마네킹, 컴퓨터 애니메이션 등이 "실제" 상황과 매우 흡사할 정도로 발전하긴 했지만) 실제 임상 상황이나 실험실의 상황을 교실에서 그대로 재연할 수 없을 수도 있다. 그러나 비슷한 상황으로 재연하기만 해도 관련 정보를 충분히 제공할 수 있기 때문에 학습자들이 실제 임상 또는 실험 상황에서 일어나는 문제들을 대처하고 의사결정을 내리는 것과 유사한 상황을 만들면 충분한 학습활동을 설계할 수 있다.

3. **이 지식을 활용하여 좋은 의사결정과 형편없는 의사결정을 구분할 수 있는 영역은 무엇인가?**
   이 질문에 대한 답은 학습자들이 학습 자료들을 얼마나 잘 학습하였는지를 측정하는 데 도움이 될 것이다. 뿐만 아니라, 학습자들이 특정 상황에서 지식을 얼마나 잘 활용할 수 있는지를 평가하는 데도 도움이 될 것이다.

요약하면, TBL은 성과중심 교수-학습목표의 힘으로 학습자들을 학습내용에 노출시킬 뿐만 아니라 이를 실제로 활용할 수 있도록 한다. 교수-학습목표를 설정할 때에는 학습자들이 해당 목표를 성취했을 때 이를 어떻게 사정할 것인가 하는 사항도 반드시 함께 연구되어야 한다. 어떤 교수들은 평가방법을 미리 설계하면 교수-학습의 일부 가치를 훼손시킨다고 생각한다. 즉, "시험을 위한 가르침" 이 되어버린다는 것이다. 하지만 시험이 (현실과 가장 유사한 상황에서) 학습자들이 배운 내용을 실제로 어떻게 활용할 것인가(단순히 지식을 습득하는 것이 아니라, 배운 내용으로 무엇을 할 것인지)를 제대로 평가할 수만 있다면 당연히 교수는 시험을 위해 가르쳐야 한다.

### *성적 체계 설계*

수업을 재설계하는 세 번째 단계는 성적 체계가 학습에 대한 정당한 보상이 되게끔 설계하는 것이다. TBL에서의 효과적인 성적 체계는 (가) 개인의 기여도나 팀의 성과물에 대해 보상이 되어야 하며, (나) 팀 성적이 개인 성적에 포함될 경우 자연스럽게 논의될 수 있는 공평성도 고려되어야 한다. 여기서 생기는 우려는 팀원의 무임승차로 인해 팀에 해를 입었던 과거의 학습 활동에 대한 기억이다. 따라서 학습자들은 낮은 점수를 받거나, 동기가 유발되지 않은 동료 학습자를 함께 업고 가는 희생 중 하나를 선택해야 하는 상황에 대해 걱정을 할 수 있다. 교수 또한 이러한 상황에서 엄격하게 점수를 주어야 할지 공평하게 주어야 할지에 대한 고민을 하게 된다.

다행히도 위에 언급된 우려들은 다음과 같은 성적 체계를 설계함으로써 해결할 수 있다. 성적의 상당 부분을 (가) 개인 수행 결과와 (나) 팀 수행 결과, (다) 팀의 성공적인 수행에 기여한 각 팀원들의 기여도를 바탕으로 매기는 것이다. 이러한 기준을 지킬 경우 많은 고민이 해결될 것이며 남은 문제가 있다면 각 평가 항목에 대한 가중치를 교수와 학습자 모두가 수용할 수 있도록 하려면 어떻게 해야 하느냐에 대한 문제일 것이다(적절한 가중치 부여 방법은 다음 단원에 기술되어 있음).

## 수업 첫 시간: 첫 발을 제대로 내딛기

첫 수업의 몇 시간 동안 일어나는 일들이 TBL의 성공을 결정한다. 이 시간 동안 교수는 네 가지 목표가 달성되었는지 점검해야 한다. 첫 번째 목표는 학습자들이 왜 TBL 방법을 사용하기로 하였는지, TBL을 활용하면 수업이 어떠한 방식으로 진행되는지 제대로 이해하는 것이다. 두 번째 목표는 집단을 구성하는 것이다. 세 번째와 네 번째 목표는 학습자들이 걱정하는 성적에 관한 것과 긍정적인 집단 규율을 형성하는 것과 관련이 있다.

### *팀의 가치에 대한 학습*

TBL은 기존의 전통적인 교수-학습 방법과 근본적으로 다르다. 그렇기 때문에 학습자들이 TBL을 활용하여 수업을 하는 것에 대한 합리적인 설명과 어떻게 수업이 진행되는지에 대한 학습자들의 이해가 반드시 선행되어야 한다. 학습자들에게 TBL에 대한 교육을 하기 위해서는 TBL의 특성에 대한 기본적인 소개를 하고, TBL이 교수와 학습자의 역할에 어떠한 변화를 주는지 그리고 이 수업 방법을 통해 어떤 이득을 볼 수 있는지에 대한 설명이 필요하다. 이러한 내용은 수업계획서를 통해서 또는 교수가 직접 발표하거나 한두 가지 시범 활동을 통해 설명되어야 한다.

학습자들에게 TBL을 이해시키기 위해서 우리는 주로 두 가지 활동을 활용한다. 첫 번째 활동은 TBL의 기본적인 특성을 설명하는 것인데, 투영기나 파워포인트 슬라이드를 활용하여 TBL을 통해 수업목표가 어떻게 성취될 수 있는지 기존의 전통적인 수업 방식과 비교하여 설명한다(Michaelsen et al., 2002, 2004의 부록 D-A1.1과 D-A1.2 참조). 두 번째 활동은 RAT을 시범적으로 해보도록 하는 것이다. RAT 내용으로는 수업 계획서의 내용을 활용할 수도 있고, TBL에 관한 간단한 읽을거리나 효과적인 피드백에 대한 내용을 다룰 수도 있다(Michaelsen & Schultheiss, 1988). 이는 두 번째 수업에서 한 시간 내로 마무리짓는다.

### *집단 구성하기*

위에서 논의한 바와 같이, 집단을 구성할 때에는 다음의 두 가지 요소를 고려해야 한다: (가) 수업과 관련된 학습자들의 특성과 (나) 하위 집단 형성의 잠재력. 집단 구성의 시작은 이 수업의 성공에 방해가 되거나 도움이 될 수 있는 학습자들의 구체적인 특성들을 파악하는 것이다. 특정한 수업의 경우, 성공적인 학습이 될 수 있도록 도움을 줄 수 있는 특성은 이 수업과 관련된 선수 과목을 수강했다거나, 임상 경험이 있다거나, 타 문화권에 대한 경험이 있다거나 하는 등의 특징이다. 일반적으로 학습을 어렵게 하는 특성은 도움이 되는 특성들을 갖고 있지 않다는 점인데, 미숙한 언어영역이 학습을 어렵게 만들기도 한다.

집단에서 학습자 수행 능력에 영향을 주는 두 번째 요소는 하위 집단의 존재이다. 예를 들어, 남자/여자 친구, 남/여학생 모임, 인종 집단 등이 있다. 집단 구성 과정과 관계없이 이러한 종류의 집단에 속한 개인 팀원들의 특성을 파악하여 전체 집단에 골고르게 분산되도록 구성해야 한다(구체적인 학습 집단 구성 방법은 Michaelsen et al., 2002, pp.40-41; 2004, pp.39-40; http://www.teambasedlearning.org; 이 책 제6장 참조).

집단 구성은 학습자들이 있는 자리에서 하는 것이 좋다. 그래야 교수가 집단 구성에 다른 의도가 있지 않다는 것을 보여줄 수 있기 때문이다. 집단 구성은 집단 성공에 중요한 요소가 무엇인가에 대한 질문을 하면서 시작할 수 있다. 예를 들어, 약리학 수업에서는 "여러분 중 몇 명이 약사로서의 경험을 해본 적이 있습니까?", "여러분 중 생화학 관련 과목을 한 가지 이상 수강한 사람이 있나요?", "여러분 중 미국 외에 다른 나라에서 고등학교를 다닌 사람이 있나요?" 등의 전형적인 질문을 할 수 있다. 학습자들은 각 질문에 말로 응답하거나 손을 들어 표할 수 있다. 그 다음, 비슷한 특성을 지닌 학습자들끼리 뭉치게 한 후에 집단별로 줄을 세운다. 그리고 집단의 수(일반적으로 5~7명)만큼 학습자들에게 각각 번호를 붙인다. 그래서 모든 "1번" 학습자들이 집단 1이 되고, "2번"으로 지목받는 학습자들이 모여 집단 2가 되는 것이다. 이러한 식으로 집단을 형성하면 매우 이질적인, 그리고 어느 정도 학습 능력이 동등한 수준의 팀을 즉각적으로 만들어낼 수 있다(부록 2.A 참조).

### *성적에 대한 학습자들의 고민 해결하기*

첫 발을 내딛기 위한 다음 단계는 학습자들의 성적에 대한 고민을 해결하는 것이다. 다행히도, 학습자들의 걱정은 TBL의 두 가지 핵심 특징을 이해하는 순간 사라질 것이다. 핵심 특징의 첫 번째는 RAT의 개인 점수를 인정하는 것과 동료평가 결과의 일부를 성적에 포함시킨다는 두 가지 요소가 개별적인 수업 준비도와 출석률을 높여준다는 사실이다. 두 번째, 팀 학습과제는 수업 시간 내에 진행되며 사고, 토론, 의사결정에 기초한 것이기 때문에 의욕이 부족한 한두 명의 학습자들에 의해 팀 전체가 위험해지지는 않는다는 점이다.

수년간의 경험을 통해 우리는 학습자들의 성적에 대한 걱정을 해소하는 가장 효과적인 방법을 알아내었는데, 이는 본 수업의 성적 체계를 결정하는 데에 학습자들을 직접 참여시키는 것이었다. 즉, 학습자들을 성적의 가중치 결정하기 활동에 참여시키는 것이다(Michaelsen, Cragin, & Watson, 1981; Michaelsen et al., 2002, 2004의 부록 B 참조). 교수가 제시하는 한도 내에서 새로 구성된 각 팀의 대표들이 모여 각 성적 점수(개인 수행, 팀 수행, 팀 성과에 개인의 기여도)에 대한 적절한 가중치에 대해 합의점을 찾는다(예. 모든 대표 학습자들이 찬성해야 한다). 각 요소의 가중치에 대한 적절한 합의점을 찾은 뒤에는 이 가중치를 모든 집단에게 수업 내내 적용하도록 한다.

### *수업의 각 대단원 활용하기*

TBL에서의 각 수업 단원(각 단원은 약 6~10시간으로 구성됨)은 그림 2.1에 나타난 바와 같이 여러 가지 순차적인 수업 활동으로 진행된다. 1부에서 기술된 바와 같이 각 학습 활동은 학습자들이 학습 내용을 이해하고 집단 응집력을 향상시킬 수 있도록 제대로 설계되고 적절한 피드백이 주어져야 한다.

### *학습 범위의 내용 습득에 대한 보증*

TBL의 기본 원리는 학습자들이 RAP을 통해 수업 내용에 노출되도록 하는 것이다. RAT은 각 과정마다 5~7차례 실시될 수 있다. 그 첫 수업은 교실 내 수업으로 각 대단원마다 실시해야 하는 과제들이 있는데 그 내용은 교수가 역행 설계한 학습활동을 통해 규명된 것이다. RAT 과정은 TBL 수업에서 개인과 팀이 가져야 할 책무성의 바탕도 다져주게 된다. RAT에는 다섯 가지 핵심 요소가 있다: (가) 읽기과제, (나) 개인 평가, (다) 집단 평가, (라) 항의 과정, (마) 교수 피드백(표 2.1 참조). 각 요소들에 대한 설명을 구체적으로 하면 다음과 같다.

#### 읽기과제

각 대단원을 시작하기 이전에 학습자들은 읽기과제를 포함하여 기타 다른 과제를 미리 부여받을 수 있다. 이러한 과제는 해당 단원에 대한 문제를 해결하기 위해 반드시 이해해야 하는 개념이나 정보를 담고 있다. 이러한 개념과 정보는 교수가 역행 설계를 통해 규명한 내용들이다. 학습자들은 과제를 수행하고 시험에 대비하면서 차기 수업에 임해야 한다.

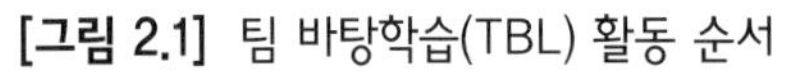
**[그림 2.1]** 팀 바탕학습(TBL) 활동 순서

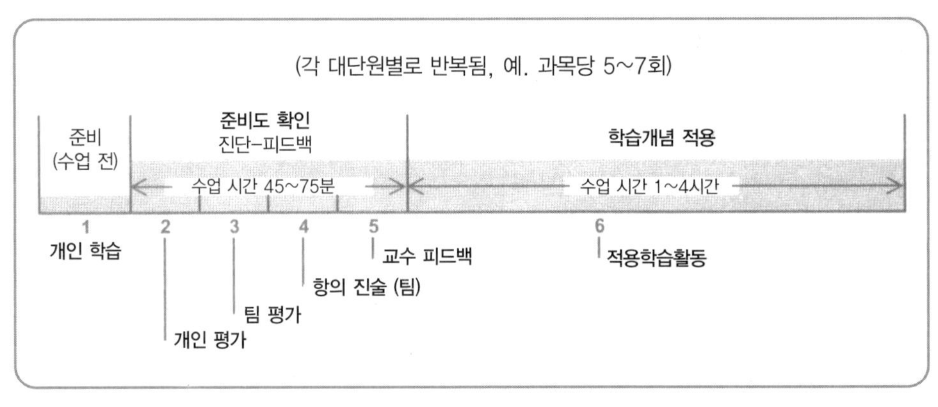

### 개인 평가

각 단원에서의 첫 번째 학습 활동은 개인학습 준비도 확인시험(IRAT)으로 사전 학습과제를 확인하는 평가이다. IRAT은 다지선다형 문항으로 구성되어 있는데, 이 평가를 통해 사전 읽기과제의 핵심 개념에 대한 학습자의 이해도를 점검할 수 있다. 따라서 IRAT 문항들은 기본적인 개념에 초점을 맞추어야 한다(까다로운 문제는 피해야 함). 이와 동시에 팀 간에 토론을 유발할 수 있을 정도의 난이도로 문항이 개발되어야 한다(효과적인 IRAT 문항을 개발하는 방법은 Michaelsen et al., 2002, 2004의 부록 A 참조).

### 팀 평가

학습자들은 IRAT을 마친 후 답안지(팀 평가 동안 채점을 해주어야 함)를 교수에게 제출하고 곧바로 RAT의 3단계인 GRAT으로 넘어간다. 3단계에서는 학습자들이

**〈표 2.1〉** 준비도 확인시험 (RAT)

1. 읽기과제.
   대부분의 경우, 학습자들은 읽기과제를 통해 학습 개념을 미리 접하게 된다.
2. 개인 평가.
   이 과정은 개인 평가를 통해 개별적으로 학습한 내용에 대한 학습자들의 기억을 강화시킨다(시험과 기억에 대한 긍정적인 효과에 대한 논의는 Nungester & Duchastel, 1982 참조).
3. 팀 평가.
   팀 평가 동안에는 학습자들이 개인적으로 선택한 답안에 대해 각자 구술하여 설명하게 된다. 그 후에, 학습의 주요 개념과 관련된 내용을 강화하거나 수정할 수 있는 동료 토론을 하게 된다. 뿐만 아니라, 학습자들은 각자가 학습한 내용을 서로 가르치는 활동을 통하여 많은 이득을 얻을 수 있다(가르침을 통한 인지적 학습에 대한 논의는 Bargh & Schul, 1980; Slavin & Karweit, 1981 참조).
4. 항의.
   이 단계에서는 팀원들이 팀이나 개인 평가에서 점수를 얻을 수 있다. 그로 인해 학습자들은 읽기과제에서 발견한 까다로운 개념에 대해 재학습을 하고자 하는 동기가 강하게 유발된다.
5. 교수의 구두적 피드백.
   1~4단계에서 교수는 평가 과정에서 나온 주요 개념에 대한 오해를 다룰 수 있다. 5단계에서는 교수가 정답을 피드백해주고 학습자들이 항의 과정에서 발견한 오해의 소지들을 점검하여 해결하는 데 초점을 둔다.

개인 평가와 동일한 시험을 치르게 되는데 이번에는 팀원들이 각 문항에 대한 의견을 종합하여 한 가지 답을 고르게 된다. 그 다음 즉각적으로 자신들이 선택한 답을 즉각적인 피드백-평가 기법(Immediate Feedback-Assessment Technique: IF-AT) 자기평가 답안지를 통해 확인한다. 이 답안지를 통해 GRAT 결과에 대한 실시간 피드백을 받는 것이다. IF-AT 답안지는 4지(5지)선택형 답안 중 팀에서 선택한 번호를 긁으면 정답을 확인할 수 있다. 만약 첫 번째 시도에서 정답을 맞히면 최고 점수를 받게 된다. 그러나 그렇지 못하면 정답을 찾을 때까지 선택은 계속될 것이고 한 번 틀릴 때마다 점수가 깎이게 된다. 이러한 방식으로 정답에 가까운 지식에 대한 부분 점수도 받을 수 있다(그림 2.2 참조).

우리의 판단으로는, IF-AT 답안지는 GRAT에 대한 실시간 피드백을 주는 데 최선의 방법이다(IRAT에는 해당되지 않는다. 개인 평가에서 피드백을 주면 팀 평가 이전에 정답을 알아버리기 때문에 토론 과정이 무의미해질 것이다).

IF-AT에서 실시간 피드백을 제대로 제공한다면 이는 학습 팀에게 두 가지 점에서 매우 이롭다.

- 진정한 실시간 피드백이 이루어지면 수업과 관련된 오해들을 빠른 시간 내에 풀 수 있다. 정답을 즉각적으로 찾아내는 일은 학습자들의 답안 선택에 대한 타당성을 확인시켜 주는 작업이다. 그러나 빈칸을 찾아낸다면 팀이 더 논의해야 하는 부분이 남아 있음을 얘기하는 것이다.
- 진정한 실시간 피드백은 교수의 큰 노력 없이 팀이 효율적으로 협력하여 학습하는 방법을 빠른 시간 내에 배울 수 있는 상황을 만들어낸다. 또한, IF-AT는 한두 명의 학습자들이 토론을 점령할 수 있는 가능성을 없애준다. 이처럼 다른 학습자를 고려하지 않은 채 주도하려는 학습자들이 자신의 “잘못을 인정”하기까지는 종이 한 장 차이고, 토론에 잘 참여하지 않는 조용한 학습자들이 중요한 정보원의 역할을 하기까지도 종이 한 장 차이며 조금 소리 높여 목소리를 내기까지는 종이 두 장 차이 정도이다.

IF-AT가 팀 개발에 주는 긍정적인 영향은 아주 놀랄 만하다. 우리의 판단에 의하면, IF-AT를 GRAT과 함께 활용하면 학습과 학습 팀의 응집력을 촉진시킬 수 있

[그림 2.2] 즉각적인 피드백-평가 기법 답안지

즉각적인 피드백-평가 기법(IF-AT)

이름 TEAM #1 시험 1

과목 과목총점 34

선택한 답에 해당하는 번호를 긁으시오.

| | A | B | C | D | 점수 |
|---|---|---|---|---|---|
| 1. | | | ★ | | 4 |
| 2. | ★ | | | | 1 |
| 3. | | ★ | | | 4 |
| 4. | | ★ | | | 2 |
| 5. | | | | ★ | 4 |
| 6. | ★ | | | | 4 |
| 7. | | | | | |

는 가장 강력한 학습 도구가 된다. 따라서 아직 이를 활용하지 못하고 있는 교수는 TBL을 적용시켰을 때의 효과를 향상시킬 수 있는 기회를 놓치고 있는 셈이다.

IF-AT를 위한 스크래치용 답안지는 웹사이트 http://www.epsteineducation.com을 통해 주문할 수 있다. 여러분이 한 세트의 답안지를 주문할 경우 여러 종류의 답안지를 받을 수 있다. 이는 학습자들이 정답 유형을 암기하는 것을 미연에 방지하기 위한 것이다. 그리고 교수는 어떠한 유형의 답안지를 받든지 간에 답안지에 대한 해답지를 받는다. 그리고 답안지는 주로 팀 평가에서만 사용하기 때문에 여러 번의 GRAT에 활용될 수 있으며 한 번 주문하면 여러 명의 사용자가 사용할 수 있거나 몇 년간 사용할 수 있다. 이런 점을 고려해 볼 때, 답안지 가격은 꽤 합리적인 편이다.

## 항의

이 시점의 학습자들은 RAT의 4단계로 돌입한다. 이 단계에서 학습자들은 읽기과제에서 궁금했던 점들에 대해 항의할 수 있다. 학습자들에게 읽기과제에 대한 재학습을 할 수 있는 기회가 주어지기 때문에 교수에게 특정 시험 문항이나 읽기과제에서 이해하지 못한 내용에 대해 항의하거나 문항의 질에 대한 불만을 표할 수 있다. 자신들의 학습자들은 반드시 합리적인 근거를 통해 교수를 설득해야 하고 그렇게 해야만 집단 평가에서 잃은 점수를 얻을 수 있기 때문에, 항의 내용을 뒷받침하기 위한 팀별 토론은 매우 활발히 이루어지게 된다. 교수는 학습자들의 이러한 학습 자료에 대한 논쟁에 귀를 기울이는 한편, 팀 항의 보고서를 작성한다. 이로써 교수는 학습자들이 정답을 맞춘 것에 대해 다시 확인하는 것이 아니라 학습자들이 틀린 답에 대해 논쟁하게 함으로써 무언가를 더 배우게 할 수 있다. RAT의 한 부분인 이러한 항의 학습 활동은 읽기과제에 대한 또 다른 검토 능력을 키워준다.

### 교수 피드백

RAT의 마지막 5단계에서는 교수의 구두적 피드백이 주어진다. 이 피드백은 읽기과제에서 혼란스러웠던 내용을 명백히 하는 과정으로, 항의 과정이 끝난 즉시 주어진다. 따라서 교수는 사전 읽기과제에서 가장 열띤 논쟁거리가 되는 내용에 초점을 두어 간략하게 다룰 수밖에 없다.

### 준비도 확인시험에 대한 요약

RAT은 학습자가 스스로 학습할 수 있는 내용을 교수의 강의를 통해 배움으로써 낭비되는 시간을 절약해준다. 시간이 절약되는 이유는 교수의 지도가 학습자들이 (가) 학습 내용을 미리 학습한 뒤, (나) 읽기과제의 핵심 개념에 대한 개인 평가를 실시하고, (다) 학습 팀원들끼리 동일한 시험을 다시 치른 다음, (라) 가장 이해하기 어려운 개념에 대해 재학습을 마친 후 실시되기 때문이다. (하지만 팀 평가 결과에 대한 검토를 엉성하게 하면 학습자들이 가지고 있는 의문점이나 오해들에 대해 바로잡아줄 수 있는 기회를 놓치게 된다.) 이와 같이 RAT의 장점과 유발되는 동기를 잘 활용하면 학습자들이 높은 수준의 학습 기술 개발을 위한 적용학습활동를 풀 수 있는 충분한 시간이 주어진다. 따라서 집단 학습에 대한 시간을 빼앗겨 많은 수업 내용을 제대로 다루지 못할 것이라는 많은 교수들의 우려와는 달리, TBL을 경험한 교수들은 일반 강의식 수업에 비해 RAT에서 더 많은 학습 내용을 다룰 수 있다고 보고하였다.

RAT은 교수-학습의 영향력을 넘어서 팀 개발에 대한 긍정적인 영향력으로 TBL

의 중추 역할을 한다. RAT은 네 가지 구체적인 영역에서 팀 개발을 촉진시킨다. 첫째, 수업 초반에 학습자들은 개인과 팀 수행에 대한 즉각적이고 확실한 피드백을 받을 수 있다. 따라서 각 팀원들은 스스로 수업 준비에 대한 책무성을 가지고 있어야 한다. 둘째, 팀원들이 서로 얼굴을 맞대고 학습하기 때문에 상호작용의 영향력이 즉각적이고 개인적이다. 셋째, 학습자들은 집단으로 열심히 하는 데 많은 흥미를 느끼기 때문에 높은 수준의 상호작용을 하도록 동기가 유발된다. 마지막으로, 교수가 정보를 제공하면 마지막 학습 단계까지 집단 응집력이 지속적으로 개발된다. 집단 응집력이 더욱 강해지는 이유는 일반 강의와는 다르게 교수의 피드백은 RAT의 결과에 따라 달라지고 팀에게 가치 있는 정보를 제공해주기 때문이다.

RAT의 영향은 기본적으로 학습자들에게 학습 내용을 알도록 하는 것에 제한되어 있다. 그럼에도 불구하고 강력한 교수-학습 활동이 될 수 있는 것은 RAT이 풍부한 피드백이 가능한 학습 환경을 조성하기 때문이다. 수업 준비와 활발한 상호작용에 대한 격려는 학습자들이 어려운 학습 문제들을 풀고자 하는 능력을 향상시켜 준다. 또한 수업에 대한 준비와 활발한 토론 과정은 팀원들 간의 지적 능력과 서로 높은 수준의 피드백을 주고자 하는 의지력을 높여준다. 이는 결과적으로 교수가 학습자 개개인에게 주어야 하는 피드백의 부담을 줄여준다. 따라서 RAT은 대규모 수업에서도 마찬가지로, 학습자들이 즉각적인 피드백을 받을 수 있고 상황에 따라서는 교수와 학습자가 일대일 관계를 갖는 것보다 더 좋은 학습 상황을 보장해준다.

### *높은 수준의 학습 촉진하기*

TBL 수업의 마지막 단계는 한 가지 이상의 학습과제에서 학습자 자신들이 습득한 학습 개념을 통해 문제해결을 하여 학습 내용에 대한 보다 깊은 이해를 할 수 있도록 하는 것이다. 위에서 강조된 바와 같이 (그리고 이 책의 제 3장에서 구체적으로 논의된 바와 같이), 좋은 적용학습활동은 주고받는 토론을 촉진시킨다. 이는 토론을 통한 의사결정에 초점을 맞추고 학습자들로 하여금 자신들이 생각한 결론을 서로 공유하여 즉각적으로 팀 간의 비교와 피드백을 가능하게 하기 때문이다.

표 2.2는 이러한 조건에 맞는 적용학습활동에 대한 여러 가지 사례를 보여주고

〈표 2.2〉 의사결정중심 과제의 예시

다음은 학습개념과 관련된 2~5가지 과제 예시이다. (아래의 예시에 대한 답안 문항들을 만들면 된다):

- 특정 온도 향상에 가장 큰/적은 영향을 주는 것은? (화학 또는 식물학 수업에 활용)
- 특정 약을 투약한 후 30분이 경과했을 때 포도당 수치를 가장 많이/적게 떨어뜨릴 수 있는 것은? (약리학 또는 생화학 수업에 활용)
- 심장의 특정한 혈액 순환 방식에 가장 많은/적은 영향을 줄 수 있는 것은? (심장학 수업에 활용)

있다. 각 사례의 학습과제는 팀이 학습 개념을 활용하여 복잡한 문제를 풀어 간단한 결과를 내리도록 요구한다(제3장 참조). 이러한 각 학습과제를 통해 팀의 학습 수행에 대한 즉각적이고 구체적인 동료 평가를 받을 수 있기 때문에 학습과 팀 개발이 향상된다. 이와 같이 학습이 향상될 수 있는 이유는, 첫째 학습자들이 자신들이 내린 가정에 대해 재검토하게 만들고, 둘째 가능하다면 수정할 수 있게끔 기회를 주고, 셋째 여러 가지 사실에 대한 자기 해석을 하게 하며, 넷째 팀이 내린 결정에 대해 스스로 방어해야 하므로 서로 협력하는 과정에서 집단 응집력이 형성되기 때문이다.

### *긍정적인 팀 규준 개발 장려하기*

팀의 학습에 대한 성공 여부는 각 팀원들의 학습 준비도와 출석률에 따라 달라진다. 만약 학습자들에게 지속적인 피드백을 통해 수업에 대한 준비와 출석이 팀의 성공에 핵심적인 역할을 한다는 사실이 강조되면 이러한 기본적인 규율이 자발적으로 형성될 것이다.

학습자들에게 피드백을 줄 수 있는 가장 간단하면서 효과적인 방법은 팀 기록 파일을 만드는 것이다. 이 파일에는 그동안 각 팀원들의 출석과 개인과 팀의 RAT 점수 그리고 그 외 부여되었던 과제 성적이 기록되어 있어야 한다(Michaelsen et al., 2002, 2004의 부록 D-B1.1 참조). 이렇게 팀 파일에 출석을 기록하는 것은 다른 팀들이 어떻게 하고 있는지를 알 수 있기 때문에 특히 도움이 된다. 뿐만 아니라, 팀의 점수를 공개적으로 기록하는 것은 개인학습 준비에 대한 책무성을 더욱

불어넣어 주고 성실한 출석을 장려하기도 한다. 이는 개인학습 준비도와 출석이 팀 수행에 항상 긍정적인 영향을 미친다는 인식을 심어주기 때문이다.

## 종강 수업이 다가오면

교수는 교육과정의 막바지에 여러 가지 특정한 학습 활동을 통해 학습 내용과 집단 학습과정에 대해 더 많은 경험을 제공할 수 있다. 이러한 학기말 학습 활동들은 학습자들로 하여금 한 학기 동안 자신들이 경험한 학습을 점검하게 한다. 이것은 주로 그동안 배운 (가) 학습 개념, (나) 도전 과제들을 팀으로 수행하는 방법, (다) 효과적인 팀워크를 촉진시키는 상호작용에 대한 검토와 (라) 자기 자신에 대한 재점검과 같은 다양한 영역에 초점을 두고 있다.

### *내용 학습에 대한 강화*

TBL의 가장 큰 장점은 의과대학에 있어서는 위험요소가 될 수 있다. 학습자들이 학습 개념을 습득할 수 있는 수업 시간이 매우 적게 편성되기 때문에 학습자들은 강의 필기의 분량이 줄어든 것만으로도 불안해하거나 자신이 속았다는 느낌을 받을 수 있다. 의사면허 시험에 필요한 학습을 얼마나 하였는지에 대한 자각을 하지 못하기 때문이다. 따라서 학기말이 다가올수록 교수는 면허시험과 학기말 시험, RAT 문항 그리고 적용 과제들 간의 연관성을 지속적으로 유지해야 한다. 이러한 노력으로 학습자들은 (가) 의사면허 시험에 나올 수 있는 학습 개념에 대한 방대한 양을 학습할 수 있고, (나) 이해하지 못한 개념에 대해 확실히 이해하고 넘어갈 수 있으며, (다) 자신이 내린 결론을 팀 안에서 서로 비교할 수 있으며, (라) 팀은 추가적으로 학습해야 할 내용을 규명할 수 있다.

### *팀의 가치에 대해 배우기*

다른 집단중심 교수-학습 방법에서도 훌륭한 학습자들이 능력이 부족하고 학습에 대한 동기 유발이 되어 있지 않은 학습자들 때문에 미리 지쳐버리는 현상은 흔하다. 하지만 TBL에서는 학습자들이 어려운 지적 학습과제들에 도전하기 위해 팀에 대한 가치를 경험적으로 습득할 수 있다. 예를 들어, IRAT과 GRAT을 실시할 때, 학습자들은 자기 팀의 최고 실력자보다 팀으로 과제를 풀 때 더 좋은 결과를 낼 수 있다고 믿긴 하지만, 팀 효과가 미치는 영향력이나 크기에 대한 인식은 거의 하지 못한다. 때문에, 학기 말에 교수가 각 팀의 다섯 개의 RAT 누적 점수를 가장 낮은 팀 점수, 보통, 그리고 높은 점수로 정리하고, 각 팀 점수 그리고 가장 높은 점수를 얻은 팀 점수와 각 팀 점수와의 차이도 정리하여 슬라이드로 보여주면(Michaelsen et al., 2002, 2004의 부록 D, 근거자료 D-A7.3 참조), 대부분의 학습자들은 전체 팀의 점수 유형에 놀라움을 감추지 못한다.

지난 20년간 99.5% 이상의 팀이 개인 점수가 가장 높은 팀원의 점수보다 14% 이상 더 좋은 점수를 받았다. 실제로, 대부분의 TBL 수업에서는 가장 낮은 팀 점수도 전체 학급에서 개인 점수가 가장 낮은 학습자보다 더 높게 나온다(예. Michealsen et al., 1989 참조).

### *효과적인 팀 상호작용에 대한 인식*

시간이 경과될수록 팀들은 의사결정에 팀원들의 지적 자원을 찾아내고 이를 활용하는 데 점점 익숙해진다(예. Watson et al., 1991). 하지만 교수가 학습자들이 집단 학습과정에 대해 생각할 수 있는 학습 활동을 제공하지 않으면 학습자들은 중요한 교육의 기회를 놓칠 수 있다. 이는 대부분의 학습자들이 팀의 학습 성과에 대해 만족하지만, 팀원들의 행동의 변화로 팀 개발이 가능하게 되었다는 사실을 인식하지 못하기 때문이다.

우리는 집단 학습과정과 집단 효과성 사이의 관계를 학습자들이 인식하도록 두 가지 상이한 접근을 시도하였다. 이 두 가지 접근법의 목표는 팀의 응집력이 강해짐에 따라 왜 팀원들의 상호작용 형태가 달라지는지 인식할 수 있도록 하는 것이다. 첫 번째 접근 방법은 개인 학습과제로, 학습자들이 (가) 집단에 대한 사전 관찰 결과를 검토하고, (나) 변화를 가져오게 한 원인들에 대한 목록을 작성하고, (다) 이 목록의 내용을 팀원들과 함께 검토하고, (라) 팀 효과성에 방해가 되는 요소들과 문제를 극복할 수 있는 방법을 분석하고 이를 기록하는 것이다. 또 다른 접근 방법은 보다 효과적인 방법인데, 동일한 학습과제를 사용하여 자신의 팀의 수행 과정을 지속적으로 관찰하고 기록하는 기록지를 만드는 것이다(Hernandez, 2002).

### *자신들에 대한 학습*

TBL의 장점 중 하나는 학습자들로 하여금 서로 상호작용을 하는 방법에 대해 많은 경험을 할 수 있는 교육적 환경을 만들어 준다는 것이다. 큰 시각에서 보면, 이러한 현상은 팀 내에 발생하는 치열하고 활발한 상호작용에 기인한다. 상호작용이 지속적으로 이루어지면 두 가지 중요한 현상이 발생하게 된다. 하나는 팀원들 간에 서로의 장점과 약점을 정말 잘 파악하게 된다는 점이다. 이로 인해 서로 가르치는 과정에서 팀 동료가 어려워하는 점이 무엇인지 쉽게 알 수 있으며, 동료에게 쉽게 설명하는 방법도 터득할 수 있기 때문에 큰 도움이 된다. 또 다른 현상은 대다수의 팀에서 팀원들 간 강력한 대인관계가 형성되기 때문에 서로 솔직한 피드백을 주어야 한다는 도덕적 책무성을 갖게 된다는 점이다.

학습을 하면서 학습자들은 자연스럽게 서로를 잘 알게 되지만, 교수는 잘 설계된 동료평가 과정을 통해 학습자들이 서로를 더 잘 알 수 있는 긍정적인 효과를 줄 수 있다(제9장 참조). 간략히 설명하자면, 동료 평가 과정은 팀원들로부터 얻어야 하는 자료와 서로의 학습에 기여한 정도 그리고 학습자 개인에게 정보를 제공하는 것이다.

어떤 사람들은 한 학기 동안 동료평가 자료를 두 번 이상 수집하길 원한다. 다른 사람들은 학습자들이 동료평가를 하되 평가 자료는 학기말에 한 번만 수집하길 원한다. 동료평가 자료를 수집하는 가장 큰 장점은 학습자들에게 변화의 기회를 줄 수 있다는 것이다.

## 3부 – TBL의 장점

여러 의학교육 현장과 관련된 문제를 상당 부분 보완해 줄 수 있는 융통성을 지닌 TBL(제1장 참조)은 학습자들, 의학교육 행정가, 교수-학습 과정에 관여하는 교수진 개개인에게 다양한 이득을 제공한다.

## 학습자들에게 주는 이익

학습자들이 기본 학습 내용을 제대로 습득하도록 하는 것 외에도 TBL은 일반 강의-중심 수업이나 다른 소집단 교수-학습 방법에서는 현실적으로 불가능한 여러 가지 학습결과들을 가져올 수 있다.

TBL에서,

1. 대부분의 학습자들을 단순한 지식 습득의 차원을 넘어서, 매우 훌륭한 학습자도 혼자서 해결할 수 없는 복잡한 문제들을 일련의 학습 활동을 통해서 이해할 수 있도록 해준다.
2. 학습자들은 어렵고, 복잡하고, 현실적인 문제들을 해결하는 데 있어 팀의 가치에 대한 인정과 깊은 이해를 할 수 있다.
3. 많은 학습자들은 학습자로서 그리고 팀원으로서의 자기 자신의 장점과 약점에 대한 깊은 통찰력을 얻게 된다.
4. 전통적인 교육과정에 비해 TBL을 활용하면 학습에 어려움을 느끼는 학습자들이 동료 학습을 통해 보다 성공적으로 학습을 수행할 수 있고 졸업을 목표로 하는 학습 과정을 잘 따라갈 수 있다.

## 행정적 차원에서의 이익

TBL이 교육행정가에게 줄 수 있는 이득 가운데 하나는 많은 학습 집단이 효과적인 학습 팀으로 발전하는 사회적 영향력과 관련 있다.

1. 거의 예외 상황 없이, 학습 집단은 효과적인 자기관리형 학습 팀으로 발전하게 된다. 그 결과, 교수진이나 전문가가 팀 촉진을 위해 학습에 투자해야 하는 시간이 최소화된다.
2. TBL은 대규모 수업에서도 성공적으로 적용될 수 있기 때문에 현실적인 상황을 경험할 수 있는 적극적인 학습 활동을 더 많이 활용하게 된다.

## 교수진에게 주는 이익

전통적인 강의중심 학습에서는 학습자의 무관심 때문에 매우 섬세한 성격의 교수는 쉽게 지쳐버릴 수가 있다. 반면에, TBL은 학습자들로 하여금 열정을 가지고 학습 과정에 참여하게 하여 학습자와 교수에게 득이 되는 매우 활발한 분위기의 교실 환경을 조성해준다.

TBL에서,

1. 교수는 학습자의 출석이나 교수가 계획한 내용을 학습자가 제대로 준비해 왔는지에 대해 걱정할 필요가 거의 없다.
2. 학습자들이 수업을 제대로 준비한 뒤에 이루어지는 상호작용은 강의중심 수업에서 쉽게 볼 수 있는 "빈 그릇"들과 학습하는 것이 아닌, 동료교수들과 학습을 하는 느낌을 준다.
3. 교수가 형식적으로 가르치기보다 학습자를 관찰하는 데 더 많은 시간을 보내기 때문에 학습자들과 보다 의미 있는 관계를 맺을 수 있다.
4. 역행 설계되는 TBL에서는 쉽게 볼 수 있는 전형적인 학습결과에 대해 교수가 "교육은 가르치는 것이 아니라 배우는 것이다"라는 시각을 가질 때 교수와 학습자는 교육과정에 있어 진정한 파트너가 될 수 있다.

## 참고문헌


Bargh, J. A., & Schul, Y. (1980). On the cognitive benefits of teaching. *Journal of Educational Psychology, 74*(5), 593–604.

Bruning, R. H., Schraw, G. J, & Ronning, R. R. (1994). *Cognitive psychology and instruction* (2nd ed.). Englewood Cliffs, NJ: Prentice Hall.

Fiechtner, S. B., & Davis, E. A. (1985). Why some groups fail: A survey of students' experiences with learning groups. *The Organizational Behavior Teaching Review 9*(4), 58–71.

Hernandez, S. A. (2002). Team-based learning in a marketing principles course: Cooperative structures that facilitate active learning and higher level thinking. *Journal of Marketing Education 24*(1), 45–75.

Michaelsen, L. K., & Black, R. H. (1994). Building learning teams: The key to harnessing the power of small groups in higher education. In S. Kadel & J. Keehner (Eds.), *Collaborative learning: A sourcebook for higher education* (Vol. 2, pp. 65–81). State College, PA: National Center for Teaching, Learning, and Assessment.

Michaelsen, L. K., Cragin, J. P., & Watson, W. E. (1981). Grading and anxiety: A strategy for coping. *Exchange: The Organizational Behavior Teaching Journal 6*(1), 8–14.

Michaelsen, L. K., Knight, A. B., & Fink, L. D. (2002). *Team-based learning: A transformative use of small groups*. Westport, CT: Praeger.

Michaelsen, L. K., Knight, A. B., & Fink, L. D. (2004). *Team-based learning: A transformative use of small groups in college teaching*. Sterling, VA: Stylus.

Michaelsen, L. K., & Schultheiss, E. E. (1988). Making feedback helpful. *The Organizational Behavior Teaching Review 13*(1), 109–113.

Michaelsen, L. K., Watson, W. E., & Black, R. H. (1989). A realistic test of individual versus group consensus decision making. *Journal of Applied Psychology 74*(5): 834–839.

Nungester, R. J., & Duchastel, P. C. (1982). Testing versus review: Effects on retention. *Journal of Applied Psychology 74*(1), 18–22.

Slavin, R. E, & Karweit, N. L. (1981). Cognitive and affective outcomes of an intensive student team-based learning experience. *Journal of Experimental Education 50*(1), 29–35.

Watson, W. E., Kumar, K., & Michaelsen, L. K. (1993). Cultural diversity's impact on group process and performance: Comparing culturally homogeneous and culturally diverse task groups. *The Academy of Management Journal 36*(3), 590–602.

Watson, W. E., Michaelsen, L. K., & Sharp, W. (1991). Member competence, group interaction and group decision-making: A longitudinal study. *Journal of Applied Psychology 76*, 801–809.

Whitehead, A. (1929). *The aims of education*. Cambridge, UK: Cambridge University Press.

Wiggins, G., & McTighe, J. H. (1998). *Understanding by design*. Columbus, OH: Merrill Prentice Hall.

# 부록 2.A

## 적절한 집단 빠르게 구성하기

*Michael Sweet*

다음의 아홉 가지 단계는 다양한 학습자들로 이루어진 학습 집단을 구성하는 매우 간단하면서도 효과적인 방법이다. 이 집단 구성 방법은 적게는 10명에서 많게는 200명의 학습자들로 이루어진 수업에서도 적용될 수 있다. 다음 페이지에 나오는 그림은 이 과정을 시각적으로 설명한 것이다. 집단 구성의 아홉 가지 방법은 다음과 같다:

1. **정렬할 영역 결정하기**

   학습자들의 어떠한 특성들이 수업에 도움이나 어려움을 줄지 미리 파악하도록 한다. 예를 들어, 본 수업과 관련된 선수 교과목을 미리 학습했거나 관련 영역에서 일한 경험이 있다면 이는 학습자들에게 도움이 되는 요소일 것이고, 대다수의 학습자와는 다른 문화적인 배경에서 자랐거나 다른 모국어를 할 경우에는 수업에 지장이 되는 요소일 것이다.

2. **정렬 순서 결정하기**

   이러한 요소들은 중요도 순으로 목록을 만드는데, "이득"이 되는 요소와 "손실"이 되는 요소를 섞어서 가장 중요한 요소를 1번으로 한다. 특성 요소들의 우선순위를 반드시 매겨야 하는 이유는 대부분의 학습자들이 한 가지 이상의 특성을 복합적으로 가지고 있기 때문이다(예. 모국어가 다르면서 수업 관련 분야에서 일한 경험이 있는 경우). 이러한 특성을 잘 기술하여 어느 학습자도 난처해지지 않도록 배려해야 한다. 예를 들어, 한 인류학 교수는 "제2외국어로 영어를 사용함"이라는 표현 대신 "오레곤 주 출신이 아니거나 그 주변 주에서 태어나지 않음"이라는 표현을 사용한다.

3. **학습자들 준비시키기**

   교수는 학습자들에게 구성원을 집단으로 나눌 것이라고 설명한다. 그 과정은 조금 정신이 없을 수 있지만 한편으로는 매우 재미있는 과정일 것이다. 공간이 허락한다면 교실에서 학습자들을 한 줄로 길게 세울 것이다. 이때, 교수는 학습자들에게 이 과정동안 자신의 소지품들을 들고 다니라고 말해주어야 한다.

4. **첫 번째 특성 말하기**

교수는 네 번째 단계에서 학습자들을 정렬시켜야 한다. 첫 번째 특성 요소를 선택하여 이러한 특성을 가진 학습자들을 한 줄로 세운다. 만약 하위 세부 요소로 다시 나누어질 수 있는 특성이라면(예. 전문적으로 일한 경험 기간, 해당 과목과 관련된 선수학습을 수강한 교과목 수, 오레곤 지역과의 거리) 연속선상에서 분별하도록 한다(가장 많은 수부터 적은 수까지, 가장 가까운 지역부터 먼 지역까지 등). 이러한 활동은 학습자들의 서먹함을 빨리 없앨 수 있는 매우 훌륭한 아이스 브레이킹 과정이 될 수 있다.

5. **다른 특성 말하기**

두 번째 특성을 발표하고 이 특성을 가진 학습자들을 첫 번째 줄에 뒤이어 줄을 세운다. 이러한 과정을 모든 학습자들이 한 줄로 설 때까지 반복한다. 가능하다면, 마지막 특성 요소를 남자와 여자, 전공과 비전공 또는 모든 학습자들에게 있는 특성을 선택하여 남겨진 학습자가 없도록 한다.

6. **학습자들 수 세기**

모든 학습자들이 줄을 선 후에 줄을 선 학습자들의 수를 센다. 출석부에 기록된 학습자 수와 수업에 실제로 출석한 학습자 수가 다를 수 있기 때문에 (학습자 수가 적절하다면) 교수가 직접 학습자들을 세어서 실제로 몇 명의 학습자들이 수업에 참여하는지 확인할 필요가 있다.

7. **원하는 집단의 수 결정하기**

각 학습자들에게 번호를 부여하여 집단을 구성하도록 하기 위해 학습자들에게 몇 번까지 번호를 부여해야 하는지 결정한다. 즉, 학급을 몇 개의 집단으로 나눌 것이냐를 정해야 하는 것이다. 예를 들어, 33명의 학습자들이 있고 교수는 6~7명으로 구성된 집단을 원한다면, 7명으로 구성된 3개 조와 6명으로 구성된 2개 조로 나눌 수 있다.

8. **원하는 집단의 수대로 학습자들에게 번호 부여하기**

이 과정은 매우 중요하면서도 매우 혼란스러울 수 있다. 학습자들에게 부여하는 번호는 원하는 집단의 수이지, 집단 구성원의 학습자 수가 아니다. 따라서 33명의 학습자들이 있고 6~7명으로 구성된 집단을 원한다면 학습자들은 (6이나 7이 아닌) 1에서 5번까지의 번호를 부여받아야 한다.

9. **집단끼리 모여서 자기 소개하기**

   집단으로 구성된 각 조가 모일 곳을 지정해주면 좋다. 집단끼리 모인 후 서로 자기소개 시간을 갖도록 한 뒤 수업을 계속 진행시킨다.

**다음 그림에 대한 참고 내용:**

삶은 우리에게 완벽한 환경을 제공하지 않는다. 여러분은 다음의 집단형성 과정에 대한 설명에서 각 집단이 다른 집단과 비교할 때 한 명 이상의 동일한 특성을 가진 학습자를 포함하고 있다는 것을 알 수 있을 것이다. 이러한 일은 집단의 크기가 조금씩 다르거나 중간에 학습자들이 수강을 포기할 수 있기 때문이다. 현실적으로 완벽하게 공평할 수는 없다. 따라서 교수가 할 수 있는 최선의 방법은 가능한 한 공평하게 집단을 구성하는 것이다

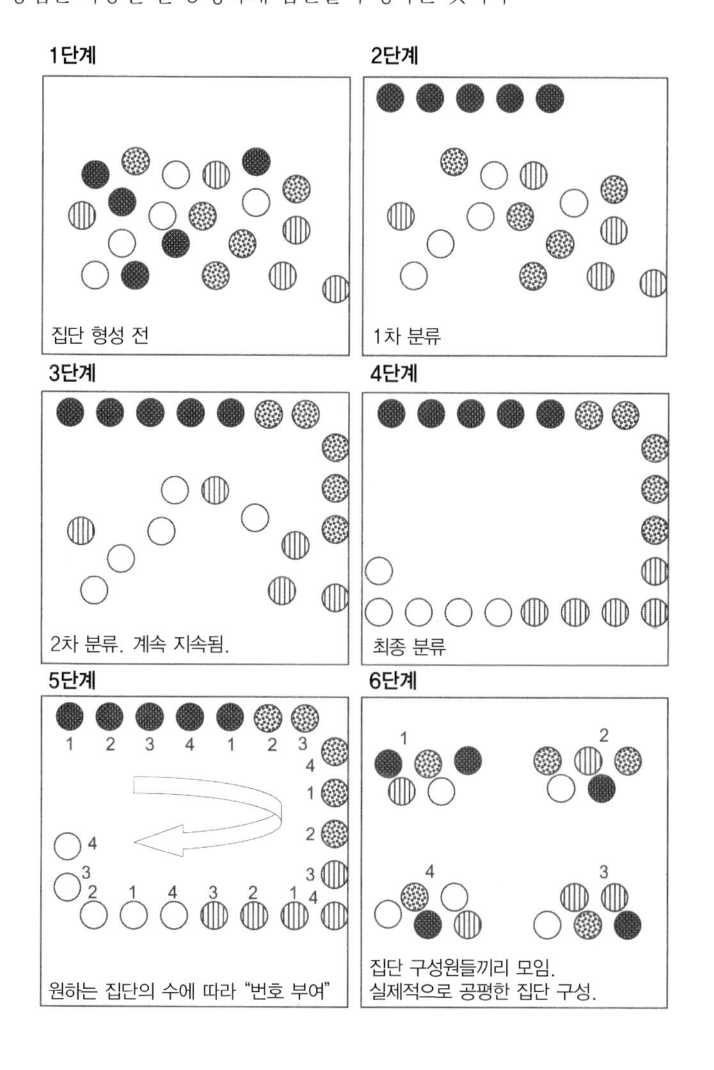

제 3 장

# 효과적인 팀 과제 개발

*Larry K. Michaelsen, Michael Sweet*

우리는 "팀 바탕학습(Team-Based Learning, TBL)을 성공적으로 이끌기 위한 가장 중요한 요소 한 가지만 뽑는다면 무엇인가요?"란 질문을 자주 받는다. 이러한 질문에 우리는 항상 다음과 같이 일관되게 답하곤 한다. "학습내용과 관련하여 개방적인 집단 토론을 유도할 수 있는 팀 과제를 개발하는 것입니다." 여러분이 좋은 학습과제를 활용한다면 학습자들에게서 만족할 만한 학습 결과를 얻을 수 있을 것이다. 반면에, 효과적이지 못한 팀 과제를 활용한다면 TBL을 포함한 모든 소집단 수업에서 난관에 부딪힐 수 있다.

이 장의 목적은 효과적인 집단/팀 과제의 핵심 요소를 규명하는 것이다. 집단 응집력을 만드는 것은 성공적인 TBL 수업을 위한 필수 과제이므로(제2장 참조) 집단 학습 맥락에서의 집단 응집력의 원인과 결과부터 살펴보려 한다. 그 다음 다양한 학습과제가 집단 응집력과 집단 학습에 어떠한 영향을 주는지에 대하여 알아보려 한다. 마지막으로, 효과적인 집단 과제를 개발하는 데 필수적인 원리들을 제시하고, 교과목에서 활용 가능하며 집단 과제의 효과성을 측정할 수 있는 체크리스트와 폭넓은 교수-학습 상황을 소개하도록 하겠다.

## 집단 응집력의 원인과 결과

응집력이란 집단의 구성원들이 서로에게 관심을 보이며, 집단 목표를 성취하기 위해 노력하는 정도를 의미한다. 응집력 있는 집단의 구성원들은 강한 집단 소속감을 갖고 있으며, 집단의 성공이나 보호를 위해 개인적인 희생을 감수하려 한다. 집단에 따라 응집력의 정도는 다르다. 나아가, 집단이 경험하는 시간의 흐름에 따라 그 정도는 변할 수 있다. 응집력이 집단생활의 중요한 측면이기는 하지만, 집단이 살아남기 위해 반드시 강한 응집력을 가질 필요는 없다. 낮은 응집력을 가진 집단도 장기간 동안 유지될 수 있다. 하지만 많은 스트레스가 가해질 경우 이를 이겨낼 가능성은 희박해진다. 응집력이 약한 집단도 잘 유지될 수 있지만, 강한 응집력을 가진 집단은 번영할 수 있다. 그림 3.1은 집단 응집력을 형성하는 몇 가지 원인과 효과를 묘사하고 있다.

**[그림 3.1]** 집단 응집력의 원인과 효과

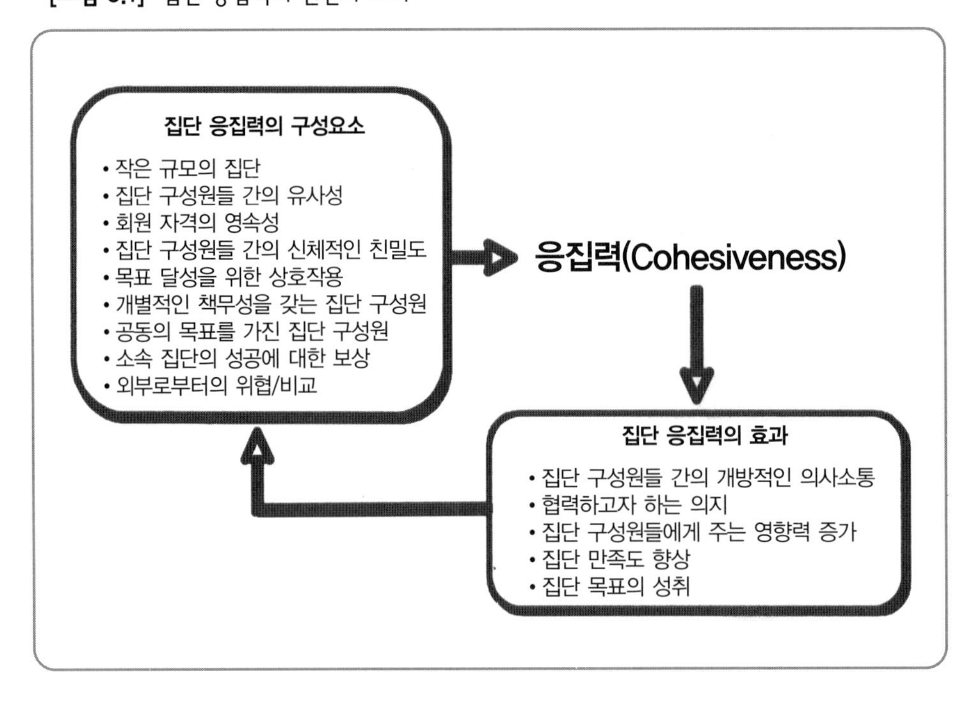

## 집단 응집력을 구성하는 요소

집단 응집력을 구성하는 많은 요소들 중에 가장 중요한 요소는 다음과 같다(자세한 내용은 Michaelsen, Knight, & Fink, 2002, 2004의 제4장 참조).

### 적절한 규모의 집단

작은 규모의 집단이 큰 규모의 집단에 비해 응집력이 강하다. 따라서 다른 조건들이 동일하다고 가정할 때, 6~7명보다 3~4명으로 구성된 집단 응집력이 더 강하다. 규모가 큰 집단에서는 집단 구성원 간의 상호작용의 문제 또는 조직적인 면에서 문제가 있기 마련이다. 그리고 대규모 집단에서는 집단 내에 또 다른 소집단이 형성되어 그들만의 응집력을 갖게 되기 쉬우며, 이 소집단 응집력이 모집단 응집력보다 더 강할 수 있다. 뿐만 아니라, 대규모 집단에서는 질서를 유지하기 위해 형식적인 절차들을 만들기도 하는데, 이러한 절차들은 개인이 집단에 미칠 수 있는 영향을 제한시키기도 한다. 이에 따라 집단 응집력을 약화시키고 구성원 개개인의 만족도를 떨어뜨리는 결과를 낳을 수 있다.

### 집단 구성원들 간의 유사성

사람들이 서로 닮아 있을 때, 서로간의 신뢰 구축 및 공통적인 목표와 관심사를 공유하기 쉽게 된다. 그 결과 집단 응집력의 기초가 마련되는 것이다. 이와 반대로, 다양성이 풍부한 집단의 경우(예. 인종, 문화, 성별, 교육적 배경, 직업, 경험, 연령 등)에는 이러한 차이점들이 가져올 수 있는 부정적인 영향이 다른 조건에 의해서 상쇄되지 않는 한 집단 응집력이 형성되기 힘들다.

### 회원 자격의 영속성

집단 응집력의 형성은 일련의 과정이지 한순간에 되는 것이 아니다. 집단 응집력을 형성하기 위해서는 개개인에게 공동체의 개념을 갖게 하여 팀의 구성원으로 변모하게 할 시간과 팀으로서 공유하는 경험이 필요하다. 나아가, 집단 구성원의 자격에 어떠한 형태로든 변화가 필요할 경우, 반드시 팀 개발 과정을 방해하는 요소들이 만들어지게 된다.

### 집단 구성원들 간의 신체적 친밀도

집단 구성원들이 신체적으로 친밀해질 경우 그들은 공통된 경험을 누림으로써 팀 개발 과정의 초입에 들어서게 될 것이다. 나아가, 뇌의 감성적인 부분을 자극하는 눈 맞춤을 통하여(Kawashima et al., 1999), 다른 접촉을 통해서는 얻을 수 없는 특별한 관계가 생성될 수 있다.

### 목표 달성을 위한 상호작용

집단 응집력은 집단 구성원들 간의 상호작용과 직접적으로 연관되어 있다. 따라서 구성원들이 서로 상호작용을 해야만 성취 가능한 집단 과제를 부여받을 때 응집력이 강해진다. 그러나 집단 구성원들이 전체를 부분으로 나누어 개별적으로 해올 수 있는 집단 과제를 부여받을 때 응집력 형성에 방해를 받게 된다.

### 개별적인 책무성을 지닌 집단 구성원

응집력은 집단 구성원들 간의 신뢰를 바탕으로 만들어진다. 구성원 개개인이 서로를 신뢰할 수 있는 분위기의 학습 환경을 조성해 줄 때, 신뢰 형성의 출발이 가능하다.

### 공동의 목표를 가진 집단 구성원

집단이 한 가지 이상의 공동 목표를 추구할 때에만 응집력이 형성된다. 공동목표가 개인에게 중요하면 할수록 그에 비례하여 응집력도 강해진다.

### 소속 집단의 성공에 대한 보상

집단 수행에 우선해서 보상이 이루어지지 않는다면 집단 응집력은 약해질 수 있다. 왜냐하면 구성원 개개인마다 자신의 개인적인 이득만을 위하려 하거나, 더 심할 경우 집단 내 다른 구성원들과 경쟁을 해야 한다고 생각하기 쉽기 때문이다.

### 외부로부터의 위협

집단 응집력을 개발하는 데 있어서 가장 강력한 힘 중 하나는 집단 구성원의 개인적인 목표나 공동 목표를 위협하는 외부 세력의 존재이다. 집단이 하나가 되어 자신들을 보호하고, 올바르게 성장하고, 공익을 추구하고자 할 때 구성원들 간 차이의 문제는 덜 중요해진다.

### 집단 응집력의 효과

위의 요소들이 제대로 관리될 수 있다면, 시간이 지날수록 집단은 진정한 팀으로 발전해나가고, 집단 구성원 대부분이 개인의 행동을 촉진시켜 집단과제를 성취하게 된다. 집단 응집력이 강해질수록 집단 구성원들 간의 신뢰도와 이해도가 증가하게 된다. 또한 의사소통의 형태도 변하여 조용한 성격의 구성원도 공격이나 오해의 소지에 대해 우려하여 소극적인 태도를 보이기보다는 상호작용에 적극적으로 자연스럽게 활발히 참여하게 되는 등 의사소통 형태에 변화를 보이게 된다(Michaelsen, Black, & Fink, 1996; Michaelsen, Watson, & Black, 1989; Watson, Kumar, & Michaelsen, 1993; Watson, Michaelsen, & Sharp, 1991). 뿐만 아니라 팀의 가장 두드러진 성격(집단과는 대조적으로)은 공동체의 성공을 개인의 성공과 연관짓는다는 것이다. 이러한 상황에서 팀 구성원들은 성취에 대한 강한 동기를 갖게 되어 개인의 에너지를 집단과제에 쏟아붓게 된다(Michaelsen, Jones, &

Watson, 1993; Shaw, 1981). 그러면서 팀 구성원의 만족도는 매우 높아지는데 이는 그들이 집단의 목표를 개인의 목표로 간주하면서 집중적인 에너지를 쏟아부어 집단 목표를 성취하는 데 매우 효율적인 팀으로 발전했기 때문이다(그림 3.1 참조).

## 응집력 있는 팀 개발하기

응집력이 강한 팀은 가장 이상적인 학습 환경을 가진 것이라 할 수 있다(그림 3.1 참조). 응집력이 강한 팀의 구성원들은 개인 과제를 수행해 오는 것은 물론, 수업 준비를 철저히 하고, 팀 토론에 협력적으로 기여한다. 그러나 실제 학급 환경에는 여러 가지 장애요소들이 존재하여 학습자들이 올바른 선택을 하거나 응집력 있는 팀으로 발전하는 데 방해가 된다. 때문에 응집력 있는 팀을 만들기 위해서는 교수의 섬세한 계획이 필요하다.

## 팀 개발을 저해하는 학급 환경

그림 3.1과 표 3.1에 기술된 처음 4개의 요소들로 인해 현실상 대부분의 학급 환경에서 응집력 있는 팀 개발에 어려움을 겪고 있다. 이러한 요소들이 존재할 때에는 최선의 방법으로 상황에 대처하여 팀 응집력이 흔들리지 않도록 하고 가능한 한 팀이 오래 지속될 수 있도록 노력해야 하는데(제2장 참조), 어떤 수업(예. 임상 실습)에서는 형식적인 교실 활동이 몇 시간 되지 않는다는 사실을 잘 파악해야 한다. 뿐만 아니라, 이 때 수업 시간을 통해 집단 과제를 풀고 자신들만의 공간을 확보하도록 해주어 팀 간의 친밀한 신체적 거리를 가지게 해야 한다(이는 대규모 학급일 때 더욱 중요하다. Michaelsen et al., 2002, 2004의 제11장 참조).

또 다른 두 개의 요소인 구성원들 간의 유사성과 집단 규모(표 3.1 참조) 간에, 균형을 유지할 수 있도록 노력하는 것도 중요하다. 팀 개발을 위해 작은 규모의 이질적인 특성을 가지도록 집단을 구성하는 것이 좋다. 그러나 구성된 집단이 성공적인 학습 수행에 필요한 기술과 자원도 충분히 가지고 있어야 하므로 집단의 크기와 이질성의 정도가 적절하고 충분하도록 해야 한다. 이처럼 선택이 곤란한 상

〈표 3.1〉 팀 개발을 저해하는 학급환경

| 응집 요소 | 학습 환경 방해 요소 | 교수-학습에의 영향 |
|---|---|---|
| 작은 규모의 집단 | 대규모 집단은 소규모 집단에 비해 더 다양하고 좋은 자원을 가지고 있음. | 선택의 곤란함이 생기며(딜레마 형성), 집단 자원을 제한시키고 팀 구성에 어려움을 줌. |
| 집단 구성원들 간의 유사성 | 이질적인 집단은 동질적인 집단에 비해 더 다양하고 좋은 자원을 가지고 있음. | 선택의 곤란함이 생기며(딜레마 형성), 집단 자원을 제한시키고 팀 구성에 어려움을 줌. |
| 회원 자격의 영속성 | 특정 수업 시간이 주 근무시간과 비슷함. | 최소한, 영속적인 집단의 활동을 요구함. |
| 집단 구성원들 간의 신체적인 친밀도 | 수업 시간에만 면대면 상호작용이 가능하나 교실의 물리적 환경이 좋지 않음. | 반드시 해야 할 것:<br>① 집단 과제 해결을 위해 수업 시간을 활용할 것<br>② 집단 활동을 할 수 있는 공간을 마련해 줄 것 |
| 목표 달성을 위한 상호작용 | 어떤 학습과제는 상호작용을 필요로 함(예. 의사결정을 해야 할 때). 그러나 다른 과제(예. 쓰기)는 그렇지 않음. | 반드시 토론을 극대화할 수 있는 학습과제를 부여하고, 한 개인의 노력으로 성취할 수 있는 과제는 부여하지 말 것. |
| 개별적인 책무성을 지닌 집단 구성원 | 효과적인 팀 개발을 위해서는 수업에 성실히 출석하고 준비해야 함. | 개별적인 준비도와 팀 기여도를 측정하고 보상해야 함. |
| 공동의 목표를 가진 집단 구성원 | 특정한 공동 목표는 수업 과제를 성취하는 데 가려질 수 있음. | 반드시 해야 할 것:<br>① 집단/팀 과제를 부여할 것<br>② 집단 과제 결과의 일부분을 성적에 포함시킬 것. |
| 소속 집단 성공에 대한 보상 | 성적은 기본적인 보상임; 집단의 과제 수행 정도에 따라 달라져야 함. | 집단 성과물을 (많은 시간을 투자하여) 질적으로 평가할 것. |
| 외부로부터의 위협/비교 | 어떤 학습과제(예. 의사결정 내리기)는 비교를 촉진시키지만 다른 과제(예. 쓰기)는 그렇지 않음. | 집단 과제의 성과물을 서로 비교할 수 있는 시간을 가질 것. |

황을 해결하기 위해 집단의 크기가 꽤 큰(5~7명) 이질적인 집단을 구성하도록 한다(제2장 참조).

우리는 의학교육에서 (가) 응집력 형성에 제한이 있으며 안정적이지 못한 학습집단을 대상으로 교육해야 하고, (나) 유동적인 개인 시간표와 수업 시간표로 인해 집단 구성원 간에 친밀한 신체적 거리를 유지하기 힘들며, (다) 대규모의 이질적인 집단에만 존재하는 지적 자원이 필요하다는 사실로부터 만들어지는 부정적인 영향이 최대한 줄어들어야 한다고 생각한다. 이것은 교수의 피할 수 없는 과제이다. 다행스럽게도 대부분의 교수는 적절한 과제를 만들어 내는 능력 및 기존의 응집 요소들을 잘 관리하여 팀 개발과 학습을 도모할 수 있는 능력을 갖추고 있다.

## 팀 개발을 장려할 수 있는 기회

여섯 개의 응집 요소(그림 3.1과 표 3.1) 중 세 가지는 성적과 관련이 있다. 교수는 집단 구성원들에게 최소한 어느 수준까지는 공동 목표를 가지게 할 수 있다. 이는 집단 과제에 대한 개인의 준비도를 평가하고, 개인의 성적과 집단의 성적을 모두 팀 성적에 포함되도록 할 수 있는 성적 체제를 만들면 가능하다(제2장 참조). 뿐만 아니라, 집단을 위해 일하고자 하는 개인의 동기는 집단의 성과에 대한 보상(성적) 정도에 따라 달라진다. 팀 개발을 장려하기 위한 가장 좋은 기회는 집단 과제를 어떻게 설계하느냐에 달려 있다.

## 집단 응집력 장려를 위한 과제

다음의 여섯 가지 특성으로 특정 학습과제가 집단 응집력을 효과적으로 형성할 수 있는지 결정된다.

1. 팀 구성원의 신체적 친밀감을 높여줄 수 있는 과제인가?
2. 팀 구성원 간 공동 목표를 공유하게 할 수 있는 과제인가?
3. 팀 구성원의 개인적 책무성을 장려하는 과제인가?

4. 팀 구성원 간 활발한 토론을 유발시키는 과제인가?
5. 팀 구성원들이 즉각적이고, 명확하며, 의미 있는 피드백을 받을 수 있는가(다른 팀의 활동 결과와 직접적인 비교 시간이 포함되어 있는가)?
6. 팀 수행에 대하여 명백한 보상을 제공하는가?

## 특성 1 – 친밀한 신체적 거리 장려하기

집단 응집력의 생성은 구성원들끼리 함께 하는 과제의 수준에 달려있다. 구성원들이 상호작용하지 않는 한 집단 응집력은 생기지 않을 것이다. 구성원들은 신체적으로 친밀해짐을 바탕으로 팀 공동체 활동을 통한 팀 개발 과정을 경험하게 된다. 따라서 우리는 수업시간 내에 해결할 수 있는 집단 과제를 적극 추천한다.

학습자들이 수업 시간 내에 조별 과제를 해결함으로써 수업 시간 외에 개별적으로 과제를 처리하는 것을 피할 수 있다. 경험에 비추어 볼 때, 학습자들에게 수업 시간 외 과제를 부여할 경우 집단 응집력 형성에 엄청난 방해가 된다. 수업 외의 시간에 다시 모이기 위해서는 대부분의 경우 너무나 큰 희생이 요구된다. 또한 모인다 하더라도 개별적으로 과제만 분담한 뒤 흩어지기 마련이다. 그 결과, 학습자들의 집단 과제 결과물은 이름만 함께 올려 제출되는 수준이고, 첫 모임에서 만들어지기 시작했던 응집력은 다른 팀원이 자신의 몫을 제대로 할 수 있을지에 대한 걱정 때문에 금방 사라져버리게 된다.

## 특성 2 – 팀 구성원들의 공동 목표 가지기

이는 성취하기 가장 쉬운 것으로 여섯 가지 응집력 개발 요소 중 가장 중심이 된다. 단순히 성적에 반영하기 위해 집단 과제를 제시하여 수행하도록 할 수도 있겠으나, 이는 바람직한 방향은 아니다. 다른 요소들이 잘 통제되지 않는 이상, 집단 과제를 성적에 포함시키는 것은 집단 응집력에 여러 가지 부정적인 영향을 준다. 예를 들어, 어떤 학습자는 A를 성취하고자 하는 동기를 매우 강하게 가지고 있을 수 있고, 다른 학습자는 C를 성취하는 것만으로도 만족할 수 있는데 이는 집단 응집력 형성에 강한 부정적인 영향을 줄 수 있다.

### 특성 3 - 팀 구성원들의 개인 책무성 장려하기

집단과 팀 간의 가장 큰 차이는 팀의 경우 구성원 개개인의 기여도를 합한 것보다 팀으로써 함께할 때 더 많은 성취를 할 수 있다는 것이다. 팀 활동을 통해 (가) 팀 구성원 개개인에게 최선의 노력을 할 수 있도록 동기를 부여할 수 있고, (나) 개개인의 기여 정도를 특징적이며 창조적인 방법으로 종합할 수 있다. 아이러니하게도, 팀 개발에 있어 가장 흔한 장애물 중 하나는 한두 명의 능력 있는 팀원의 노력에 기초하여 초기 과제를 잘 해냈을 경우이다. 이러한 일이 발생할 경우, 다른 집단 구성원들의 기여를 제한하는 틀이 형성된다.

이 문제를 해결할 수 있는 해결책은 처음부터 이러한 상황이 생기지 않도록 피하는 것이다—아픈 뒤에 치료하는 것보다 예방하는 것이 백배 낫다. 그 방법으로 준비도 확인 과정(Readiness Assurance Process, RAP)과 즉각적인 피드백-평가 기법(Immediate Feedback-Assessment Technique, IF-AT) 답안지를 활용하는 것을 들 수 있다(제2장 참조).

### 특성 4 - 팀 구성원 간에 토론 장려하기

집단 내에서 토론이 활발하게 이루어지는 경우, 집단 응집력이 향상될 수 있다. 다양한 학습과제를 제시하여 집단 상호작용을 일으킬 수도 있지만, 복잡한 문제를 분석하기 위해서 확고한 의사결정이 요구되는 집단 과제를 제시하는 편이 집단 응집력을 더 향상시킬 수 있다. 이 원리를 기억할 수 있는 간단한 방법은 법정 배심원의 입장이 되어 보는 것이다. 즉, 상당히 복잡한 정보를 가지고 집단이 함께 협력하여 유죄 혹은 무죄라는 하나의 의사결정에 도달해야 한다는 것이다. 수업 중 할 수 있는 이러한 집단 과제는 학습자들로 하여금 실제로 매우 도전적인 문제를 풀 수 있도록 도와준다. 이러한 종류의 과제들은 문제를 인식하고, 개념을 정립 및 구별하고, 원리나 규칙을 적용하는 등의 폭넓은 지적 기술(Gagné , 1970)을 활용하게 만든다. 더 나아가, 사람이라면 누구나 과제를 해결하기 위한 많은 자원을 바라기 때문에 모든 집단 구성원들은 과제에 적극적으로 참여할 수 있는 기회와 보상을 받을 수 있게 된다. PBL 과제는 학습자들에게 많은 정보에 대해 상호 논의하게 하여, 그 결과 많은 학습내용을 습득할 수 있게 한다. 뿐만 아니라, 신중하게 설계된 과제를 통해 학습자들에게 다음의 중요한 두 가지 집단 상호작용을 강화할 수 있다: (가) 다른 팀원들의 기여는 매우 중요한 자원이 된다는 사실, (나) 혼자서는 이룰 수 없는 것을 협동하여 수행함으로써 우리가 성취할 수 있다는 사실.

## 특성 5 – 팀에게 의미 있는 피드백 제공하기

집단 응집력 개발의 가장 강력한 힘은 즉각적이고, 명백하며, 의미 있는 피드백을 제공하는 것이다. 특히 동일한 문제를 팀 과제로 해결하여 서로 비교할 수 있을 때, 피드백은 더 강력한 힘을 발휘한다. 어느 팀이든지 내가 속한 팀을 능가할 수 있다는 사실은 학습자들에게 큰 동기가 된다. 실제로, 팀원들의 개인적인 목표나 집단의 협력을 위협할 수 있는 외부의 영향은 집단 결과에 상당한 영향을 미친다 (Shaw, 1981).

외부에서 위협적인 영향을 받는 상황은 학급의 다른 팀들에게 자신이 속한 팀의 강한 응집력을 뽐낼 수 있는 좋은 기회가 되기도 한다. 외부의 위협적인 영향에 맞서 집단 구성원들이 구성원 간의 개인차를 넘어서 서로를 보호하고 팀의 이미지를 높이기 위해 서로 협력하게 되기 때문이다. 집단의 수행결과 데이터를 서로 비교해보면 집단 간의 차이를 볼 수 있는데, 이는 집단 응집력을 높일 수 있는 매우 강한 도구이다.

이러한 비교를 가능하게 하는 데 있어서 좋은 특성을 지닌 과제들이 있다. 일반적으로, 집단 과제에 피드백을 명확하게 제공하면 할수록 팀 개발을 보다 많이 장려할 수 있다. 뿐만 아니라, 피드백을 즉각적으로 제공하면 할수록 개인학습이 더 많이 이루어지고 집단 응집력이 더 강해질 수 있다.

이와 반대로, 학습과제에 대한 피드백 없이 진행된다면 집단 응집력에 한계가 있을 수 있다. 팀원들이 자신이 어떻게 하고 있는지를 스스로 판단할 수 없다면

(예. 집단 보고서와 같이 어려운 과제를 제출해야 할 경우), 서로 협력해서 일하는데 많은 스트레스를 받을 수 있다. 이와 함께, 팀원들 간의 상이한 학습방식 또한 집단 내 팽팽한 긴장감을 유발할 수 있다. 예를 들어, 일을 체계적이고 순차적으로 진행하는 사람들은 마지막 순간까지 미루다가 막바지에 긴장감 속에 일을 해야 잘 된다는 사람들과 함께 작업하다 보면 과제 마감일이 다가올수록 불안감이 더해지기 마련이다.

## 특성 6 – 팀 성공에 보상하기

만약 학습자들이 순수하게 학습하는 것을 즐기면서 집단 과제를 수행할 수 있다면 너무나 훌륭할 것이다. 그러나 대부분의 학습자들은 시간적으로 압박을 느끼기 때문에 매우 흥미로운 과제를 부여받았다 하더라도 학습에 집중하기가 어렵다. 그렇기 때문에 만약 교수가 학습자에게 훌륭한 집단 과제를 성취할 수 있는 환경을 조성해주지 못하여 의미 있는 학습 제공에 실패한다면, 그것은 학습자들에게 비합리적으로 행동하기를 강요하는 꼴이 된다. 따라서 교수에게는 학습자들이 주어진 과제를 성취할 수 있는 학습 환경을 실제적으로 마련해주어야 할 책임이 있다.

집단 수행 결과를 성적에 반영하는 것은 팀원들이 집단 과제에 시간과 노력을 투자하도록 할 수 있는 유인책이 된다. 집단 과제의 결과를 성적에 반영하면 팀으로 함께 일해야 하는 명백한 명분이 생겨 집단 응집력이 상승한다. 하지만 학습자들의 개인적인 수행 결과만이 성적에 포함된다면 팀원들 간에 경쟁이 생겨 집단 응집력이 제한된다.

더욱이, 팀의 수행 결과를 보상해주는 것은 인간의 사회적 존재에 대한 욕구를 충족시켜 주는 것이기도 하다. 특히, 모든 사람들은 자신이 타인에게 무언가 의미 있는 것을 베풀기 원한다. 그렇기 때문에 집단의 결과물을 평가하고 보상하며, 다른 동료집단과 건강한 경쟁을 할 수 있는 상황을 제공할 때 집단 응집력과 학습을 장려하는 학습 환경이 조성된다.

## 집단 응집력을 감소시키는 학습과제의 특성

집단 응집력 형성을 저해하는 과제는 무엇일까? 아마도 위에 나열된 다섯 가지 특성에 반하는 과제일 것이다. 특히, 다음에 제시된 특성에 해당되는 경우 최악의 과제라 할 수 있다.

집단 과제로 부여했음에도 불구하고

1. 개별적으로 수행해야 하는 과제이다.
2. 집단 과제의 일부만 수행하여도 개인적인 목표달성이 충분히 가능한 과제이다.
3. 개별적인 수행 기준과 학습 속도를 정해야 하는 과제이다.
4. 집단 구성원들과의 토론 과정을 제한시키는 과제이다.
5. 구성원이 집단 과제에 대한 피드백을 거의 받지 못하거나 제때 받지 못하는 경우이다—대부분 교수로부터의 피드백.

이상의 특성들이 집단 응집력 개발과 학습에 방해가 될 것이라는 사실에 의문을 제시하는 사람은 거의 없을 것이다. 그러나 교수들이 집단 응집력 형성에 도움이 되지 않는 과제를 부여하는 경우는 매우 흔하게 일어난다. 학습자들에게 팀별로 학기말 보고서를 제출하라고 요구하는 경우가 그러하다. 그러나 보고서를 쓰는 일은 엄밀히 말하면 개별 학습활동이기 때문에—컴퓨터로 보고서를 치는 손은 한 사람의 것임—팀원들은 집단 과제를 합리적인 방법으로 해결하기 위해 전체 과제의 부분들을 독립적으로 해낼 수 있도록 각자 가장 잘 아는 부분을 담당하도록 일을 분담하게 될 것이다. 그 결과, 과제를 분담한 이후에 최종적으로 과제가 제출되고 교수가 성적을 매기기 전까지 집단 간에 실제적인 토론 시간을 갖거나 피드백이 이루어지는 경우는 거의 없다. 이 시점에서 개인적인 책무성이나 다른 팀과의 의미 있는 비교를 하기에는 너무 늦었다.

나아가, 위에 기술한 다섯 가지 특성들이 모두 해당되는 부정적인 과제의 경우, 집단 과제를 바탕으로 학습자들에게 성적을 주는 것은 긍정적이기보다는 부정적인 경험이 될 가능성이 더 높다. 팀 구성원 중 누군가가 자신이 맡은 과제를 제대로 이행하지 못했을 경우, 팀원들은 낮은 팀 점수를 인정하거나 막판에 악화된 사태를 해결하기 위해 큰 대가를 치러야 한다. 실제적으로 높은 성취도를 보이는 학습자들은 집단 과제 보고서로 학기말 성적을 받는 것에 대해 바쁜 출퇴근 시간에 고속도로를 무사히 무단 횡단한 기분이라고 표현한다. 우리 학습자들에게 이러한 경험을 겪게 하고 싶어 하는 교수는 아무도 없을 것이다. 하지만, 집단 과제를 설계하는 데 신중을 기하지 않으면 이러한 의도하지 않은 결과를 불러오기 쉽다.

## 효과적인 과제로 높은 수준의 학습 장려하기

집단 과제는 학습자의 학습과 기억력에 영향을 미치는 특징을 지니는데 이는 다음의 두 가지 요소에 기인된다. 하나는 팀원들에게 집단 상호작용을 통해 새로운 정보를 얻을 수 있게 하는 것이고, 다른 하나는 개방적인 동료 상호작용의 증가가 학습이 일어나는 인지과정에 강력한 영향을 준다는 사실과 관련이 있다.

## 우리가 학습하는 것

표면적으로 볼 때, 우리가 무엇을 안다고 할 때에는 우리가 가지고 있는 모든 정보를 더한 것을 총칭해서 보는 경향이 있다. 그러나 정보를 습득하는 것은 학습 과정의 일부분일 뿐이다(Bruning, Schraw, & Ronning, 1994). 습득한 정보는 단기 기억 속에 있다가 재빨리 사라지므로, 오랜 시간동안 정보를 활용하기 위해서는 장기 기억으로 저장되어야 한다. 실용적인 측면에서 보면 우리가 알고 있는 것은 우리가 받아들인 총체적인 정보의 일부인 것이다. 따라서 정보는 (가) 장기 기억 속으로 저장될 때나 (나) 필요할 때 정보를 다시 기억해 낼 수 있을 때에만 유용한 것이라고 말할 수 있다.

### 우리가 알고 있는 사전 지식이 주는 영향

우리가 학습할 수 있는 능력은 우리가 이전에 습득한 정보들을 장기 기억 속에 어떻게 저장했느냐에 따라 달라진다. 가장 중요한 것은 우리가 학습할 수 있는 능력이 우리의 기억이 어떻게 잘 조직되어 저장되어 있느냐에 달려 있다는 사실이다(이를 스키마(schema)라고도 한다. Anderson 1993; Bruning et al., 1994; Mandler, 1984). 이러한 정보의 구조는 매우 중요한데 이는 우리가 이미 알고 있는 정보와 연결시켜 주는 고리의 역할을 하며 이미 존재하고 있는 정보구조의 각각의 요소들과 연결시켜 주기 때문이다. 뿐만 아니라, 이러한 정보구조들은 우리가 모르는 것(즉, 연결되지 않는 정보)이 무엇인지 인식하게 해주는 역할을 하기도 한다.

## 정보구조와 학습

그렇다면, 우리가 알고 있는 것은 큰 의미에서는 숫자, 복잡성, 그리고 장기 기억 속에서 정보구조의 상호연결과 우리가 기억할 수 있고 활용할 수 있는 정보들의 작용을 뜻한다. 다시 말하자면, 의미 있는 학습이라는 것은 우리가 기억해 낼 수 있고 활용할 수 있는 정보의 양을 증가시킬 수 있을 때를 말한다. 이러한 정보를 기억해낼 수 있는 능력은 보통 새로운 정보가 다음과 같은 상황에서 우리의 동기를 유발할 수 있을 때 발생한다: (가) 기존 정보구조에 새로운 정보를 더함, (나) 새로운 정보구조를 형성함, (다) 기존의 정보구조들 간에 또는 내부적으로 새로운 연결 고리를 형성함.

## 심화 과정

만약 학습 활동을 통해 우리가 새로운 정보를 얻고 이것이 우리의 기존 정보구조와 멋지게 연결되었다면, 새로 얻는 그 정보는 해당 구조에 적절하게 연결된 것이라고 볼 수 있다. 교육연구자였던 Jean Piaget(1970)는 이 과정을 새로운 정보의 단순한 "순응(assimilation)" 과정으로 보았다. 그런데 만약 새로운 정보가 선행 지식과 동화되지 않고 갈등 현상을 일으킨다면 학습과정은 매우 어렵지만 결과적으로 매우 유익한 과정이 될 수 있다. 기본적으로 우리는 새로운 정보를 얻을 때 장기 기억 속을 더듬어서 갈등의 원인이 되는 연결고리들을 찾게 된다. 만약 이 검토 과정이 갈등의 존재를 인정한다면, 그 순간 우리는 평화로운 상태를 찾을 때까지 불편한 기분을 유지해야 한다. 만약 선경험에서 아무것도 찾지 못했지만 새로운 정보의 신뢰성이 유지된다면 우리는 정보를 수정하거나 기존의 정신구조에 정보를 첨가하는 활동을 통해 현존하는 갈등 상황을 제거하고 "순응"하게 된다. 이러한 기억 검색과 복구 작업과정을 "심층 과정"이라고 한다(Svinicki, 2004). 그리고 이러한 과정은 학습을 촉진시킨다. 이는 각 작업단계가 장기 기억에 긍정적인 영향을 주기 때문이다. 결론적으로, 이상적인 학습과제는 (가) 학습자 개개인이 새로운 정보를 얻고, (나) 학습자로 하여금 새로운 정보와 기존의 지식 사이 또는 새로운 정보에 대한 이해 과정에서 발생하는 불일치 상황들을 조화롭게 동화, 조절해 나가도록 요구하는 과제이다.

## 높은 수준의 학습 제공하기

학습자들에게 새로운 정보를 제공하고 정보를 조직, 해석하게 하는 것의 중요성은 집단학습에 대한 여러 연구결과들에 의해 이미 밝혀진 바 있다(Slavin, 1995의 요약 참조). 이 연구들에서 학습자들은 4인 1조의 "직소(Jigsaw)" 팀으로 구분되었다. 각 팀은 네 가지의 학습 내용에 대한 전문가가 되어야 했다. 그리고 자신이 학습한 내용을 다른 팀원들에게 가르쳐야 했다. 대부분의 경우 전통적인 일반 학습 방식으로 학습한 통제집단의 학습자들보다 직소 집단에 속한 학습자들의 종합평가 점수가 더 높게 나왔다. 한편, 직소 활동에서 긍정적인 이득이 있었던 주된 원인은 학습자들이 학습 자료를 숙지하여 동료들에게 가르쳤기 때문이다. 다른 사람이 나에게 어떤 개념(즉, 강의 듣기－학습자들로 하여금 새로운 정보를 제공받는 수준에 머문다)을 가르치면 학습에 미치는 긍정적인 영향은 최소한의 수준이지만, 내가 습득한 정보를 동료들에게 설명하는 과정은 학습에 훨씬 큰 영향을 미친다. 이 과정에서 동료들이 던지는 질문에 답하기 위해서는 내 자신 스스로가 강제적으로라도 불일치에 대해 조화를 이루어 학습 내용을 완전히 이해해야 하기 때문이다.

다른 두 개의 연구(Lazarowitz, 1991, Lazarowitz & Karsenty, 1990)에서는 직소 집단에서 추가 학습과제를 실시하였는데, 그 결과 학습 과정은 새로운 정보에 노출 되는 것 그 이상의 가치가 있음을 증명하였다. 직소 동료 학습을 마친 후, 각 직소 팀은 발견 중심 학습과제를 받았는데 이 활동에서는 학습자들이 배운 내용과 4명의 내용 전문가들로부터 학습한 내용도 적극적으로 활용해야 했다. 이 연구 결과들로부터 얻은 가장 중요한 것은 다른 내용 전문가인 동료들로부터 배운 학습내용은 장기 기억의 정보로 저장하는 데 훨씬 용이했다는 점이다.

직소 연구들의 전반적인 연구결과들에 의하면, 설령 내용 이해가 잘 안 되어 질문을 해야 하는 경우가 발생했다고 하더라도 학습 집단의 다른 동료들의 이야기를 단순히 듣는 것만으로도 장기 기억의 정보들을 충분히 습득할 수 있다는 사실이다. 한편, 동료들에게 내용을 가르쳐줘야 하거나 문제해결을 위해 개념을 활용한다거나 하는 높은 수준의 사고 능력이 필요한 과제일 경우, 장기 기억의 정보들이 늘어나고 학습 개념을 보다 잘 활용할 수 있었다.

높은 수준의 사고능력을 활용하는 다른 종류의 학습 활동들도 강의를 듣거나 필기 내용을 훑어보는 단순한 인지 과제와 비교했을 때 위와 유사한 성과를 보였다. 높은 수준의 사고능력을 요하는 과제에는 시험보기(Nungester & Duchastel, 1982), 짧은 보고서 쓰기(Wilson, 1982), 그리고 반대 의견들에 대한 갈등을 해결하고 의사결정을 내리는 등의 학습(Smith, Johnson, & Johnson, 1981)도 포함된다.

종합하면, 이러한 연구결과들은 집단 과제가 단순히 새로운 정보를 제공하는 수준을 넘어서 높은 수준의 인지 능력을 활용하는 적극적인 학습 참여가 요구될 때 집단 과제의 장기적 교육의 효과는 더 커질 수 있다는 것을 시사한다. 결과적으로, 학습자들에게 깊은 이해와 오랜 기억력을 제공할 수 있는 집단 과제를 설계하는 데 가장 중요한 것은 높은 수준의 사고와 문제해결을 요하는 과제를 반드시 포함시키는 것이다.

## 효과적인 팀 과제의 특성

이 장의 나머지 내용에서는 학습자 개인의 책무성과 집단 내, 집단 간 토론을 촉진할 수 있는 과제의 필요성을 진술하고 있다. 학습자들이 집단 과제 준비에 대한 책무성을 가질 때 나름대로 이해한 학습 개념을 토대로 토론을 하고자 하는 동기가 유발될 수 있다. 이렇게 집단 학습을 할 준비가 되었을 때 이어지는 집단 토론—집단 내, 집단 간—은 기존의 스키마와 불일치하는 새로운 정보를 습득하여 학습과 기억력을 향상시킨다.

## 네 개의 S

학습자들에게 책무성을 심어주고 토론을 촉진시키는 과제는 어떻게 만들어질 수 있는가? 우리는 학습과제의 실제적 특성 네 가지를 규명하였다. 이는 "네 개의 S"라고도 할 수 있는데, 이 네 가지를 잘 갖춘 경우 효과적인 집단 과제를 적용할 수 있다. 네 가지 특징은 다음과 같다. (가) 학습과제는 학습자들에게 의미 있는 주제를 바탕으로 설계되어야 한다. (나) 학급의 모든 학습자들이 동일한 문제를 다루고 있어야 한다. (다) 학습자들은 특정한 선택을 할 수 있어야 한다. (라) 팀은 자신들이 선택한 답을 동시에 발표할 수 있어야 한다(그림 3.2). 나아가, 이러한 과정은 효과적인 집단 과제의 3단계, 집단 토론 전의 개인 학습, 집단 내 토론, 집단 간 토론을 통한 전체 학급 토론에 모두 적용될 수 있다. 네 개의 S에 대한 설명은 다음과 같다.

### 핵심 1 – 학습자들에게 의미 있는 문제

효과적인 학습과제는 반드시 학습자에게 흥미를 주어야 한다. 학습과제가 학습자들의 흥미나 학습자들에게 관련 있는 문제를 다루지 않으면 대부분의 학습자들은 부여된 과제를 그저 "바쁜 일"로 간주하여 만족하는 성적을 얻기 위해 최소한의 노력만을 기울일 것이다.

다행히도, 교과목의 중요성을 설득해야 하는 것이 가장 큰 목표인 많은 학문처럼(예. 역사, 문학 등), 의료직의 교수들은 학습과제를 환자 진단이나 치료의 내용을 담아서 학습자들에게 보다 실제와 연관된 수업을 할 수 있다. 우리는 학습과제에 환자 돌봄의 상황을 강조하는 내용을 가능한 한 많이 다루도록 강력히 추천한다. 예를 들어, 환자의 진단이나 치료의 문제를 다루는 생화학 학습과제의 경우 제공되는 데이터가 실제 병원이나 치료센터에서 얻은 검사 결과라면 앞으로 학습자

[그림 3.2] 집단 학습과제를 만들고 관리하는 데 필요한 네 가지 핵심 내용

**개인 학습 X 팀 내 토론 X 팀 간 토론 = 학습효과 극대화**

**학습의 최대 효과를 누리기 위해서는 각 단계의 학습과제가 "4S" 특성을 지니고 있어야 한다.**

- **의미 있는 문제 (Significant Problem)**
  개인/집단은 학습자들에게 의미 있는 학습 주제를 다루어야 한다.
- **동일한 문제 (Same Problem)**
  개인/집단은 동일한 문제, 사례 또는 질문을 다루어야 한다.
- **특정한 선택을 요구하는 문제 (Specific Choice)**
  개인/집단은 문제에 대한 특정한 답을 선택하기 위해 학습한 개념을 활용해야 한다.
- **동시 발표 (Simultaneous Report)**
  개인/집단은 자신들이 선택한 답에 대해 되도록 동시에 발표해야 한다.

들이 경험할 작업 환경에서 접하는 내용과 유사할 수 있으므로 학습자들에게 보다 의미 있게 다가올 수 있는 것이다.

## 핵심 2 – 동일한 문제

효과적인 집단 학습과제의 핵심 특성 중 하나는 집단 내와 집단 간에 이루어지는 토론이라고 할 수 있다. 이러한 토론과정을 통해 학습자들은 개인과 팀의 사고력에 대해 즉각적인 피드백을 받을 수 있다. 토론 과정에 의한 상호작용을 촉진시키기 위해서는 학습 집단은 공통된 학습자원을 가지고 있어야 한다. 공통성은 동일한 문제를 푸는 과정 즉, 동일한 학습과제/학습 활동을 통해서 형성되는 것이다. 모든 학습자들이 동일한 문제를 다루지 않는다면 일차적으로는 집단 구성원 간, 그 다음으로는 집단 간 비교할 수 있는 근거가 없을 것이다. 뿐만 아니라, 모든 학습자들이 동일한 문제를 다루면 개인의 사고력과 학습 팀의 수행 정도에 대해 동료들 간 피드백을 주고받을 수 있다.

## 핵심 3 - 특정한 선택

앞서 논의된 바와 같이, 연구결과에 따르면 학습자들이 수준 높은 사고를 요구하는 과제를 접할 경우 학습이 상당히 향상됨을 보여주었다. 학습자들로 하여금 높은 수준의 인지적 사고를 통해 정보과정을 처리하도록 하기 위해서는 그러한 상황이 만들어질 수 있는 과제를 개발해야 한다. 따라서 우리는 학습자들을 "사고를 통해서만 문제를 해결할 수 있는 상황으로 이끌어 주어야" 한다.

일반적으로, 이 목표를 달성하기 위한 가장 좋은 학습 활동은 학습자들로 하여금 특정한 선택을 하도록 만드는 것이다. 이 시점에서는 이러한 개념이 모호할 수 있지만 아래의 내용에서는 특정한 선택을 해야 하는 과제의 몇 가지 예시를 들어 이러한 학습과제가 학습자들의 학습과 팀 개발에 왜 도움이 되는지 설명해주고 있다.

## 핵심 4 - 동시 발표

학습 집단이 일단 문제에 대한 선택을 내렸다면, 순차적으로 또는 동시적인 방법으로 선택 결과를 학급 동료들과 나누어 볼 수 있다. 순차적인 발표 방식의 한 가지 단점은 제일 먼저 발표한 응답은 다음 팀의 의견에 큰 영향을 미칠 수 있다는 사실이다. 나중에 정답을 발표하는 팀들은 다수의 정답으로 여겨지는 의견에—비록 다수의 의견이 잘못된 것이라고 하더라도—영향을 받아 자신들의 선택을 바꾸기 마련이기 때문이다.

"정답 경향성(drift)"이라 하는 이러한 현상(Sweet, Michaelsen, & Wright, 인쇄 중)은 여러 가지 이유에서 학습과 팀 개발을 저해한다. 토론 내용이 매우 의미 있는 학습으로 전개될 때 이러한 경향이 발생할 수 있는데, 이는 문제가 어렵고 불명확할수록 (가) 첫 번째 정답을 말하는 팀의 의사결정이 불완전하거나 잘못되었을 가능성이 높고, (나) 나중에 발표하는 팀들은 자신들이 선택한 답에 대해 확신이 없을 가능성이 높기 때문이다. 이러한 정답의 경향성은 집단 간의 주고받는 토론을 저해하는데, 이는 나중에 발표되는 정답들이 처음 발표한 정답과의 차이나 현재 논의하고 있는 의견을 그다지 중시하지 않게 되기 때문이다. 마지막으로, 순차적인 발표는 책무성을 감소시키는데, 가장 먼저 의견을 발표하여 토론을 여는 첫 팀이 대부분의 책무성을 짊어지기 때문이다.

하지만 여기서 집단들이 동시에 정답을 발표하도록 하면 순차적인 발표에서 드러나는 주요 문제들이 제거된다. 예를 들어, 병리학 과정에서의 문제는 여러 가지 복잡한 의료상황에서 환자의 혈압을 낮출 수 있는 가장 적절한 처방전을 고르는 것일 수 있다(4~5가지 목록 중 하나를 선택하기—핵심 3 참조). 그 다음, 이와 동시에 (아래에 더 자세히 논의하겠지만) 교수가 행할 수 있는 학습활동은 팀들로 하여금 자신들이 선택한 답에 해당하는 카드를 동시에 들어보도록 하는 것이다. 이러한 동시적인 선택 활동은 학습과 팀 개발을 촉진시키는데 이는 각 팀에게 (가) 선택에 대한 책무성을 부여하기 때문이며, (나) 자신들의 의사결정을 방어해야 하는 동기가 유발되기 때문이다. 또한, 문제가 어려울수록 팀원 간에 서로 의견 차이가 더 커질 수 있기 때문에 팀원 간에 주고받는 토론이 촉진된다.

## 목록작성과제의 영향

학습과제가 높은 수준의 인지적 기능을 자극하는 정도는 우리가 학습자들에게 무엇을 요구하느냐에 달려있다. 예를 들어, 어느 근거바탕 의학을 담당하는 한 교수는 학습자들이 환자 병원 기록에 있는 다양한 정보를 토대로 적절한 진단의 과정을 이해하는 것을 학습목표로 삼을 수 있다. 이에 해당하는 학습과제 개발은 세 가지 단계로 만들 수 있는데 이는 표 3.2에 설명되어 있다(Michaelsen et al., 1996, 2002, 2004의 내용 참조).

이러한 예시들에서, 학습 활동의 순서는 높은 수준의 지적 능력이 요구되는 정도에 따라 정해진다. 예를 들어, 1번은 학습자들로 하여금 목록을 만들도록 하는 단순한 작업 수준이다. 이러한 과제를 통해 높은 수준의 인지적 사고를 유발시키기는 거의 불가능하다. 왜냐하면, 목록을 만들기 위해 학습자들은 여러 참고자료들을 뒤져서 일련의 목록을 써서 제출하면 그만이기 때문이다. 이 정도 수준의 정보를 가지고 혹자는 1번과 같은 학습 활동은 그다지 도전적이지 않다고 쉽게 느낄 수 있다. 2번 과제는 선택을 하는 활동인데, 보다 나은 학습 활동이다. 이 과제에서는 학습자들이 환자 사례에 대한 정보를 보다 비판적으로 분석하고 가장 일관성 있고 가능한 진단들을 내리는 결정을 해야 한다.

학습 활동 2번이 더 많은 사고력을 필요로 하지만, 목록작성과제인 3번 과제는 높은 수준의 인지적 사고력을 더 많이 요구한다. 학습 활동 3번은 다른 활동에 비해 더 높은 수준이라고 볼 수 있는데, 이는 과제 3을 수행하기 위해서는 과제 1과 2를 완수해야만 하기 때문이다. 목록작성과제에서는 학습자들이 한 가지 정답을 선택해야 하기 때문에 올바른 진단을 내리기 위해 높은 수준의 인지 능력을 많이 개발하고 활용해야 한다. 최소한, 이러한 높은 수준의 지적 능력에는 복합적인 비교와 분별, 정보 내용에 대한 분석, 그리고 선택한 결과에 대한 검증 작업이 포함된다(Gagné , 1970).

목록작성과제는 학습자 개인에게도 매우 유익한 동시에 학습 집단에게 주는 이득도 매우 크다. 이는 목록작성과제는 학습자들로 하여금 학습을 진지하게 만들어 학습을 향상시키기 때문이다. 예를 들어, 집단 상호작용은 활발한 학습을 만드는 두 가지 기회를 제공한다: 집단 내 토론과 집단 간 토론. 집단 학습의 맥락에서 사용되었을 때에 목록작성과제는 각 학습 단계마다 학습을 향상시킨다. (가) 학습자들이 개별적으로 학습을 준비하게 된다. (나) 집단 내에 상호작용이 일어난다. (다) 집단 간 토론 과정에 참여하게 된다(그림 3.3 참조). 이와 같은 각 상황에서 목록작성과제가 주는 영향은 다음에 자세히 설명하고 있다.

**〈표 3.2〉 높은 수준의 학습을 촉진시키기 위해 말로 표현하는 학습활동**

| |
|---|
| **목록 만들기** |
| 1. 해당 사례의 환자에게 일관적으로 적용될 수 있는 가능한 진단을 목록으로 만들기 |
| **선택하기** |
| 2. (선택 가능한 5가지 목록 중에서) 어떠한 진단이 환자의 데이터를 근거로 한 답인가? |
| **특정한 선택하기** |
| 3. (선택 가능한 5가지 목록 중에서) 어떠한 지표가 올바른 진단을 내리는 데 결정적인 역할을 하는가? |

## 집단 학습을 위한 개인 준비에 미치는 영향

학습자들로 하여금 특정한 선택을 하도록 요구하는 일련의 학습 활동은 세 가지 상이한 방법으로 학습자들 개개인이 집단 활동을 위한 학업 준비를 갖추도록 한다. 첫 번째는 학습자들이 실제적으로 어떠한 선택을 하기 위해서는 높은 수준의 사고능력을 동원해야 한다는 것이다. 그 결과, 문제에 대해 신중하게 생각해본 학습자들이 집단 토론에 참여하게 된다. 두 번째, 집단 구성원들의 개별적 의견이 완벽하게 일치하지 않는 이상(이 경우 문제가 너무 쉬운 경우이다), 집단 구성원들은 자신들이 선택에 대한 근거를 동료들에게 설명할 준비를 하게 된다. 세 번째, 학습자들에게 집단 과제를 수행하기 위한 동기 유발이 촉진되는데 이는 "특정한 선택을 해야 하는 과제"를 통해서 스스로 입을 다물거나 다른 동료가 과제를 대신해 줄 수 있는 기회를 미연에 방지해준다.

**[그림 3.3]** 목록작성과제의 영향

**개인적 "사고" → 팀 내 토론 → 팀 간 토론**

| 개인적 "사고" | 팀 내 토론 | 팀 간 토론 |
|---|---|---|
| **"목록 작성"**<br>• 낮은 수준의 지적 기능 요구됨 (예. 구별하기)<br>• 결과에 대한 낮은 책무성<br>• 개인적 책무성이 약함<br>**"특정-선택"**<br>• "왜?"라는 질문에 초점을 맞춤<br>• 높은 수준의 인지적 기능 필요*<br>• 결과에 대한 강한 책무성<br>• 개인적 책무성이 강함 | **"목록 작성"**<br>• "무엇?"이라는 질문에 초점을 둠<br>• 낮은 수준의 지적 기능 요구됨<br>• 결과에 대한 낮은 책무성<br>• 집단 책무성이 약함<br>**"특정-선택"**<br>• "왜?"라는 질문에 초점을 맞춤<br>• 높은 수준의 인지적 기능 필요*<br>• 결과에 대한 강한 책무성<br>• 집단 책무성이 강함 | **"목록 작성"**<br>• "무엇?"이라는 질문에 초점을 둠<br>• 낮은 수준의 지적 기능 요구됨<br>• 결과에 대한 낮은 책무성<br>• 집단 응집력이 약함<br>**"특정-선택"**<br>• "왜?"라는 질문에 초점을 맞춤<br>• 높은 수준의 인지적 기능 필요*<br>• 결과에 대한 강한 책무성<br>• 집단 응집력이 강함 |

* 특정한 답을 선택하는 데에는 최소한 다음의 사항들이 필요하다: 복합적인 비교와 분별, 정보를 분석하고 교환, 선택한 결과에 대한 검증 작업

## 집단 내 토론에 미치는 영향

목록 만들기 활동과 특정한 선택을 하도록 한 과제 활동의 차이점은 팀 내 토론시간에 더욱 두드러진다. 예를 들어, 가능성 있는 답을 선택하여 목록으로 만드는 작업은 팀 작업으로는 매우 낮은 에너지가 필요한 활동이다. 팀 에너지가 적은 이유는 목록에 들어갈 수 있는 답을 선별하는 작업은 질적인 것보다 양적인 것에 초점을 맞추는 작업이기 때문이다. 또 다른 이유는 일정한 양의 답들이 목록으로 작성되면 수줍음이 많고 자기주장이 약한 학습자는 자신의 아이디어가 이미 목록에 포함되어 있다고 말해버릴 수 있다. 마지막으로, 목록을 만드는 작업은 집단 성과물에 대한 긍지를 느끼기 어렵다. 그 이유는 대부분의 항목들이 다른 팀의 목록에도 포함되어 있을 확률이 높기 때문이다.

이와 반대로, 집단에게 특정 영역에서 최선의 선택 한 가지만 하라고 하고, 다른 집단도 같은 문제를 풀고 있다고 생각하면 집단 내에서는 서로 진지하게 주고받는 토론을 통해 왜 자신의 선택이 다른 것에 비해 월등한 것이지를 대변하게 된다. 어느 집단도 자신들의 선택에 대한 명백하고 합리적인 이유를 설명 못 하길 원하지 않는다. 그 결과, 대부분의 집단은 많은 노력을 투자하여 목록작성과제 활동에 매달리게 되며, 자신들의 선택을 적극적으로 방어하고자 한다.

## 집단 간 토론에 미치는 영향

특정한 선택을 하도록 한 과제 활동을 하는 집단은 집단 간 토론을 통해 가장 활발한 학습을 하게 된다. 이러한 활동의 결과로 두 가지 이득을 볼 수 있다. 우리는 집단 구성원들이 특정 선택을 해야 하는 과제로 집단 책무성을 촉진시키는데 이는 집단 간의 차이가 명백하기 때문이다. 예를 들어, 학습자들이 가장 중요한 지표를 선택하는 활동이 가장 적절한 진단(선택하기) 하나를 고르는 것보다 훨씬 활발한 집단 간 토론을 유도할 수 있다. 집단은 대부분의 경우를 다른 사람들에게 자신들의 입장을 변호하는 데 힘을 쏟겠지만, 가장 중요한 지표(예. 특정 선택)를 서로 비교해 보는 것이 보다 활발하고 비형식적인 토론을 이끌어 낼 수 있다. 이러한 토론은 단순히 정답을 고르는 것을 뛰어넘어 왜 여러 가지 지표들이 정확한 진단을 찾기 위한 이유가 되는지 논의할 수 있다.

반면, 목록을 작성하거나 불특정한 선택을 해야 하는 집단 과제는 두 가지 문제를 낳는다. 이는 활력 없는 학급 토론과 논쟁거리가 없고 형편없는 집단 분석 과정이다. 활력 없는 수업이 되는 것은 집단이 다른 집단에는 신경을 쓰지 않고 자신들의 일에만 관심이 있기 때문이다. 형편없는 분석으로 인해 논쟁거리가 없게 되는 이유는 (가) 학습자들로 하여금 목록을 작성하게 하거나 불특정한 선택을 하는 활동에서 논쟁거리를 찾는 것은 어렵고 (나) 명확한 비교를 할 수 없는 것은 자신이 속한 집단이나 다른 집단의 분석과의 불일치를 그다지 중요하게 여기지 않게 되기 때문이다.

## 동시 발표의 영향

목록작성과제가 그림 3.2와 3.3에 설명된 3단계마다 이득이 있지만 이 과제는 동시 발표를 할 때 그 장점이 훨씬 더 두드러진다. 특히, 집단 토론에서 전체 학습 토론으로 확장할 때 더욱 그러하다. 학습자가 동일한 의사결정을 해야 한다고 하더라도 순차적인 발표는 동시에 발표하는 것에 비해 훨씬 덜 효과적이다. 가장 적절한 예시는 아래 기술된 두 가지 방법의 불일치에서 찾을 수 있다.

물리요법을 가르치는 내 동료는 RAT을 활용한 다음, 학습자들이 "무릎 재활 수술을 받은 환자의 회복 계획을 세울 수 있도록" 목록작성과제를 주었다(기타 예시는 Michaelsen et al., 1996, 2002, 2004 참조). 교수는 최근 수술한 한 환자를 수업에 초대하여, 학습자들에게 관련 의료 기록을 알려주고, 치료나 회복 예후에 영향을 줄 수 있는 질문을 환자에게 할 수 있도록 기회를 주었다. 그 다음 교수는 팀들에게 다음과 같은 질문을 하였다. "여러분이 면담한 환자의 이상적인 회복 치료 계획을 세워 보도록 하세요." 이 과제는 학습자들로 하여금 수업 시간에 배운 개념을 활용하여 여러 가지 특정한 선택하기를 요구하였고, 학습자들이 자신들의 선택을 어떻게 발표하느냐에 따라 학습에 대한 영향력이 향상될 수 있었다.

### 순차적 발표의 영향

여러 해 동안, 이 교수는 RAT을 실시하여 학습자들이 수업 시간을 활용하여 학습 과제를 할 수 있도록 해주었다. 그리고 5개의 팀에게 각각 기회를 주어 10분간 자신들의 치료 계획을 발표할 수 있도록 하였다. 팀별 발표 후에는 공개적인 질문을 할 수 있도록 학급 토론 시간을 가졌다. 그러나 교수는 거의 모든 학습자들이 노력을 보이지 않고 낮은 수준의 분석력을 보이는 것에 매우 실망하였다. 문제는 반복적인 발표가 교수를 포함하여 학급 전체를 잠에 빠지게 한 것이었다. 한편, 문제가 여기서 끝난 것이 아니었다. 집단 간의 선택이 서로 다르다는 것－집단 간의 토론을 촉진시키는 원인－이 여러 가지 요인에 의해 두드러지지 않았다. 먼저, 10분씩 5개조가 발표를 하는 시간동안 학습자들은 모든 정보를 받아들이기 힘들었다. 둘째, 관련 요소들이 50분간 이야기되었기 때문에 덜 중요한 정보에 의해 중요한 정보들이 묻혀버리기 쉬었다. 셋째, 집단이 자신들의 분석 결과를 발표하는 방법이 서로 다르지 않았기 때문에 주요 요소들을 연결짓는 것은 사과와 오렌지를 비교하는 것만큼 모호하였다.

### 동시 발표와 포스터 전시 갤러리의 영향

순차적 발표를 동시 발표로 수정하면 학습자들에게 치료계획을 위한 선택 활동이 주는 의미를 보다 잘 이해시킬 수 있다. 교수는 각 집단의 반복적인 순차적 발표를 하지 않고 학습자들이 수업 시간 중에 환자의 치료 계획을 세우고, 구두 발표가 아닌 포스터를 만들도록 하였다(약 120×90cm 크기의 플립차트에 36 포인트 Times New Roman 글씨체를 사용하여 1장짜리 포스터를 만든다). 이 포스터에는 치료 계획의 주요 요소들을 기술하여 포스터를 학급 토론이 시작되기 전 교수가 제한한 시간 내에 제출한다. 그 다음, 다음 수업이 시작되기 전에 교실 벽에 6개의 익명의 치료계획을 붙이고(5개의 조가 개발한 것과 교수가 직접 만든 계획), 수업 시간에 팀은 다음 사항들을 수행한다.

1. 포스터를 검토하기 위해 포스터 전시 갤러리를 관람하고(각 포스터별로 5분씩

할애)

가. 자기 팀에 없는 최고의 아이디어를 한 가지 선별한다.

나. (예. 포스터의 주인이 답할 수 없을 것 같은) 아킬레스건과 같은 질문을 하나 작성한다.

2. 가장 좋은 아이디어 포스터와 아킬레스건 질문을

가. 채점 용지에 기록한다.

나. 동시 발표로 활용할 미니 포스터에 마커로 기록한다.

3. 모두들 동시에 미니 포스터를 해당 포스터에 붙이고, 명확히 해야 하는 질문이나 논쟁거리가 되는 선택 결과들에 대해 전체 토론을 한다.

4. 동시에 아킬레스건 미니 포스터를 해당 포스터에 붙이고, 팀은 포스터에 받은 질문에 대한 응답을 준비한다. 질의응답을 위해 주고받는 토론이 필요한 경우 이를 진행하도록 한다.

두 가지 다른 형태의 발표 형식은 드라마틱하게 상이한 결과를 낳는다. 갤러리 전시 형태의 과제는 치료 계획의 장단점을 논하면서 먼저 팀 내, 그 다음 팀 간의 많은 에너지를 교환할 수 있다. 이와 대조적으로 50분간의 발표로 정보를 주체 못하는 학습자들에게 이러한 갤러리 전시 활동은 핵심 정보에 대한 동시적, 공통적, 영구적 그리고 매우 시각적인 발표가 될 수 있다. 이 핵심 정보는 (가) 환자가 지켜야 하는 치료 계획에 영향을 주고, (나) 환자가 잘 이행하면 성공적인 치료 계획이 될 수 있도록 영향을 미친다. 뿐만 아니라, 학습자들은 제한된 시간 안에 통합적인 방법으로 신중하게 정보를 소화하고 처리해야 한다.

## 동시 발표의 대안

동시적인 활동의 핵심은 복잡한 문제를 해결하는 데 필요한 의사결정(또는 의사결정들)을 간단한 방법으로 표현하는 것에 있다. 가장 간단하고 융통적인 방법은 팀의 의사결정을 표현할 수 있는 숫자 카드를 들게 하는 것이다(위에 언급한 핵심 4와 제2장의 내용 참조). 또한 추가적인 활동인 갤러리 전시를 통해 학습자들은 포스터를 제작하고, 개념 지도를 만들거나(예. 서로 다른 처방약에 대한 관계를 기술하고 다른 팀들의 포스터 중에서 가장 방어가 어려울 것 같은 포스터 고르기), 흐름도를 만드는 것이다(예. 세포가 단백질과 합성하는 과정 그리기. McInerney, 2003 참조). 동시 발표에 활용될 수 있는 다른 방법에는 요약 차트나(제11장과 Michaelsen et al., 2002, 2004 참조), 투명 용지에 팀의 결과들을 연속적으로 보여주는 방법(예. 팀들이 예/아니오 질문에 얼마나 잘 했는지 보여주거나 오랜 기간 동안 작업한 성과물에 대한 결과들 보여주기), 그리고 "정답 찾기" 활동도 있다 (연속적인 적용 연습문제를 보여주는 비디오 시청. http://www.teambasedlearning.org 참조).

요약하면, 제대로 설계된 목록작성과제는 동시 발표의 활동을 포함하고 있을 것이며, 학급 내에서 매우 높은 수준의 활동 에너지를 보장한다. 이는 집단 응집력에 매우 크고 긍정적인 영향을 주기 때문이다. 어려운 문제에 대한 답을 선정하기 위해 합의를 보는 것은 상당히 많은 사고와 노력을 요한다. 따라서 학습자들은 팀 간의 차이가 매우 중요한 피드백 요소가 될 수 있음을 직관적으로 느낄 수 있다. 팀원들 사이의 선택들이 명백하게 다르면 팀의 이미지가 외부적으로 손상될 수 있기 때문에, 이러한 상황이 팀원들의 협력을 이끌어내며 서로 최선을 다하고자 노력하게 되는 것이다.

이와 대조적으로, 목록작성과제는 집단 응집력을 촉진시키지 못하는데, 이는 학습 결과 내용이 팀원들 간의 비교를 위해서는 형편없기 때문이다. 팀 간의 비교는 집단들끼리 서로 결과를 토론할 때 가장 명백하게 드러난다. 학습 집단이 목록작성 활동을 매우 잘 한다고 해도, 이에 대한 발표를 시작하면 대부분의 경우 학습 전체가 졸음에 빠지게 된다. 사실, 학습자들이 팀 대표들의 목록의 내용을 조목조목 읊는 발표를 듣는 것은 일반적으로 실망스러운 경험이다. 서로의 목록 내용에 차이가 있다면 매우 자랑스러운 것이 될 수 있고 자신의 팀을 방어하고자 하는 동기 유발될 수 있지만, 이 또한 방대한 데이터의 양 때문에 모호해지거나 하찮은 것이 될 수 있다.

## 재활용: 팀 과제의 가치를 최대화하기 위한 전략

의학교육자들이 부딪히는 가장 어려운 문제 중 하나는 학습자들에게 부여된 학습 시간에 비해 가르치고 배워야 할 내용이 너무 많다는 것이다. 시간의 문제를 해결하기 위한 한 가지 방법은 같은 문제를 바꿔가면서 재활용하여 학습자들이 문제를 전혀 다른 시각에서 보도록 유도함으로써 적용 활동 과제의 가치를 증폭시키는 것이다. 예를 들어, 특정 환자에 대한 올바른 진단을 내리는 학급 토론 활동을 방금 마쳤다고 보자(표 3.2 참조). 당신은 "다음 중 어느 것이 올바른 진단을 내리기 위한 가장 중요한 요소에 가장 큰 (또는 가장 적은) 영향을 미칠 수 있을까요?"와 같은 새로운 질문을 통해 문제를 다시 재활용할 수 있다. 그 다음 학습자들에게 완전히 새로운 목록을 주어 새로운 선택을 할 수 있도록 한다(예. 환자를 10살 더 나이가 많고, 아시아계 사람이며, 약 13kg이 더 나가고, 여자이며, 당뇨병 환자로 바꿀 수 있음).

이와 같은 방법으로 문제를 재활용하는 것은 최소한 네 가지 장점이 있다. 첫째, 학습자들은 추가적인 준비를 할 필요가 없고 교수에게 있어서도 추가적인 준비는 거의 할 필요가 없다. 둘째, 재활용한 문제는 처음부터 다시 새로운 문제를 만들어 시작하는 것에 비해 시간 소모가 훨씬 적다. 셋째, 재활용의 장점은 방금 전에 학습한 내용을 즉각적으로 강화시킨다는 점이다. 마지막으로, 문제가 복잡할수록 재활용 문제를 통해 학습이나 팀 개발이 더욱 향상될 수 있다.

사실, 문제를 재활용해 보았던 우리의 경험에 비추어 보면, 학습자들이 자신들의 정답을 선택하고 방어하는 과정을 보면서 교수는 학습자들이 어려운 문제에도 달려들게 할 수 있도록 질문을 구조화하는 방법을 터득하게 된다. 여기서 중요한 것은 학습자들의 정보 인용 방법을 이해하여 교수가 여러 세트의 문제들을 만들어 내는 것인데, 각 세트의 문항들은 다음 세트의 문제를 만들어 낼 수 있는 지식의 바탕이 된다. 교육적인 개념으로 설명하자면, 각 문제가 문제의 바탕이 되는 정보를 제공하는 비계(scaffold)를 형성하는 것이다(Vygotsky, 1978 참조).

## 당신이 개발한 학습 활동은 얼마나 훌륭한가

효과적인 집단 학습과제가 될 수 있는 가장 좋은 지표는 집단이 자신들의 작업이나 다른 집단의 과제물을 발표하고 비교할 때 발생하는 과제-중심 에너지이다. 이 에너지의 수준이 팀 간의 토론으로 매우 높을 때에 교수는 (가) 팀원들이 팀 과제를 위해 개별적으로 준비되었다고 확신할 수 있으며, (나) 학습자들이 팀 과제를 신중하게 생각하고 있다고 생각할 수 있고, (다) 더 어려운 문제를 풀기 위한 능력이 향상되었다고 볼 수 있다. 좋은 학습 활동은 수업 중에 높은 수준의 에너지를 형성하고 이 에너지 수치는 더욱 상승하게 되는데, 이렇게 되면 학습자들은 서로의 생각을 논하고 자신의 생각을 방어하는 것에 흥미를 느끼고 기꺼이 하고자 한다.

우리는 시간을 재어 보았고 역시 네 개의 S(학습자들에게 의미 있는 문제, 동일한 문제, 특정한 선택을 하도록 하는 문제, 그리고 동시 발표)가 집단 응집력과 수업 에너지에 강력한 영향력을 미친다는 것을 경험했다. 표 3.3은 여러분이 개발한 학습 활동이 이러한 특성을 지니고 있는지 미리 평가해볼 수 있는 체크리스트를 보여준다.

## 결론

이 장의 요점은 TBL을 효과적인 교수전략으로 사용하기 위해 좋은 집단 학습과제가 필수적이라는 것이다. 뿐만 아니라, 우리는 좋은 학습과제에 대한 네 가지 특징을 제시하였다. 첫째, 학습 활동에 적극적이지 못한 학습자들의 태도(예. 무임승차, 토론을 장악하는 학습자들 등)나 불평(예. 쓸모없는 것을 배운다든지, 교수가 가르치지 않는다는 등)은 대부분 그들이 형편없는 학습자들이나 집단이기 때문이 아니라 형편없는 학습 활동에 기인한다. 둘째, 좋은 학습활동 과제는 학습자들이 학습 주제에 대한 기본적인 개념을 이해하고 높은 수준의 사고를 하거나 문제해결 능력을 향상시키는 데 매우 효과적이다. 셋째, 집단 학습활동의 효과의 척도를 판단할 수 있는 최선의 방법은 전체 토론 시간에 발생하는 에너지의 수준을 관찰하는 것이다. 마지막으로 "네 개의 S"를 기초로 만들어진 학습 활동은 학습과 팀 개발을 지속적으로 최대화시켜 줄 것이다.

〈표 3.3〉 효과적인 집단 학습 활동을 위한 체크리스트

집단 토론 이전:

- 집단 구성원들은 동일한 문제를 풀고, 개별적으로 특정 선택을 해야 하며 이를 기술해야 하는가?
  (비고: 이 개별적인 책임은 새로운 팀원들로 구성된 집단일수록 특히 더 중요하다)

집단 내 토론 중:

- 학습 집단은 팀원들의 개별적 선택을 서로 공유하고 동의(즉, 집단 합의를 거침)해야 하는가?
- 집단 토론은 "왜?"(그리고/또는 "어떻게?")에 초점을 두는가?
- 집단이 선택한 정답은 다른 집단과의 즉각적이고 직접적인 비교가 가능한 형태로 발표될 수 있는가?*

집단 간 토론 중:

- 집단 의사결정은 동시적으로 발표되는가?*
- 집단 "발표"는 핵심 주제에만 초점을 두고 있는가?*
- 전체 토론이 시작되기 전에 집단들에게 모든 "발표"* 사항들에 대해 이해하고 숙고할 수 있는 기회가 주어지는가?
- 집단 토론은 "왜?"(그리고/또는 "어떻게?")에 초점을 두는가?

"그렇다"는 응답이 많을수록 좋은 것이다. 위의 8가지 질문에 모두 "그렇다"고 응답했을 경우, 해당 학습 활동은 학습과 집단 개발을 효과적으로 촉진시킬 것이다.

* 개인과 집단의 선택이 발표되는 형식에 따라 다음에 이어지는 토론의 역동성에 큰 영향을 미친다. 집단에게 개인의 선택을 발표하거나 집단의 선택을 전체 학급에게 발표하는 것은 가능한 간결하게 하도록 한다. 한 단어 발표가 가장 좋은데(예. 그렇다/아니다, 가장 적절하다/가장 적절하지 않다, 위/아래/변화 없음, 등등) 이는 왜 특정한 답이 다른 것에 비해 나은지에 대한 토론을 유발시키기 때문이다.

## 참고문헌

Anderson, J. R. (1993). Problem solving and learning. *American Psychologist, 48*, 35–44.

Bruning, R. H., Schraw, G. J., & Ronning, R. R. (1994). *Cognitive psychology and instruction* (2nd ed.). Englewood Cliffs, NJ: Prentice Hall.

Gagné, R. M. (1970). *The conditions for learning* (2nd ed.). New York: Holt, Rinehart and Winston.

Kawashima, R., Sugiura, M., Kato, Y., Nakamura, A., Hatano, K., Ito, K., et al. (1999). The human amygdala plays an important role in gaze monitoring. *Brain, 122*, 779–783.

Latane, B., Williams, K., & Harkins, S. (1979). Many hands make light the work: The causes and consequences of social loafing. *Journal of Personality and Social Psychology, 37*, 822–832.

Lazarowitz, R. (1991). Learning biology cooperatively: An Israeli junior high school study. *Cooperative Learning, 11*(3), 19–21.

Lazarowitz, R., & Karsenty, G. (1990). Cooperative learning and student's self-esteem in tenth grade biology classrooms. In S. Sharon (Ed.), *Cooperative learning theory and research* (pp. 143–149). New York: Praeger.

Mandler, J. M. (1984). *Stories, scripts, and scenes: Aspects of schema theory*. Hillsdale, NJ: Lawrence Erlbaum.

McInerney, M. J. (2003). Team-based learning enhances long-term retention and critical thinking in an undergraduate microbial physiology course. *Microbiology Education Journal, 4*(1), 3–12.

Michaelsen, L. K., & Black, R. H. (1994). Building learning teams: The key to harnessing the power of small groups in higher education. In *Collaborative learning: A sourcebook for higher education* (Vol. 2, pp. 65–81). State College, PA: National Center for Teaching, Learning and Assessment.

Michaelsen, L. K., Black, R. H., & Fink, L. D. (1996). What every faculty developer needs to know about learning groups. In L. Richlin (Ed.), *To improve the academy: Resources for faculty, instructional and organizational development*. Stillwater, OK : New Forums Press.

Michaelsen, L. K., Jones, C. F., & Watson, W. E. (1993). Beyond groups and cooperation: Building high performance learning teams. In D. L. Wright, & J. P. Lunde (Eds.), *To improve the academy: Resources for faculty, instructional and organizational development* (pp. 124–145). Stillwater, OK: New Forums Press.

Michaelsen, L. K., Knight, A. B., & Fink, L. D. (2002). *Team-based learning: A transformative use of small groups*. Westport, CT: Praeger.

Michaelsen, L. K., Knight, A. B., Fink, L. D. (2004). *Team-based learning: A transformative use of small groups in college teaching*. Sterling, VA: Stylus.

Michaelsen, L. K., Watson, W. E., & Black, R. H. (1989). A realistic test of individual versus group consensus decision making. *Journal of Applied Psychology, 74*(5), 834–839.

Nungester, R. J., & Duchastel, P. C. (1982). Testing versus review: Effects on retention. *Journal of Applied Psychology, 74*(1), 18–22.

Piaget, J. (1970). Piaget's theory. In P. H. Mussen (Ed.), *Carmichael's manual of child psychology* (Vol., 1, 3rd ed., pp. 703–732). New York: Wiley.

Shaw, M. E. (1981). *Group dynamics: The psychology of small group behavior* (3rd ed.). New York: McGraw-Hill.

Slavin, R. E. (1995). *Cooperative learning* (2nd ed.). Boston, MA: Allyn & Bacon.

Smith, K., Johnson, D. W., & Johnson R. T. (1981). Can conflict be constructive? Controversy versus concurrence seeking in learning groups. *Journal of Educational Psychology, 73*(5), 651–663.

Svinicki, M. D. (2004). *Learning and motivation in the postsecondary classroom*. Boston, MA: Anker.

Sweet, M. S., Michaelsen, L. K., & Wright. (in press). Simultaneous report: A reliable method to stimulate class discussion. *The Decision Sciences Journal of Innovative Education*.

Vygotsky, L. S. (1978). *Mind in society: The development of higher psychological processes*. Boston: Harvard University Press.

Watson, W. E., Kumar, K., & Michaelsen, L. K. (1993). Cultural diversity's impact on group process and performance: Comparing culturally homogeneous and culturally diverse task groups. *The Academy of Management Journal, 36*(3), 590–602.

Watson, W. E., Michaelsen, L. K., & Sharp, W. (1991). Member competence, group interaction and group decision-making: A longitudinal study. *Journal of Applied Psychology, 76,* 801–809.

Wilson, Wayne R. (1982). *The use of permanent learning groups in teaching introductory accounting.* Unpublished doctoral dissertation, University of Oklahoma, Norman.

제4장

# 의학전문가로서의 비평적 사고역량 향상

*Herbert F. Janssen, N. P. Skeen, John Bell, William Bradshaw*

팀 바탕학습(Team-Based Learning, TBL)은 현재 의학교육에서 제일 많이 사용되고 있는 전통적 강의법을 대체할 대안 중 하나로 매우 중요한 의미를 가지고 있다. TBL은 학습자를 무대의 중심에 올려놓고, 교수는 기존의 역할에서 벗어난 새로운 역할을 하도록 요구함으로써 가르치는 것 대신 배우는 것에 초점을 맞추고 있다. TBL에서 학습자는 수업 전에 미리 학습내용에 대하여 예습해 올 책임이 있으며, 이후 집단 토론에 참여해야 한다. 이러한 과정을 따라 학습을 진행하다 보면 학습자들은 자연스레 비평적 사고와 역량이 향상된다.

학습자들은 TBL 수업에서 단지 글을 읽거나 단순지식을 암기하는 것 이상의 역할을 수행해야 한다. 문제에 대하여 질문하고, 자신이 이해한 것을 적용하고, 정보들을 종합하여 스스로 개념의 틀을 만드는 작업을 해야 한다. 이러한 활동을 성공적으로 이끌기 위해서는 학습에 적극적으로 참여할 필요가 있다. 학습자를 TBL에 적극적으로 참여하도록 이끄는 두 번째 요인은 집단 상호작용(group interaction)이다. 팀 활동 시 활발하고 적극적인 집단 상호작용을 통해 학습목표에 도달하기

브리검 영 대학교(Brigham Young University)에서 받은 미국교육부의 대학원 교육개선을 위한 기금(FIPSE) 중 일부를 지원받음.

위해서는 학습자 개개인이 학습 내용을 완벽하게 터득하고 있어야 할 뿐 아니라 그것을 적용할 통찰력 또한 지니고 있어야 한다.

지금까지 대부분의 보건의료전문가들은 학습자들의 비평사고역량 개발에 관심을 보이지 않았다. 의과대학을 비롯한 기타 보건의료전문직 교육기관과 프로그램에서 오래전부터 전통적인 강의에서 벗어나 새로운 교육을 실시해야 한다는 목소리가 있었지만, 그러한 주장은 번번히 묵살되었다. 미국과 캐나다의 의학교육 수업을 형성하는 데 가장 큰 영향력을 끼친 Flexner 보고서(1910)에서도 의과대학이 교육과정을 운영함에 있어 학문의 내용만 강조할 것이 아니라 의학문제해결에 과학적인 원리를 이용할 수 있도록 가르쳐야 한다는 점을 지적한 바 있다. Flexner 보고서는 학습자가 적극적으로 지식을 구성하고 적용할 수 있는 교육방법을 사용하기를 권장하였다.

## Flexner 보고서

Abraham Flexner는 카네기 재단의 임명을 받아 미국과 캐나다의 의학교육 실태를 조사하여 보고하였다. 그는 보고서에서 많은 의과대학들이 지식을 전수하는 데 급급해 교육에 대한 과학적 접근법을 중시하지 않는다고 비판하였다. 특히 Flexner가 볼 때 훈시조의 강의가 대부분인 의과대학의 교육방법은 호감이 가지 않았다. 그는 경험 바탕 교육(experimental-based eduaction)을 사용하여 학습자의 적극적인 학습을 북돋울 것을 강력히 주장하였다.

> 다른 모든 과학 교육처럼 지금의 의학은 교육적인 면에서 활동을 특징으로 한다. 학습자는 더 이상 관찰하고, 듣고, 기억하기만 하지 않는다. 그들은 직접 수행한다. 실험실이나 진료소에서 하는 학습자의 활동이 학습자 자신의 교육과 훈련의 주요소이다. 오늘날 의학교육에는 내용학습(learning what)과 방법학습(learning how)이 포함된다. 이는 학습자가 실행방법을 모르고는 학습내용을 효율적으로 터득할 수 없기 때문이다(1910, p.53).

Flexner는 책에 쓰여진 정보를 그대로 전달하기만 하는 교수-학습 모형은 반드시 바뀌어야 한다고 생각했다. 그는 의학교육이 과학적 연구의 패러다임을 따라야 한다고 주장하였다. 그가 의료 시행과 과학 연구를 비교한 내용은 다음과 같다.

> 연구자의 주요 지적 수단은 작업 가설 혹은 이론이다. 과학자는 일정한 상황과 마주친다. 그들은 관찰을 통하여 가급적 모든 사실을 수집하고, 이 수집된 사실이 제시하는 바에 따라 다음 행동을 취하게 된다. 다음 행동은 앞에서 말한 바와 같이 가설을 세우는 것이다. 과학자는 이 가설에 근거하여 실험을 설계하고, 그가 시행한 절차의 실제 결과에 따라 가설을 확인하거나 반박 또는 수정한다. 과학자의 마음은 이론과 사실 사이를 분주히 오가게 되는데, 이론은 연구자가 현상을 이해하고, 연관시키고, 통제할 수 있도록 해주는 구심점이다. 이것은 근본적으로 연구 기법이다. 그러나 이것이 연구 기법이기 때문에 임상 진료와는 상관 없는 이야기일까? 의사 또한 일정한 상황과 마주친다. 의사는 이 상황을 상세히 파악하여야 하는데, 실제 경험을 통해 수련한 관찰 능력이 있어야만 그렇게 할 수 있다. 환자의 병력, 상태, 증상 등이 그의 자료를 형성한다. 그 결과 의사 역시 작업 가설을 세우게 되는데, 여기서는 그것을 진단이라고 한다. 이 진단이 암시하는 바에 따라 다음 행동을 취한다. 판단이 옳은가 그른가? 그는 과연 필요한 사실들은 모두 모은 것일까? 그의 작업 가설은 사실들을 제대로 반영한 것일까? 환자의 병세 진전은 자연이 내리는 의견과 비평이다. 의사의 전문직업적 역량은 그가 실행한 처치에 대하여 자연이 보이는 반응에 비례한다. 과학의 발전과, 과학적인 혹은 지적인 의료 시행은 이렇듯 정확히 같은 기법을 사용한다(p.55).

Flexner는 다음과 같이 결론내렸다.

> 의학교육방법 역시 다른 학문과 다를 것이 없다. 순전히 설교 방식으로 하는 것은 절망적일 정도로 구식이다. 그런 방식은 교조 혹은 완벽하다고 여기는 정보를 수용하는 시대에나 있었던 것이다. 그 시대에는 교수

> 는 "알고", 학습자는 "배운다"로 통했다. 그러나 실제로 강의법이 일부에서 여전히 유용한 방식으로 사용되고 있음은 분명하다. 강의법은 과목을 시작할 때 안내를 하기 위해서 혹은 연관성을 알려주거나 공부할 방향을 예고하는 데 효과적이다. 또한 요약하거나 해석하거나 경험으로 얻은 결과를 연관시키는 데 때때로 도움이 될 수 있다(p.60-61).

Flexner는 의사가 아니라 교육자였다. 그는 고등학교 교사와 교장으로 19년간 일하다가 하버드로 돌아가서 그의 연구를 계속하였다. 교사였던 그의 배경이 그가 보고서를 집필하는 데 많은 도움을 주었을 것이라 생각한다. Flexner는 학습자들에게 정보를 활용하는 방법을 가르치지 않고 정보만을 전파하는 식으로 수업을 운영하는 학교들을 비판하였다. 그는 과학적인 방법이 진료를 할 때나 과학 연구를 할 때 모두 똑같이 유용한 수단이기 때문에 중요하다는 사실을 잘 알고 있었다. 의과대학 학습자들에게 기초과학을 가르치는 것은 내용도 중요하지만 진료하는 의사에게 과학자들이 사용하는 방법론을 가르치는 것 또한 환자를 진료하는 가설을 세우기 위한 작업 모형이 되므로 더욱 중요하다고 하였다.

과학적인 방법을 조금만 변형하면 진료를 할 때 비평적 사고를 적용하는 틀로 사용하는 것이 가능하다. 이 방법을 쓰면 예를 들어 의사가 적절한 조치를 결정하였는지 확인하거나, 원래 선택하였던 치료가 잘 듣는지 재평가할 수 있다.

Flexner 보고서는 1910년에 출간되었지만 여전히 오늘날 의학교육이 마주치는 많은 문제를 지적하고 있다. 의과대학은 일반적으로 첫 2년 동안 진행되는 기초 의학교육에서 여전히 단순 암기만을 강조하고, 능동 학습은 별로 강조하지 않고 있다. 오늘날의 의학 정보의 양은 1910년대 초에 가장 잘 훈련된 진료의사가 가졌던 지식보다 훨씬 많아졌는데도 말이다. 단순 암기위주의 강의를 구시대 유물로 치부했던 Flexner가 오늘날 우리의 의학교육체계를 본다면 뭐라고 말할까?

## 의과대학 교육과정의 변화

미국의사국가시험원(National Board of Medical Examiners, NBME)에서 시행하는

시험이 최근 학습자의 기억 능력을 평가하던 문제에서 벗어나, 지식을 증례바탕 시나리오에 적용하는 능력이 필요한 문제 위주로 변화되었다. 시험에서 제시되는 시나리오의 배경 정보도 물론 알아야 하지만, 제시한 자료를 환자의 상황을 진단하고 치료하는 데 잘 활용할 수 있어야 한다. 증례에서 제시되는 자료는 대부분 환자의 나이, 성별과 함께 검사실 자료, 임상 소견, 환자 병력 등의 정보를 포함한다. 학습자들이 이러한 문제를 풀 수 있도록 가르치려면 이제는 전통적인 강의법으로 단순 지식만을 제시해주는 수준 이상의 교육이 필요하다.

지난 수년간 미국의과대학협회(Association of American Medical Colleges, AAMC)에서는 교육과정 관리 및 정보 도구(Curriculum Management and Information Tool, CurrMIT)를 도입하여(http://www.aamc.org/meded/curric/start.htm) 이 프로그램에 참여하는 모든 의과대학 교육과정의 목표를 수집해 오고 있다. 이 작업이 완료되면 각 의과대학들의 자신들의 대학과 타 대학 간의 교육과정, 교수방법, 평가도구 등을 비교할 수 있게 될 것이다. 이 프로그램은 우리에게 교육과정과 교육방법을 정확히 정의할 수 있는 교육목표를 개발할 것을 요구한다. 끊임없이 변화하는 지식과 학습자의 요구에 발맞추기 위해서 우리는 학습자들에게 비평적 사고, 문제해결 기술, 이를 실제에 적용해 볼 수 있는 기회 등을 제공하는 방향으로 교육목표를 변화시켜야 한다.

미국의학교육인정평가위원회(Liaison Committee on Medical Education, LCME)도 역시 의과대학 교육과정의 변화를 역설하였는데(http://www.lcme.org/functionsnarrative. htm#structure), 이러한 변화들은 TBL과 같은 새로운 교수-학습 방식의 적용을 지지한다. 이 위원회는 교수는 알고 학습자는 배우던 예전의 교육과정을 이용하여 문제해결을 가르치려는 것은 잘못이라는 점을 지적하였다. 최신판 LCME 방침에도 다음과 같은 언급이 있다.

> 기초의학교육은 과학적 방법을 직접 적용하고, 의학적인 현상을 정확히 관찰하며, 자료를 비평적으로 분석할 수 있도록, 실험 실습을 포함한 다양한 실습의 기회를 포함하여야 한다(2006).

이 방침은 의학교육이 과학적인 교육방법을 포함하여야 하며, 내용 중심으로만 가르치는 방식에서 탈피해야 한다는 Flexner의 주장과 일치한다. 오늘날 기술 발달로 온라인이나, 다운로드 가능한 교과서 등을 통하여 쉽게 정보를 구할 수 있다. 때문에 사실 정보를 교실에서 전달할 필요가 줄어들었다. 이러한 변화는 곧 수업에서 학습하는 방법을 강조하는 TBL 같은 교수-학습 방법을 실행할 시간적 여유가 생겼다는 것을 의미한다.

## 의과대학 학습자는 교실에서 학습방법을 배울 수 있다?

1900년대 초 Abraham Flexner가 그의 보고서에서 의학교육이 본질에서 동떨어져 있음을 비판하고 있을 때, John Dewey와 그 부인 Alice는 시카고대학 실험학교(University of Chicago Laboratory Schools)에서 교육방법을 개발하고 있었다. Dewey와 Alice는 실행을 통한 학습이라는 자신들의 교육철학을 증명하기 위하여 실천 활동에 어린이들을 직접 참여시켜 가르치고자 했다(Maxcy, 2002). Dewey는 여러 번의 경험을 통해 자신의 실험에서 학습자에게 단순한 통찰을 얻는 것 이상의 변화가 일어나고 있음을 발견하였다. 과학적인 방법의 적용은 경험적인 관찰과 실험 작업과 추론능력을 증가시켜 사고능력을 향상시킬 수 있다는 장점을 발견한 것이다(Dewey, 1910).

Dewey는 어린이들의 교실에 가사일이라는 실천 활동을 도입하여 어린이들의 변화를 관찰하였다(Maxcy, 2002). 그러나 Dewey의 실험과 동등한 방법을 의학교육에 적용하는 것에는 문제가 있다. 환자, 주사기, 수술메스 등 병원 상황 그대로를 의과대학 교실에 가져와 학습자들이 의사와 같이 행동해 보도록 하는 것은 허용될 수 없는 일이며, 실행 불가능한 일이기 때문이다. 의과대학의 교육은 환자를 만나는 것이 허용되는 때를 대비하는 차원에서 실시되는 교육이어야 한다. 그러므로 학습자들이 지적 수준상에서 문제해결 경험을 쌓을 수 있도록 준비해야 하며, 문제를 단순히 관찰만 하는 것에서 벗어나 문제에 몰입하고, 이해를 심화시켜 미래에 있을 병원 수련 등에 필요한 진료 기술의 토대가 되는 사고의 패러다임을 개발하도록 가르쳐야 한다. 이러한 사고의 패러다임이 바로 비평적 사고이다.

비평적 사고를 좀 더 자세하게 정의하자면 소크라테스를 짚고 넘어가야 한다

(Paul & Elder, 2003). 그가 사용한 방법은 잘 짜여진 질문들을 체계적으로 사용하여 대상의 신념을 평가하고 추론의 타당성을 사정하는 것이다. 소크라테스의 철학은 오늘날까지도 학습과 사유에 관한 모형의 바탕이 되고 있다. 비평적 사고를 지지하는 사람들은 이전 필자들의 교육 방식을 일부 확장하기도 하였으나 대부분 이전과 같은 방식을 그대로 사용하고 있다. 비평적 사고를 지지하는 사람들의 교육 방식은 교육 과정에 학습자가 능동적으로 참여하도록 만들고, 의사결정 과정에서 논리적인 순서를 따르며, 신념이 아니라 진실에 바탕을 두고 결론을 내리고, 선택의 여지를 모두 다 고려하며, 해결책을 발전시키고 그것을 실제에 적용하고, 새로운 문제가 나타날 때마다 이 과정을 계속해서 재적용하는 것이다.

Fogler와 LeBlanc(1995)는 과학적 방법과 매우 유사한 5 단계 진행법에 바탕을 둔 문제해결 전략을 기술하였다. 그들의 도식에 의하면 창의적인 문제해결의 단계는 아래와 같다.

1. 문제를 정의한다.
2. 몇 개의 해결책을 만든다.
3. 하나의 해결책을 선택한다.
4. 해결책을 실행한다.
5. 성공 여부를 평가한다.

그들은 다음 단계로 넘어가기 전 각 단계를 다시 한 번 신중히 고려하는 것이 중요하다고 강조한다. 다섯 단계 중 한 단계에서라도 오류가 있다면, 다른 단계가 모두 완벽하다 하더라도 문제해결의 결과는 결코 올바른 방향으로 나올 수 없다. 예를 들어, 첫 단계에서 진짜 문제를 올바로 정의하지 못했다면, 그 다음의 노력은 올바른 문제해결과정과 관계가 없으므로 실패가 자명하다. 필자들은 궁극적인 문제해결을 위해서는 반드시 모든 단계를 지속적으로 신중하게 평가할 것을 권한다.

한편, Paul과 Elder(2003)는 사고의 과정에 관여하는 8가지 요소를 정의하였는데, 그들은 이러한 요소들을 신중하게 분석하고, 분명하게 인식하는 것이 문제해결의 모든 과정에 적용되는 사고의 질을 향상시킬 수 있는 방법이라고 주장하였다. Paul과 Elder(2003)가 주장한 사고 과정에 관여하는 8가지 요소는 다음과 같다.

1. 목적을 정의할 때, 이를 명확하게 서술하여 다른 목적과 혼동되지 않도록 하며, 분석 진행 시 원하는 목표에서 벗어나지 않도록 주의하여야 한다.
2. 다루어질 질문의 표현을 명료하게 하며, 필요 시 좀 더 쉽게 해결할 수 있도록 질문의 내용을 세분화하여야 한다.
3. 모든 사고는 가정에 바탕을 두되, 그 가정의 속성을 명확히 하여 가정이 정당하면 받아들이고 그렇지 않으면 배제하여야 한다.
4. 이러한 과정을 통해 만들어진 해결책은 반드시 특정 견해를 반영하게 되므로 이 견해가 오히려 문제해결과정에 장애물이 되는 일이 일어나지 않도록 타인의 의견을 구하는 등의 절차를 거쳐 신중히 결정해야 한다. 그러한 과정을 거치지 않으면 혹시 더 나은 해결안이 될 수도 있었을 의견을 놓치는 일이 발생할 수 있기 때문이다.
5. 의사결정을 위해서는 다양한 자료와 정보가 필수적이다. 이때 수집된 자료와 정보가 신뢰할 수 있는 내용인지 검증하는 것은 매우 중요한 절차이다. 이미 결정된 견해를 지지하는 정보는 물론이고 반박하는 정보라 할지라도 모아진 모든 정보를 자료에 포함시켜야 한다. 그렇지 않으면 수집된 자료 자체가 이미 중립성을 잃고 특정 견해에 유리한 것들로만 구성되어신뢰할 수 없는 자료가 되기 때문이다.
6. 고려 중인 주요 쟁점과 관련 있는 개념과 이론을 탐색하고 의미를 명확히 하여야 한다.
7. 분석의 과정이 완료되면 하나의 결론이 도출될 것이다. 하지만 도출된 결론은 경우에 따라 최선의 결론이 아닐 수 있다. 모두가 결론을 도출하는 데 지쳐 안일하게 결정된 사항이 결론으로 받아들여지지 않도록 주의하여야 한다.
8. 문제해결을 위해 위와 같은 사고과정을 거쳐 결정된 해결안은 저마다 예상되는 결과가 있다. 궁극적으로 얻게 될 결과를 추론해 보는 과정 또한 비평적 사고의 한 단계이다. 이때 부정적 결과와 긍정적 결과 모두가 고려대상이어야 한다 (p.2).

비평적 사고를 위해서는 모든 요소에 신중히 주의를 기울여야 한다. 그렇게 함으로써 자기중심적 사고의 함정에 빠지는 것을 예방할 수 있고, 발생 가능한 잠재적 문제를 발견해 낼 수 있다. 예를 들어 자신의 신념체계에 위배되기 때문에 타당한 정보를 의식적이든 무의식적이든 고려하지 않았다면, 그 사람은 올바른 비평적 사고의 최종 결론을 얻을 수 없을 것이다. 위에서 설명한 사고 양식을 다시 한 번 자세히 살펴보면서, 문제해결과정에 대한 정보와 함께 이 과정을 스스로 향상시킬 수 있는 방법에 대하여 깊이 생각해 보자.

## 의과대학 수업에서 비평적 사고를 하게 만드는 실용적인 아이디어

과연 의과대학에서 학습자를 훈련시키는 데 사용할 수 있는 다양한 자원을 얼마나 효과적으로 활용하고 있는가 하는 물음에 대한 답은 충분히 조사해 볼 가치가 있다. 기초의학 수업을 가르치는 교수들 중에는 성실한 학습자라면 교과서를 주의 깊게 읽어서 얻을 수 있는 사실 정보를 강의 한두 시간 동안 학습자에게 늘어놓는 것이 전부였다는 점을 인정할 사람이 많다. 비평적 사고역량을 기르기 위해서는 패러다임의 전환이 필요하다. 해당 과정에 기초가 되는 용어, 사실, 개념 등은 학습자들이 사전에 미리 공부해 오도록 하고, 교수들은 학습자들이 지식 정보를 실제 진료에 옮기는 데 도움이 되는 비평적 사고역량을 향상시키는 데 수업시간의 대부분을 할애하도록 바뀌어야 한다. 학습자와 교수 모두가 각자에게 가장 적합한 과업을 수행할 수 있도록 변화하는 것이다.

조금 더 구체적으로, 네 가지 기본 요소로 이뤄진 학습 패러다임을 살펴보자. 첫째, 학습자들은 읽기과제(reading assignment)를 통해 학습주제에 대한 기본 사실을 습득한다. 학습자들의 사실 습득 정도는 개인 및 집단 준비도 확인시험(Readiness Assurance Tests, RATs)을 통하여 평가한다. 둘째, 학습자들은 자신들이 지금까지 학습한 것을 바탕으로 학습 주제와 관련된 응용 문제를 해결하기 위한 팀 활동을 실시한다. 셋째, 학습자들은 자신들이 이해한 것을 평가하고 피드백을 받는다. 넷째, 이 과정을 반복하여 학습에 대한 심층적 이해를 발전시킨다. 지금까지 설명한 패러다임을 실제 수업상황에서 실용화하는 방법은 이 책의 뒷부분에 소개될 TBL 실행의 구체적 세부사항을 참고하기 바란다.

TBL 실행 시 교수 입장에서 가장 많이 생각하고 준비하여야 할 사항은 바로 적합한 문항을 개발하는 일이다. 의학교육에서 쉽게 활용 가능하면서도 잘 알려진 방식의 적용학습활동 문항의 유형은 기초 및 임상 자료를 해석하여 환자의 병리 상태를 진단하고 치료계획을 세우게 하는 것이다. 이 때 어떤 시나리오를 사용하느냐와 어떤 주제를 다루느냐에 따라 다소 차이가 있을 수 있겠지만, 팀이 도출해야 하는 답안은 전형적인 TBL 구조에서 허용하는 것보다 훨씬 융통성이 커야 한다. 의학교육에서 사용하는 TBL 문항의 예 두 가지를 보면 다음과 같다.

1. 고령자들이 물을 적정량만큼 섭취하지 않는 경우가 많다는 것은 잘 알려진 사실이다. 또한 고령자들은 변비가 잘 생긴다는 사실도 잘 알려져 있다. 이 두 가지 사실을 연결할 논리적인 설명은 무엇인가? 주어진 시나리오에서 중요한 호르몬 기전을 같이 언급하라.
2. Jones 부인은 57세 백인 여성으로서 일차 진료의가 의뢰하여 내과 외래를 방문하였다. 그녀는 입 마름, 빈뇨, 에너지 수준 감소 등을 호소한다. 신체 진찰에서 나타난 소견은 키 162.5cm, 몸무게 84kg, 혈압 160/110이다. 응급 혈액 및 소변 검사를 한 결과는 다음과 같다.

   일차 진료의가 Jones 부인을 당신에게 의뢰한 것은 그녀에게 맞는 최적의 이뇨

| 분석 성분 | 혈장(mg/dL) | 소변(mg/dL) |
|---|---|---|
| 나트륨(Na+) | 140 | 200 |
| 염소(Cl)- | 105 | |
| 칼륨(K+) | 4.6 | |
| 포도당(Glucose) | 225 | 200 |
| 크레아티닌(Creatinine) | 1.0 | 150 |
| 혈중 요소 질소(BUN) | 10 | 100 |
| 헤마토크릿(Hematocrit) | 45% | |
| 소변량(Urine Volume) | | 1.5ml/min |
| 단백질(Protein) | 1+ | |

제를 선택하여 달라고 요청하기 위해서이다. 그녀에게 알맞은 약물을 선택하고 그 이유를 설명하라.

TBL 교수전략 중에는 학습자들에게 문제를 제시하고, 그들이 스스로 여러 가지 시행착오 과정을 겪으며 문제를 해결하도록 두는 방법도 있다. 이 방법의 장점은 학습자 각자가 개인적으로 활동하면서 직접 적용 가능한 유용한 전략을 스스로 발견하게 만든다는 것이다. 그러나 직관에 의하여 건설적인 전략을 만드는 능력은 개인차가 크기 때문에 모든 사람에게 적용하기에는 무리가 있는 방법이다. 이 방법은 대부분의 학습자들에게 좌절감을 주며, 몇몇 학습자들에게는 전혀 효과가 없을 것이다. 또 다른 단점은 만약 이 방법으로 어떤 학습자가 결함이 있는 전략을 만들었으나 그 전략이 일시적으로 성공하여 그 결함을 모른 채 의사가 되면, 그 학습자는 의료 과실에 대한 소송에 휩싸이거나 후회의 눈물을 흘리게 될 것이라는 것이다. 하지만 이 방법은 학습자를 보다 체계적이고 논리적으로 사고하도록 하여 주어진 문제상황을 탐구하고, 지식을 응용하여 문제해결 능력을 기르는 데 도움을 주기 때문에 궁극적으로 비평적 사고능력을 향상시킬 수 있는 잘 짜여진 기틀을 마련하는 데 도움이 되는 방법이다.

다음에 설명한 내용은 의과대학 수업에서 사용가능한 도식으로 Paul과 Elder (2003)가 주장한 사고의 과정에 관여하는 8가지 요소와 전통적 방법을 응용하여 만든 것이다. 이 도식은 과학 연구와 달리 통제할 수 없는 상황일 때 발생하는 변화에 맞추어 고안하였으므로 임상 상황에 좀 더 적합하다. 도식은 총 7단계이다.

1. 목적을 정의한다.

   질병을 앓고 있는 환자를 치료하는 의료 상황에서, 목적을 정의하는 것은 어쩌면 사소한 일이라고 생각할지도 모른다. 그러나 사실 의사는 흔히 치료 계획을 세울 때 환자 개개인의 요구와 그들의 상태에 따라 여러 가지 잠정적인 목표를 세우게 된다. 예를 들어 수술 불가능한 암을 가지고 있는 환자라 하더라도 어떤 환자는 "인공심폐소생술금지(do not resuscitate, DNR)" 서약을 하여 몸이 괴롭지 않은 상태를 원하지만, 어떤 환자는 선택할 수 있는 모든 치료 방법을 시도해 보기를 원하기도 한다. 이처럼 환자 진료 시 목적을 명확히 정의하는 것은 그 다음 단계에 해야 할 조치를 결정짓는 데 지대한 영향을 미친다.

2. 질문을 공식화한다.
이 단계 또한 매우 중요한 단계 중 하나이지만, 서둘러 진단과 치료 계획을 세우다 보면 생략되기 쉽다. 그러나 이 단계에서 꼭 필요한 질문들을 적합하게 묻지 않으면 불충분한 정보로 인한 오진, 잘못된 치료를 초래하기 십상이다. 적어도 다음과 같은 질문 몇 가지는 항상 내 자신에게 물어야만 한다. "옳은 진단을 내리기 위하여 어떠한 정보가 필요한가? 이러한 임상 소견을 설명할 수 있는 다른 대안은 없는가? 어떤 검사를 실시하면 몇 가지 가정을 제외시킬 수 있는가?, 지금 나는 어떠한 가정을 하고 있는가? 이러한 가정은 타당한 것인가?" 이러한 질문들은 이전에 결정한 목표 혹은 목적에 따라 달라질 수 있다. 위에서 언급한 첫 번째 시나리오에서 의사는 다음과 같이 질문하여야 한다. "환자에게 있어서 최선의 통증 관리 치료는 무엇인가?" 반면, 두 번째 시나리오에서 의사는 이렇게 물어야 한다. "이 사람에게 사용할 수 있는 항암 치료는 무엇인가?"

3. 정보를 수집한다.
환자의 상태를 올바로 평가하기 위해 정보를 수집할 때는 몇 가지 고려할 사항이 있다. 정보 수집에 관한 사항을 다루는 것은 기초의학 수업 경험에서 꼭 필요한 부분이다. 첫 번째로 고려할 사항은 이용할 정보의 유형이다. 학습자는 최소한 세 가지 범주를 포함한 정보를 수집해야 한다. 출판 문헌에서 얻은 정보, 학습자가 이미 가지고 있는 선수지식, 임상 검사에서 얻은 자료 등이 그것이다. 둘째, 학습자들은 수집한 매우 많은 정보들을 관계 있는 것과 없는 것으로 구분할 수 있어야 한다. 셋째, 학습자들은 정보의 정확성을 평가하여야 한다. 넷째, 학습자들이 수집한 것들 중에서 선택한 정보가 완전한 것인지 혹은 그것을 보충하기 위해 교수의 도움이 필요한지 판단해야 한다.

현재 의료 공동체에서 사용할 수 있는 정보는 예전에 비해 대단히 많이 늘어났으며 그 확장 속도는 급격히 빨라지고 있다. 하지만 다행히도 급격하게 축적되는 정보를 전파하는 기술 자체가 우리가 정보를 보다 쉽게 구할 수 있도록 도와준다. 의사는 컴퓨터를 사용하여 교과서나 학술지 논문에 저장된 방대한 분량의 정보에 무선 접속할 수 있다. 과거 의과대학 학습자들이 암기하기 위하여 필요하던 정보가 이제는 쓸모없어지거나 혹은 환자의 병상 곁에서 정보통신기술을 이용하여 획득할 수 있는 것이 되었다. 이제는 이러한 정보를 사용하여 문제를 해결하는 방법을 학습자들에게 가르치는 일이 수업 시간을 훨씬 더 생산적으로 이용하는 길이 되었다.

4. 정보에 비추어 적절하고 효과적인 해결책을 제시한다.
   이 단계는 보통 학습자들이 배우기에 가장 부담스러운 단계이다. 어떤 사람은 타고난 능력이나 이전 경험에 의지하여 쉽게 해결책을 제시할 수 있지만, 어떤 사람은 아무리 애를 써도 효과적인 해결책이 떠오르지 않아 좌절감을 느끼기도 한다. 필자의 경험에 의하면, 논리적 추론 자체는 가르칠 수 없는 것이기 때문에, 학습자들이 귀납 및 연역적 논리에 대하여 이해한 것이나 일련의 규칙을 진료 문제해결에 적용시키는 방법을 가르치는 것은 불가능하다. 간단히 말하자면, 자료에서 논리적인 결론을 이끌어 내는 알고리즘은 학습자들에게 직접 가르칠 수 없다. 이 과정에는 피드백과 격려를 자주 해줄 사람이 필요하다. 교수는 분명 이러한 역할을 잘 수행할 수 있다. 그러나 교수들은 학습자 각자를 충분하게 만날 수 없기 때문에 이와 같은 효과를 낼 수 있는 방법을 찾아야 한다. 학습자들로 하여금 건설적으로 상호작용하여 서로의 의견을 나눌 수 있도록 장려하는 방법은 부분적으로 이러한 효과를 달성할 수 있는 방법이라고 할 수 있다. 이와 같은 이유 때문에 TBL 방식이 매우 값어치 있는 교수-학습 방법인 것이다. 하지만 교수는 학습자들을 현명하게 훈련시켜 서로 군림하거나 무시하지 않고, 상호작용이 일어날 수 있도록 항상 신경 써야 한다.

5. 제시한 해결책의 결과를 학습한다.
   교수는 학습자들이 제안할 여러 가지 해결책에 대비해 가능성 있는 모든 결과에 대하여 광범위하게 준비해야 한다. 만약, 모든 학습자가 바람직한 해결책을 제안할 것을 대비하여 좀 더 복잡한 문제를 준비하여야 한다. 학습자들은 자신들이 낸 해결책을 교수가 바로잡거나 고쳐줄 때보다 직접 환자의 결과를 두 눈으로 확인하며 피드백을 받을 때 사고력을 더 잘 개발할 수 있다.

6. 환자의 결과를 바탕으로 해결책을 조정한다.
   과학 연구의 경우 연구자는 실험을 재연하고, 관찰된 실험 결과를 그대로 수용하고 보고하여야 할 윤리적 책임이 있다. 반면, 의사는 그러한 책임은 없지만 바람직한 목표 달성을 위하여 환자를 재검사하고 치료를 조정할 책임이 있다. 환자 개개인은 유일한 존재이기 때문에 각각을 별개의 증례로 간주하여야 한다. 재평가를 하였을 때 치료를 조정할 필요가 있다면 의사는 개입을 할 시기나 시행 방법을 결정하기 위하여 비평적 사고과정을 다시 시작하여야 한다. 질병과정이 전개되는 데 따라 치료의 목표가 변경되는 경우가 있다. 예를 들어 현재의 치료로 질병의 진행이 억제되지 않으면 환자가 DNR 지시에 서명하고자 할 수 있는데 이렇게 되면 의사는 새로운 질문을 던져야 하며 그에 따른 새로운 해결책을 생각해 내어야 한다. 이 경우 질병의 완치를 목표로 계획한 치료 대신 고통을 완화시키는 치료로 목표가 바뀌게 된다. 이밖에 환자 치료에 조정이 필요하게 되는 경우는 새로운 검사 결과로 인한 새로운 진단이 내려질 때 등이다.
7. 반성과 평가를 통해 다음 문제를 더 잘 다룰 수 있는 방법을 계획한다.
   위에서 제시한 연속 단계들은 계속해서 순환한다. 문제해결의 매 주기가 끝날 때마다 과정을 검토하고 제안한 활동 계획의 성공과 실패 여부를 점검한다. 이러한 과정은 특히 자료를 잘못 파악하였거나, 판독을 잘못하였거나 또는 치료를 잘못 적용한 것을 바로잡는 데 매우 유용하다.

## 교수와 학습자의 역할

위에서 언급하였듯이 TBL은 비평적 사고 역량 향상에 도움이 되는 교수-학습 방법이다. TBL은 교수가 아닌 학습자에게 초점을 맞추고, 개인이 아닌 집단 상호작용에 역점을 두는 교수전략으로써, 학습자가 문제해결 능력을 기를 수 있도록 준비된 연습(directed practice)을 제공한다(Michaelsen, Knight & Fink, 2002, 2004). 특히 TBL에서 교수와 학습자의 역할은 기존과 비교해 크게 변화되었다. 교수는 전처럼 강의 준비시간의 대부분을 강의록과 수업에 사용할 슬라이드를 만드는 데 사용하지 않는 대신, 학습자들이 수업시간에 실시하게 될 여러 활동들에 대한 철저한 준비를 위한 시간으로 사용하여야 한다. 다음은 교수가 수업 시작 전 반드시 완료하여야 하는 몇 가지 사항이다.

- 학습 내용의 범위를 결정한다. 관련 내용을 적게 포함하는 교수는 거의 없으므로, 교수가 지나치게 상세한 내용을 포함하여 수업시간 동안 학습 가능한 범위를 넘어서는 일이 흔하다. 방대한 수업 내용 모두가 교수 에게는 흥미로울 수 있으나 정작 학습자들에게는 중요한 개념을 애매하게 만들고, 기본 정보를 처리하거나 응용할 시간을 부족하게 만들 수 있다는 것을 명심해야 한다.
- 수업에서 다루기로 결정한 내용과, 적용학습활동(Application exercise)에 대하여 궁극적으로 어떻게 학습자들을 평가할 것인지 결정한다. 이 시점에서 시험 문항을 설계함으로써 나머지 수업계획이 가능해진다. 시험 문항을 이 시기에 설계하게 되면, 시험 문항이 학습목표와 일치하게 되므로 바람직하다. 우리가 학습자들에게 궁극적으로 바라는 바는 임상 상황에서 활용 가능한 비평적 사고 역량의 향상이므로, 사실 정보의 기억을 요구하는 전통적인 선택형 문항을 출제하기보다는 좀 더 까다롭겠지만 분석적 추론(analytical reasoning)을 요구하는 시험 문항을 설계하는 것이 바람직하다.
- 적합한 읽기과제를 선택한다. 읽기과제는 학습자들이 수업을 준비하는 데 필요한 내용을 충분히 포함하고 있어야 한다. 하지만 관련 없는 세부사항까지 포함하여 분량이 지나치게 많아지면, 학습자들은 학습 의욕을 잃거나 혹은 읽기과제를 그리 중요하게 여기지 않을 수 있음을 알아야 한다.
- 사실적 지식보다 개념 이해에 초점을 둔 의미 있는 RAT를 구성한다.
- 수업 내용에 적합한 적용학습활동 문항을 출제한다.
- 적용학습활동에 대하여 여러 가지 수준의 예상 답안을 준비하여 각각에 대한 실제 환자의 결과를 준비한다.
- 학습자들이 문제해결과정을 밟아가는 단계를 지도하고 모든 구성원들이 공평하게 집단에 참여하도록 촉진시키고, 반성과 평가 기법을 효과적으로 가르치기 위한 전략을 수립한다.

위와 같이 TBL에서 교수의 역할은 학습 내용을 제시하기보다 학습자의 학습을 지도하고 문제를 고안하는 것이며, 학습자들의 역할은 학습에 능동적으로 참여하는 것이다.

- 주어진 자료로부터 중요한 정보를 가려내는 데 있어 교수에게 의지하지 않으며, 수업 전 미리 학습내용에 관한 기본 정보를 학습해 와야 한다.
- 유의미한 개념의 구조를 독립적으로 구성하도록 한다. 기존 수업에서는 대부분의 학습자들이 교수가 개념에 대하여 정리해 놓은 강의를 통해 학습 내용에 대한 정보를 얻었다. 그러나 새로운 패러다임에서는 학습자가 학습내용에 대한 개념을 구성하는 일을 책임져야 한다. 학습자들은 이것을 부담스러워 하는데, 이때 교수는 시험을 위해 길고 지루하며 결실 없는 벼락치기 공부를 하던 것과 달리, 지금과 같은 방식의 수업이 배울 당시에는 수고스럽지만 시험에 닥쳐서는 결국 만족스러운 보답으로 돌아올 것이라는 점을 학습자들에게 상기시켜 줄 필요가 있다.
- 팀 활동에 적극적으로 참여해야 한다.

학습자들이 개별적으로 읽기과제를 통해 TBL을 준비하는 동안 교수는 학습자들에게 주어진 모든 정보를 있는 그대로 받아들이기보다는 학습에 필요하다고 생각되는 문헌들이 어떤 것인지 평가할 필요가 있음을 알려주어야 한다. 특히 읽기과제가 의학관련 문헌일 때 더욱 주의해야 한다. 문헌마다 같은 주제에 대하여 다루더라도 그 관점이 다를 때가 많기 때문이다. 예를 들어 특정 질병의 치료에 사용하는 약물의 효과에 대하여 필자에 따라 각기 다른 의견을 표현할 수 있고, 마찬가지로 어떤 질병 조건을 가지고도 진단이나 치료에서 혹은 그 질병을 장기 추적에서 다뤄야 하는지 등에 대한 관점에 대해서 의견이 다른 경우가 많다. 그러므로 이때에는 학습자들로 하여금 단일 증례 보고가 잘 수행된 다른 기관 임상시험과 비교해 문헌에 실린 내용이 얼마나 타당한지 토론해 보는 시간을 갖는 것이 유용할 것이다. 이러한 방식을 개인학습 준비도 확인시험(Individual Readiness Assurance Test, IRAT)에서도 활용할 수 있는데, 학습자들에게 답안을 묻는 질문뿐 아니라 답안의 타당도가 다른 보기에 비하여 낫다는 근거를 제시해 보도록 하는 질문을 던져 학습자로 하여금 탐색 활동을 하도록 유도할 수 있다. 또한 같은 탐색 질문을 집단학습 준비도 확인시험(Group Readiness Assurance Test, GRAT)에도 사용하여 학습자들이 비평적 사고 역량을 개발하는 데 도움을 줄 수 있다.

또한 교수는 각 팀 구성원들이 Paul과 Elder(2003)가 제창한 "사고 요소(elements of thought)" 에 따라 상호작용할 수 있도록 도와야 한다. 이 요소들을 고려하면 팀 내 의견을 독자적으로 주도하는 학습자의 출현을 방지할 수 있고, 지적인 가치를 바탕으로 모든 구성원의 의견이 고려된 결론을 도출하는 데 도움이 된다. 또한 자신들이 세운 가정이나 문제를 보는 관점, 개념, 도출한 결론 등에 대하여 비판적으로 생각할 기회를 제공하며, 문제해결과정을 되돌아보게 함으로써 집단의 다른 구성원들이 낸 의견을 다시 한 번 검토해보는 시간을 가질 수 있다.

## 의과대학 이후 교육에서의 관련성

미국졸업후의의학교육인증위원회(Accreditation Council for Graduate Medical Education, ACGME)에서는 미국 내 전공의 교육 프로그램을 평가하고 인정하는 일을 한다(http://www.acgme.org/acWebsite/home/ home.asp). 이 기관에는 28개 전공의 수련교육 평가 위원회가 있어서 설정된 기준에 따라 각 프로그램을 평가한다. 지난 수년에 걸쳐 ACGME는 모든 전공의 수련교육 프로그램의 기본 조건에 포함되어야 하는 여섯 가지 핵심 역량을 수립하였다. 모든 전공의 수련교육 프로그램은 각 영역에 관하여 전공의를 수련할 수 있다는 것을 입증하여야 하며, 마찬가지로 전공의 또한 각 영역에서 충분한 역량을 갖췄다는 것을 입증하여야 한다. 이 여섯 가지 핵심 역량은 환자 진료에 대한 기초와 의학 지식에만 국한되지 않고 전문직업성, 의사소통 기술, 시스템 바탕 진료(system-based practice), 진료 바탕 학습(practice-based-learning)과 향상 등에 걸친 다양한 영역에서의 역량을 필요로 한다. 한마디로 전공의 수련이 기존보다 훨씬 복잡해졌다고 할 수 있다. 이러한 전공의 수련과정을 수료하기 위해서는 의과대학에서 학습자들에게 비평적 사고 기술을 가르쳐야 한다. 의사가 자신이 돌보는 환자에게서 최선의 결과를 이끌어내기 위해서는 다른 의료 전문가들과의 상호작용을 통한 시스템 바탕 진료의 역량이 필수적이기 때문이다.

## 결론

의학교육을 개선하려면 의과대학 교실이 단순히 정보를 제시하는 곳이 아닌 학습자의 비평적 사고 역량을 키우는 효과적 장소가 되어야 한다. 이미 만들어져 있는 사고 요소나 과학적 질문 과정을 가지고 학습자들의 활동을 검토한다고 해서 학습자들의 비평적 사고 역량이 향상되는 것은 아니다. 특히나 의료기술의 임상 적용이 중요한 의학교육에서는 교수의 지시-감독 아래 여러 번 진료를 반복하는 것이 학습자의 논리적 추론 기술 개발에 가장 적합하다. 교수는 교실에서 시행 가능하면서도 적당히 어려운 문제를 설계하고, 학습자의 수행을 모니터링하고 피드백을 제공하여야 하며, 학습자들은 소극적인 노트 필기자 역할에서 벗어나 문제해결을 위한 적극적인 학습자가 되어야 한다. 의학교육은 학습자가 장차 환자를 치료하는 데 필요한 의학적 지식 및 비평적 사고 역량을 개발할 수 있도록 교육방식을 변화시켜야 한다. TBL은 이러한 변화를 실현할 수 있는 효과적인 교수전략 중 하나이다.

## 참고문헌

Case, S. M., & Swanson, D. B. (2002). *Constructing written test questions for the basic and clinical sciences* (3rd ed.). Philadelphia: National Board of Medical Examiners.
Dewey J. (1910). *How we think.* Lexington, MA: D. C. Heath.
Flexner A. (1910) *Medical education in the United Stated and Canada.* Bulletin number four. (The Flexner Report). New York: The Carnegie Foundation.
Fogler, H. S., & LeBlanc, S. E. (1995). *Strategies for creative problem solving.* Upper Saddle River, NJ: Prentice Hall.
Liaison Committee on Medical Education. (2006, February). LCME Accreditation Standards. Retrieved from http://www.lcme.org/functionsnarrative.htm#structure
Maxcy, S. J. (Ed.). (2002). *John Dewey and American education.* Bristol, UK: Thoemees Press.
Michaelsen, L. K., Knight, A. B., & Fink, L. D. (2002). *Team-based learning: A transformative use of small groups.* London: Praeger.
Michaelsen, L. K., Knight, A. B., & Fink, L. D. (2004). *Team-based learning: A transformative use of small groups in college teaching.* Sterling, VA: Stylus Publishing.
Paul, R., & Elder, L. (2003). *Critical thinking: Concept and tools. The foundation for critical thinking* (3rd ed.). Dillon Beach, CA: The Foundation for Critical Thinking.

제 5 장

# 팀 바탕학습을 사용하는 교육학적 이유

*Herbert F. Janssen, N. P. Skeen, R. C. Schutt, Kathryn K. McMahon*

과거 40년간 교육 분야에서는 (가) 교육목표의 적용, (나) 중핵 교육과정, (다) 시청각 교육매체의 발전, (라) 구조화된 교과서, (마) 팀 티칭, (바) 컴퓨터 기반 학습, (사) 학습 포트폴리오 등과 같은 새로운 교육기법이 많이 활용되어 왔다. 초기에는 이 모든 것이 학습효과를 향상시킨다고 평가받았지만 대다수가 더 새로운 기법으로 대치되었다. 교육적인 접근법은 왜 계속 바뀌게 될까? 일반적으로 교수보다는 학습자에게, 그리고 교육내용보다는 교육과정에 초점을 둔 기법이 오랫동안 영속해왔다. 팀 바탕학습(Team-Based Learning, TBL)은 최근 의학교육 분야에 새롭게 등장한 교육방법으로서 과거의 방식과 여러 부분에서 차이를 보인다.

## 의과대학에서의 교수법

모든 의과대학은 학습자의 학습과정 자체가 발전해 간다는 점을 유념해야 한다. 진료실에서 의사는 환자의 의학적인 상황을 과학자와 유사한 단계를 활용하며 접근해야 한다. 또한 검사 결과와 환자의 경과에 따라 초기 진단을 확정짓거나 배제

---

브리검 영 대학교(Brigham Young University)에서 받은 미국교육부의 대학원 교육개선을 위한 기금(FIPSE) 중 일부를 지원받음.

하고 치료 방법을 변경해야 할 것이다. 모든 환자의 증세와 치료법이 조금씩 다르다는 것은 거의 분명한 사실이다. 어느 두 환자에게서 교과서에 나오는 전형적인 양상이 그대로 나타나는 예는 매우 드물다. 따라서 의과대학 교육은 생리학 교과서에 나오는 전형적인 70kg 남성의 질병의 경과를 암기하기보다 각각의 새로운 상황에 학습자가 적응하도록 준비시키는 데 초점을 맞추어야 한다.

1910년 Flexner 보고서에 의하면, 단순 암기에 의해 학습되는 내용을 가르치기보다는 학습자가 문제해결 방식을 활용하도록 가르쳐야 한다고 한다. Flexner는 전통적인 강의보다 능동적인 학습과 실질적인 경험을 장려함으로써 이를 달성할 수 있다고 제안하였다. Flexner에 의하면, 강의실에서의 일방적인 주입식 교육은 새로운 분야를 소개하거나 한 분야를 마무리하면서 요약할 때에만 유용하다고 한다.

최근 미국의학교육인정평가위원회(Liaison Committee on Medical Education, LCME)는 Flexner의 제안을 다시 한 번 확인시켜 주었다. 새로운 인정평가의 기준은 의과대학이 학습자들로 하여금 가설을 시험하거나 확인하고, 생의학적 원칙과 현상에 관한 의문을 제기하기 위하여 데이터를 수집하고 활용할 수 있도록 가르쳐야 한다고 지적하고 있다(LCME 2007). 최근에 등장한 이러한 인정평가 기준은 일방적인 내용 전달 중심의 교육과정으로부터 사고의 과정을 가르치는 교육과정으로 변화해야 함을 인정하고 있음을 보여준다. 비록 처음 제안된 지 거의 한 세기가 지나서야 적용이 되는 것이긴 하지만, 의료를 제공함에 있어 과학적 방법이 중요한 도구라는 사실을 인식했다는 점에서 인정평가는 의학교육에 있어 의미 있는 진전이다.

## 일방적인 내용 전달 중심의 강의식 교육 (Didactic Teaching)

의학용어의 정의에 의하면, "Didactic"이란 뜻은 실습보다는 강의나 교과서가 중심이 되는 수업을 말한다(Branhart, 1872). 이는 가르침에 능하다는 뜻의 그리스어인 "didakikos"에서 유래되었다(Tylor, 1974). 이 그리스 단어의 뜻처럼 지난 한 세기 동안 의학교육은 수업의 일차적인 방식인 강의 중심교육에 중심을 두었다. 이 방식은 교육의 과정에 있어 교수에게 초점을 둔다. 이러한 환경에서 학습자들은 정보를 실제로 활용하거나 적용하는 과정을 모른 채 단순히 내용만을 암기하게 된다. 강의 중심교육에 대한 좀 더 냉소적인 정의는 "강의자와 학습자의 마음이 통하지 않은 상태에서 정보가 강의자의 노트에서 학습자의 노트로 옮겨지는 것" 이다. 이와 같은 전달 과정에서는 학습자의 이해력이 향상되지 않는다.

강의식 교육에서는 교수가 옳으며 학습자는 그 정보에 관해 의문을 제시할 수 없다는 전제가 내재되어 있다. 교수의 권위에 의문을 제기하는 시간은 거의 주어지지 않는 것이다. 이런 유형의 교수법은 학습자에게 자기위안을 주거나, 고등 지식을 얻으려는 노력을 고득점이나 얻으려는 욕망으로 바꾸어 버린다. 학습자들은 사실을 기억하는 능력이 사물을 진정으로 이해하는 것과 같은 수준이라고 속단하게 된다. 또한, 학습자는 강의자의 견해를 받아들이는 법을 배우며, 심사숙고하지 않고도 독립적인 지식을 습득할 수 있다는 잘못된 믿음을 갖게 된다. 이것은 종교적 숭배 집단의 우두머리가 무조건 자신의 교리를 따르라고 요구하며 구성원을 조정하는 세뇌과정과 흡사하다. 수면부족과 피로가 더해질 때 개개인은 더 이상의 지식을 추구하려는 관심이나 독립적인 사고 능력을 잃어 버리게 된다. 논리력과 추론능력을 가르치고자 하는 교수는 우선 단순 암기와 학습, 혹은 단순 암기와 이해가 같은 수준이라는 학습자들의 통념부터 바꿔 놓아야 한다. 암기가 진정한 지식이 아님을 깨닫고, 학습자 자신이 능동적으로 참여해야 한다는 사실을 받아들인 후에 추론기술을 가르칠 수 있는 것이다.

선행 연구자들에 의해서 강의식 교육의 유용성이 매우 제한적이라는 것이 명확히 밝혀졌다. John Dewey는 학습자들에게 생각하는 능력을 가르쳐야 한다고 역설했다. 사고능력이 아닌 사실만을 가르치는 것의 단점에 대해 설명하면서 그는 다음과 같이 말했다. "사고와 별개의 영역에 있는 능력은 그 능력이 사용될 목적과의 연계성이 결여되어 있다. 결국 사람을 자신의 습관대로 혹은 권위적 통치 방법으로만 행동하게 하기 때문에, 성취의 수단으로 보면 특히 부적절하다(Dewey, 2002).

강의의 가치를 지속적으로 옹호하는 교수를 위한 정보는 다음의 연구 결과에서 찾아볼 수 있다.

1. 강의를 듣는 동안 학습자들은 전체 시간의 40%도 집중하지 않는다(Pollio,

1984).

2. 학습자는 강의의 첫 10분 동안 70%를 받아들이지만 마지막 10분 동안에는 20%만을 받아들인다(McKeachie, 1986).
3. 강의가 계속되는 동안 학습자는 처음에 가졌던 관심과 집중도를 계속해서 잃어버리게 된다(Verner & Dickinson, 1967).
4. 심리학 개론 수업을 들은 지 4개월 후에는 겨우 8%의 학습자만이 그 수업을 듣지 않은 사람보다 더 많은 정보를 알고 있었다(Rickard, Rogers, Ellis, & Beidleman, 1988).

LuJan과 DiCarlo는 배워야 할 양이 너무 많기 때문에 교육과정에서 주어지는 자료에 대하여 능동적으로 생각하는 능력이 저해된다고 보았다. 전문 직업 교육의 중요한 두 가지 목적은 학습자가 면허시험을 통과할 수 있도록 준비시키는 것과 실제 직업 활동시에 독립적으로 생각할 수 있도록 하게 하는 것이다. 단순 기억에 의존하는 교육과정으로는 이 중 어느 것도 달성할 수 없다.

## 상호작용을 중시하는 교육 (Dialectic Teaching)

서로간의 상호작용을 의미하는 "dialectic"이란 단어는 추리의 기술이라는 뜻을 갖는 그리스어 "dialektike"에서 유래하였다. 또한 Tyler는 "dialectic"을 이론이나 의견의 진위를 찾는 데 사용되는 논리적인 토론 기술 또는 연습이라고 정의하였다.

기원전 400년 전경에 소크라테스는 역사상 가장 영향력 있는 교육 방법으로 지속적 재평가 방법을 소개하였다. 그는 무엇을 가르칠 것이냐가 아니라 어떻게 가르칠 것이냐를 논제로 삼은 것으로 잘 알려져 있다. 질문에 대해 다시 질문을 함으로써 대답을 유도하는 그의 방식은 학습자로 하여금 자신의 반응을 평가하도록 하고, 자신의 견해를 다른 사람의 의견과 정보에 근거하여 재평가하게 만든다. 그 결과, 학습자는 자신의 의견에 논리적인 근거를 대야 하고 자신의 제안대로 실행한다면 어떤 효과가 오게 될지 고려해 보게 된다.

소크라테스식 교수법은 학습자에게 초점을 두며, 학습자가 독립적으로 각 주장을 반복해서 재평가하게 만든다. 개개인은 각 주장의 논리를 주의 깊게 검토하고, 그 논리를 다른 사람과 다른 정보의 관점에서 재평가하게 된다. 이러한 교육 방식에서 선도자는 대답보다는 질문을 해야 한다. 이런 과정을 지속적으로 거치면 학습자는 논리적 평가를 견뎌낼 수 있는 궁극적인 결론을 향해 가게 된다. 이 방식은 소크라테스식 대화법으로 알려져 있으며, 토론을 장려하기 위해 대답보다는 질문을 활용한다. 이것은 그리스어로 변증법적(dialectic)이라고 불리는데, 이는 논쟁의 기술이라는 뜻이다.

소크라테스식 교육법이 사용되고 발전됨으로써 그는 늘 최고의 교육자로 불렸다. 이는 가르친 내용 때문이 아니라 그가 학습자들의 생각하는 방식을 바꾸어 놓았기 때문이다. 토론을 이끈 사람은 소크라테스였지만, 그의 궁극적인 목적은 학습자가 주제에 몰두하고 각 주제를 논리적으로 설명할 수 있는 능력을 갖추는 것이었다. 이런 가르침과 배움의 방식에 의해 학습자는 평생동안 활용할 수 있는 사고의 과정을 발전시켜 나가게 된다. 소크라테스는 그 자신이 사고를 창출해 내는 것이 아니라, 학습자들의 마음속으로부터 사고를 끌어내었기 때문에 스스로를 산파라고 불렀다고 전해진다(Mannion, 2002).

Kant(1781/2003)에 의하면,

> 지각이 없으면 어떤 사물도 이해할 수 없으며 이해가 없으면 어떤 사물도 생각할 수 없다고 한다. 내용이 없는 생각은 공허하며, 개념에 대한 이해를 제외한 지각만으로는 앞을 볼 수 없다. 사물을 이해하기 위하여 개념을 지각 가능한 것으로 만들어야 하듯이 지적인 생각을 위해서는 개념에 대한 이해가 필요하다. 이 두 가지 힘 또는 능력은 서로 교환할 수 있는 기능이 아니다. 이해만으로 지각을 일으킬 수 없듯이 지각만으로는 아무것도 생각해 낼 수 없다. 오로지 이 두 가지 기능이 합쳐질 때만 지식이 만들어지는 것이다(p.93).

Dewey 역시 자기성찰적인 사고는 교육과정과 교수-학습 과정의 의미 있는 성과물이라고 믿었다(Axtelle & Burnett, 1970).

## TBL을 통한 상호작용 교육

상호작용을 중시하는 수업방식은 TBL에서 없어서는 안될 부분이다. TBL의 필수적 부분이다. TBL에 포함된 다른 교육학적 접근방식과 상호작용을 중시하는 수업방식이 합쳐지면 학습자에게 학습 내용과 학습과정을 모두 배울 수 있는 좋은 기회를 제공하게 된다. 두 가지 모두 각각 중요한 역할을 담당하지만, 두 가지 모두가 합쳐질 경우 학습자는 어떤 특정한 분야를 막론하고 성공적인 학습이 가능하며 동시에 평생학습기술을 발달시킬 수 있게 된다.

TBL 수업에 참여하기 전에 학습자는 수업 요약본, 교과서 등 제공된 자료를 학습해 와야 한다. 학습자는 교실에서 개인학습 준비도 확인시험(Individual Readiness Assurance Test, IRAT)을 통해 각자 공부한 내용에 대한 형성평가(formative evaluation)를 치른다(Michaelsen, Knight, & Fink, 2002). 교수는 이 형성평가를 통해 학습자가 얼마나 스스로 학습하여 왔는지에 대한 정보를 제공받는다. IRA을 치른 후에는 팀별로 같은 질문들이 주어진다. 집단학습 준비도 확인시험(Group Readiness Assurance Test, GRAT) 중에 학습자는 자신의 견해를 표현하는 동시에 타인의 견해를 고려하고 평가하면서 중요한 상호작용 기술을 배우게 된다. TBL에서의 상호작용을 중시하는 수업방식은 개인이 다른 학습자들이 제시한 새로운 정보와 아이디어 등을 평가할 수 있는 기회를 제공함으로써 사고 과정이 성숙할 수 있도록 도와준다. 그렇게 함으로써 아이디어의 평가는 개인의 고유한 추론기술을 발전시켜 가는 과정이 된다.

아이디어의 평가가 끝난 후에도 학습자의 지적 능력을 향상시키는 과정은 중단되지 않는다. 교수는 이 과정에서 얻게 된 지식을 사용하여 학습자가 새로운 이해를 창출해내고 자료를 평가하도록 한다. 이처럼 평가를 종착점이 아닌 과정의 하나로 활용하는 것이 일방적인 내용 전달 중심의 강의식 교육과 상호작용을 중시하는 교육의 중요한 차이점이다. 일방적 강의식 수업에서 교수는 학습자에게 주어진 상황을 어떻게 평가할 것인지를 가르쳐 줄 것이다. 그러면 학습자는 질문을 받았을때 교수가 가르쳐준 평가법을 회상해 내거나 평가기준에 따른 수행을 하게 된다. 예를 들면, 교수는 학습자에게 환자가 고혈압이 있는지를 결정하는 방법에 대해 설명한다. 이 과정은 수축기 혈압과 이완기 혈압을 손으로 재는 방법과 환자의 차트에 그 기록을 적는 위치, 무엇이 정상범위인지에 대한 자세한 서술을 포함한다. 학습자는 설정된 한계값 이상의 수치를 들었을 때 환자에게 고혈압이 있다고 간주한다. 이것을 암기하면 학습자는 고혈압 결정 과정을 단계별로 회상해 낼 수 있을 것이고, 여기에 연습이 더해지면 일정 수준의 정확성을 띠고 그 과정을 수행할 수 있게 될 것이다.

그러나 상호작용을 중시하는 수업에서는 완전히 다른 교수법이 이루어진다. 학습자는 수축기와 이완기 혈압의 정상치를 기억해 내는 것 대신 시험방법의 타당성과 더 정확한 검사법은 없는지 추정해보는 과제를 부여받게 된다. 손으로 혈압을 재는 것에 대한 신뢰도와 효율성에 대한 추가 질문도 받게 될 것이다. 결국 학습자는 주어진 정상치에 대한 타당성에 대하여 의문을 품게 될 것이다. 이 수치는 전체 대상의 평균을 반영하는 것인가? 인구집단 대다수가 만성적 고혈압을 지니고 있다면 무슨 일이 벌어질 것인가? 인구 집단의 평균보다는 건강한 사람을 대변할 수 있도록 정상치를 더 낮게 잡아야만 하는가? 이러한 질문에 대한 답변에 따라 학습자들은 새로운 접근법을 제안하게 될 것이다. 실제로, 이러한 의문점을 통해 입원환자의 혈압을 침이나 관 등을 체내에 삽입하지 않고도 측정하는 전기 장치들이 만들어졌고, 정상 혈압의 수치도 낮게 설정되었다. 이 같은 고찰이 없었다면 의료계는 과거의 잘못을 계속 반복했을 것이다.

만일 학습자가 상호작용을 중시하는 교육을 받는다면, 환자의 혈압을 측정하는 방법과 주어진 상황을 비판적으로 평가할 수 있는 방법을 배우게 될 것이다. 예를 들어, 평가 항목을 혈압에서 혈중 콜레스테롤 수치로 바꾸는 일은 일방적인 내용 전달 중심의 강의식 교육을 받은 학습자에게는 불가능한 일이 될 것이나, 과정에 의문을 갖도록 배운 학습자들은 이에 쉽게 적응할 것이다.

TBL에서 사용하는 상호작용을 중시하는 수업방식은 명백한 교육학적인 장점 외에도 방법론 자체가 주는 실질적인 이점들이 있다. TBL 교수전략은 학습자 대 교수의 비율이 높은 강의실 상황에서도(예. 학습자 대 교수 비율 200:1까지도) 교수가 이끄는 소그룹 학습법에서의 장점을 잃지 않는다(Michaelsen et al., 2002). 대규모 강의실에서도 소그룹 활동의 효과가 나타날 수 있는 실질적인 교육전략 제공이 가능한 것이다. Michaelsen은 소그룹을 활용하면 가르침과 배움의 교육적 의미가 한차원 높은 새로운 수준으로 향상될 수 있다고 하였다. 따라서 학습자는 대규모 강의실에서도 다른 학습자와의 학습 과정을 통해 통찰력을 획득하고 고등 사고 능력을 쌓을 수 있게 된다(Michaelsen et al., 2002).

Paul(1995)은 상호작용을 중시하는 수업방식은 교수자의 세심한 주의가 필요하다는 점을 강조하였다. 의료의 영역에서 정보의 타당성을 식별하는 것은 중요한 일이다. 또한 다른 사람의 의견을 고려하고 합리적인 판단을 통해 의견의 타당성을 분석하는 것도 중요하다. 이것은 가용한 사실만을 가지고는 판단을 내릴 수 없거나 내려서는 안 될 때 특히 그러하다. 어떤 질병에 관한 지식이 증가하면, 문헌에 보고되는 사실도 변하게 된다. 다시 말해서 사실이 진실과 늘 같지는 않다는 것이다. 환자가 처한 상황이 저마다 다르므로 독특한 치료 계획이 필요할 수 있는데, 이것은 사실에만 근거해서는 쉽게 판단을 내리기 어렵다. 우리가 의학적인 결정을 내릴 때 다양한 견해의 가치를 무시한다면, 정보의 부족으로 인해 제대로 된 판단을 내릴 수 없게 된다.

학습자에게 이성에 근거해서 개개인의 견해의 타당성을 시험해 보도록 가르치는 일은 무엇보다 중요하다. 그런데 학습자들은 종종 활동에 참여할 준비가 안 된 채로 수업에 참여한다. 대부분의 학습자는 일방적인 내용전달 중심의 강의식 교육의 결과로 인해 근본적으로 수동적인 학습 자세가 배어 있으며, 이에 따라 교수의 말을 아무런 비판 없이 받아들인다. 학습자는 자신의 견해를 펴기 전에 비판적인 사고를 통해 획득한 이성의 힘과 이를 적용하는 법을 배워야 하며, 타인의 의견을 평가하는 데도 같은 방식을 적용할 줄 알아야 한다. 이러한 과정을 수행할 수 있는 정도에 따라 그 사람의 주어진 영역에서의 역량이 결정된다.

추론을 통해 어떤 주장의 타당성을 판단하기 위해서는 여러 가지 접근법을 알아야 한다. 이 접근법에는 연역적, 귀납적 추론능력이 포함된다. 학습자들은 초보적이나마 일상생활에서 획득한 비판적인 사고능력을 지니고 있다. 하지만 교육 현장에선 그 기술을 무시하도록 종용되어 왔다.

## 일방적인 내용전달 중심의 주입식 교수법과 상호작용을 중시하는 교수법의 평가

일방적 내용전달 중심의 교수법에서는 평가가 쉽다. 하지만 그 평가 결과는 학습자로 하여금 자신의 수준을 과장하여 받아들이게 한다. 앞에서도 언급했지만 단순한 사실에 바탕을 둔 질문에 대답할 수 있는 학습자는 질문에 대한 주제를 충분히 알고 있다고 가정하기 쉽다. 이로 인해 학습자는 본래 수준 이상의 자신감을 갖게 되고, 정보를 적용하는 데 필요한 통찰력을 갖고 있다고 생각하게 된다. 이것은 형성평가 혹은 총합평가의 결과가 부풀려진 그릇된 결과이다. 이로 인해 학습자는 수행을 잘 할 수 있다고 믿는 착오를 범하게 된다. 만약 교수 혹은 기관이 암기위주의 선택형 문항으로 진료실에서의 수행 능력을 예견할 것이라고 믿는다면, 당신은 암기위주의 선택형 문항으로 실망하게 될 것이다.

반면, 상호작용을 중시하는 교수법에서의 평가는 매우 어렵지만, 임상에서의 학습자의 수행 능력의 예측이 가능하다. 이 평가는 암기위주의 학습내용보다는 과정을 측정하는 것으로 평가 방법의 변화를 요구한다. 상호작용을 중시하는 교수법의 목적이 독립적으로 생각할 수 있는 학습자를 만드는 것이라면, 평가도 목적에 부합하는 기술을 측정해야 한다. 1956년 Bloom 등에 의한 원저에는 교육의 목표(또는 행동 목표)는 교육성과를 이끄는 과정이 아니라, 인지 과정의 성과물을 평가해야 한다고 적혀있다. 따라서, Bloom 등에 의한 명명법을 사용하여 기술한 교육목표들은 과정을 평가하려는 시도에는 부적절하다. 학습자의 사고 능력을 향상시키기 위해서는 새로운 교육의 목적과 목표에 대한 새로운 규정이 마련되어야 한다. 질문에 내한 답을 실제로 수행할 수 있는지를 파악하려면 질문의 방법 또한 발달해야만 한다. 일반적인 선택형 문항들은 이차 혹은 삼차적 질문이라 하더라도 대부분 수행가능 여부를 판단하기에는 부족하다는 것을 발견하게 될 것이다.

일방적 교수법과 상호작용을 중시하는 교수법을 평가하는 것은 다이빙 경기와 100미터 달리기 경주를 비교하는 것에 비유할 수 있다. 다이빙경기의 심판은 다이빙을 수행하는 과정을 평가하는 것이지, 다이빙대에서 수면에 이르는 데 걸린 시간을 평가하는 것이 아니다. 반대로 100미터 단거리 달리기 경주에서는 달리는 방식에 대해서는 아무런 평가도 이루어지지 않고, 단순히 출발음부터 결승선까지 소요된 시간만을 가지고 우승자를 고른다. 말할 것도 없이 후자가 더 쉽다.

TBL은 학습자와 교수 모두에게 상호작용을 평가할 수 있는 훌륭한 기회를 제공한다. TBL의 가장 강력한 평가 도구 중 하나는 토론 과정이다. 토론을 통하여 두 가지 명확한 평가의 목적을 달성할 수 있다. 첫째, 학습자들에게 형성평가의 도구를 제공한다. 이를 통해 그룹의 모든 학습자는 저마다 자신의 수준을 전문가의 수준과 비교해 볼 수 있게 된다. 둘째, TBL을 통해 교수는 개별 학습자, 각 그룹, 그리고 학급 전체에 의해 실시된 수행능력의 수준을 결정할 수 있는 도구를 제공받게 된다.

다른 형태의 평가 방식과 달리, 토론은 개개인이 보유하고 있는 진정한 지식과 적용 능력의 수준을 밝혀낸다. 앞에서도 언급하였지만 소크라테스는 이 방법을 사용하여 학습자들로부터 정보를 뽑아내는 동시에, 개개인을 자극하여 자신의 생각을 만들어내는 데 활용되는 과정을 밝혀내었다. 토론을 시작하면 누구나 내용에 관한 지식의 수준을 드러내고, 토론의 주제와 그 내용을 결부시키는 데 활용하는 과정을 보여주게 된다. 이 역동적인 평가과정은 선택형 문항이나 에세이 시험에서 측정 가능한 수준을 훨씬 능가하는 것이다. 선택형 문항을 이용해 사고의 과정을 측정하는 것이 불가능한 것은 아니지만 매우 어렵다. 에세이 시험은 선택형 문항보다 그 과정을 정확히 평가할 수 있지만 이 방법은 학습자의 지식 수준을 상회하거나 밑도는 지점에서 측정을 시작할 수 있다. 또한 학습자의 능력을 상회하거나 밑도는 사고 과정을 수행해 보라고 요구할 수도 있다. 토론의 형식을 통해 학습자의 수행능력을 평가하면 이 두 가지 문제를 절묘하게 피해 갈 수 있다. 즉, 토론은 학습자에게 자신의 지식 수준에서 자유롭게 출발할 수 있게 하고 자신의 능력에 걸맞는 기술을 사용하여 그 지식을 적용해 볼 수 있도록 한다.

교수에게는 수업에서 다루어질 내용과 학습자들이 이미 지니고 있는 역량의 수준을 상회할 수 있도록 수업시간에 제시할 증례를 적절히 제공해야 한다. 예를 들어, 초보 학습자에게 복잡한 증례를 주고 그들이 이해하지 못한 자료를 사용하여 진단을 해 보라고 요구하거나, 그들의 훈련 범위 이상의 기술을 요하는 수준의 자료를 처리해 보라고 요구하는 것은 무의미하다. 또한 수준이 높은 학습자에게 단순한 증례를 평가해 보라고 요구하는 것도 무의미하다. 어느 경우이건 학습자는 적절히 자극받지 못할 것이고 자신이 지닌 능력의 수준을 내보일 수 없을 것이다.

## 요약

일방적인 내용 전달 중심의 주입식 교수법은 내용에 해당하는 정보만을 전달하는 반면, 상호작용을 중시하는 교수법은 학습자가 사고의 과정을 배우도록 해 준다. 전자는 교수 중심적인 방법이지만 후자는 학습자 중심적인 방법이다. 일방적인 내용 전달 중심의 교수법은 평가하기 쉽지만, 학습자의 사고 과정에 대해서는 아무런 정보도 제공하지 못한다. 이에 비해, 상호작용을 중시하는 교수법은 평가하기가 더 어렵긴 하지만, 평가의 결과는 자료를 처리하는 학습자의 능력과 실제 세계에서 의미 있는 방식으로 지식을 적용하는 능력에 대하여 진정한 정보를 제공한다.

TBL은 학습자가 지식을 의미 있는 방식으로 적용할 수 있게 가르치고 평가할 수 있는 기회를 제공하는 교육방식이다. 뿐만 아니라 TBL은 집단 간의 상호작용, 대인관계 기술, 상호존중, 대화기법 등을 촉진시키고 요구한다. 상대적으로 교수의 시간을 많이 요구하지 않으므로 비용 효율적인 방식이기도하다. 학습의 초점은 교수보다는 학습자에게 맞추어져 있다. 따라서, 다른 교육 방식과 함께 어우러지면 TBL은 의과대학 교육과정에 유용하면서도 강력한 교육도구가 될 것이다.

## 참고문헌


Axtelle, G. E., & Burnett, J. R. (1970). Dewey on education and schooling. In J. A. Boydston, (Ed.), *Guide to the works of John Dewey* (pp. 257–305). Carbondale: Southern Illinois University Press.

Barnhart, C. L. (Ed.). (1872). *The world book dictionary*. Chicago: Doubleday.

Bloom, B. S., Engelhart, M. D., Furst, E. J., Hill, W. H., & Krathwohl, D. R. (1956). *Taxonomy of educational objectives. Handbook I: Cognitive domain*. New York: David McKay.

Dewey J. (2002). Democracy and education: An introduction to the philosophy of education. In S. J. Maxcy (Ed.), *John Dewey and American education*. Bristol, UK: Thoemmes Press.

Flexner A. (1910). *Medical education in the United States and Canada*. Bulletin number four. New York: The Carnegie Foundation.

Kant, I. (2003). *Critique of pure reason* (N. K. Smith & H. Caygill, Trans.). London: Palgrave Macmillan. (Original work published 1781). Retrieved from http://www.palgrave.com/products/title.aspx?is=1403911959

Liaison Committee on Medical Education. (2007, February). LCME Accreditation Standards. Retrieved from http://www.lcme.org/functionsnarrative.htm#structure

Lujan, H. L., & DiCarlo, S. E. (2006). Too much teaching, not enough learning: What is the solution? *Advances in Physiology Education, 30*, 17–22.

Mannion, J. (2002). *The everything philosophy book*. Avon, MA: Adams Media.

McKeachie, W. J. (1986). *Teaching tips: A guidebook for the beginning college teacher* (8th ed.). Lexington, MA: Heath.

Michaelsen, L. K., Knight, A. B., & Fink, L. D. (2002). *Team-based learning: A transformative use of small groups*. London: Praeger.

Paul, R. W. (1995). *Critical thinking*. Santa Rosa, CA: Foundation for critical thinking.

Pollio, H. R. (1984). *What students think about and do in college lecture classes*. Teaching Learning Issues No. 53. Knoxville: University of Tennessee, Learning Research Center.

Rickard, H., Rogers, R., Ellis, N. R., & Beidleman, W. (1988). Some retention, but not enough. *Teaching of Psychology, 15*, 151–152.

Taylor, E. J. (Ed.). (1974). *Dorland's medical dictionary*. Philadelphia: Saunders Press.

Verner, C., & Dickinson, G. (1967). The lecture: An analysis and review of research. *Adult Education, 17*(2), 85–90.

제 6 장

# 팀의 구성

*Kathryn K. McMahon*

학습자들은 팀 바탕학습(Team-Based Learning, TBL)을 통하여 팀 내에서 자신들의 학습능력을 향상시킬 방법을 알게 되고, 그로 인해 미래의 의료인으로서 팀워크의 가치를 배우게 된다. 이러한 팀워크는 교수가 신중한 태도로 팀을 유지 및 개발시키고, 학습자들 스스로 효과적이고 효율적으로 활동할 수 있도록 노력하여야 가능하다. 팀 구성은 TBL 시작을 위한 가장 중요한 첫 단계이다. 그렇다면, 우리는 팀이 어떠하기를 바라며, 또한 팀 구성은 학습에 어떤 영향을 미칠 것인가? 교수는 학습자가 팀 내에서 문제에 대해 학습하고 이해하여 배운 개념을 적용할 수 있기를 바라는 동시에, 각각의 모든 팀이 협력하여 효율적이고 성공적으로 문제를 해결할 수 있기를 바란다. 하지만 팀이 구성되고 나면 필연적으로 팀 간의 수행 능력의 차이가 생기게 된다. 따라서 교수는 수행을 아주 잘하는 팀과 아주 못하는 팀의 차이가 크지 않도록 학습자의 배경(예. 경험, 학습 능력, 이전의 교육 수준 등)을 고려하여 팀을 구성해야 한다.

## 팀 구성을 위한 세 가지 방법

팀을 구성하는 방법에는 학급의 크기, 교육과정의 목적, 학습자들의 다양성, 교육기관의 가치관 등과 같은 여러 가지 요인이 작용한다. 교수는 여러 요인들 중 팀에게 중요하게 적용될 요인을 결정해야 한다.

다음은 팀 구성에 있어서 중요한 두 가지 방법이다. 첫째, 학습자들로 하여금 팀을 고르도록 하면 안 된다. 둘째, 팀 구성 과정을 투명하게 해야 한다. 교수는 이 두 가지 방법을 바탕으로 팀을 구성해야 한다.

### 팀 구성을 위해 첫 수업시간에 과정의 목표와 인구통계학적 요소를 고려하는 방법

**예시**: 간호학과 학부의 윤리과정, 2학년 학습자 75명

강의시작 전, 기본적인 인구통계학적 자료 수집을 위한 설문의 결과는 다음과 같다.

- 평균 연령 21세, 여학생 60명, 모든 학습자는 1년간의 환자 간호 경험이 있음.
- 몇 명의 학습자는 이전에 의료 관련 분야에서 일한 경험이 있음.
- 모든 학습자는 영어를 할 수 있고, 1/3 정도의 학습자는 스페인어를 유창하게 하며, 몇 명의 학습자는 아시아계의 언어를 할 수 있음.
- 50명의 학습자는 백인으로 확인됨.
- 약 15명은 자녀가 어리며, 5명은 성장한 아이의 부모임.

교수는 이 윤리과정의 가장 중요한 목적이 간호사로서 다양한 문화, 언어, 인종의 사람들이 서로 다른 윤리행동을 보이며, 삶과 죽음에 대한 의사결정을 할 때 이러한 배경이 영향을 미친다는 것을 인식하는 데 있다고 생각한다.

그렇다면 팀은 어떻게 구성하는 것이 좋은가?

한 가지 방법은 수업 첫 번째 시간에 학습자들에게 팀 구성에 대한 설명을 하는 것이다. 예를 들어, 첫째, 각각의 팀은 강의 전 시행한 인구통계학적 자료와 교육과정의 목적을 고려하여 제2외국어를 할 수 있는 학습자와 아이가 있는 학습자를 기준으로 할 것이라고 설명한다. 둘째, 12개의 팀을 구성하는 과정에서 각 팀에 최소 2명, 즉 제2외국어 사용자와 아이가 있는 학습자가 배정되도록 한다. 셋째, 남

학생을 각각의 팀에 배정한다. 이때 각 팀별로 2명 이상의 남학생이 배정되지 않도록 한다. 끝으로, 모든 팀 배정이 끝나고 학습자들이 팀별로 모였을 때, 특정한 팀에 여러 명의 흑인 학습자가 모여 있다면 팀을 다시 조정한다.

학습자들에게 팀 구성 원칙에 대해 설명을 하고 명확한 기준에 근거하여 팀을 구성하면, 학습자들은 팀 구성이 임의적으로 되지 않고 윤리적 의사결정 과정을 학습하는 데 중요한 요소로 구성되었다는 것을 확신하게 된다. 더하여, 이 윤리과정의 후반부에서 윤리적 의사결정에 문화, 인종, 언어가 미치는 영향에 대한 연습문제를 다루게 한다면 전체 학급의 학습자들은 각기 다른 종류의 경험을 하게 될 것이다.

## 무작위 배정

**예시**: 의과대학생을 대상으로 하는 병태생리학 1년 과정. 학습자 100명, 여학생 약 50명

의과대학 교수가 알고 있는 사실은 다음과 같다.

- 대부분의 학습자들이 학업에서 매우 우수한 성취를 보임.
- 많은 학습자들이 연구경험이 있음.
- 대다수가 EMT, 병원 또는 다른 의료관련 분야에서 일한 경험이 있음.
- 대부분의 학습자는 일반 학부를 졸업함.

이러한 경우 교수가 특정한 요인을 기준으로 하여 16개 팀을 구성하기는 어렵다. 따라서 교수는 교수가 알고 있는 사실이 아닌 다른 기준으로 팀을 구성할 수 있다. 예를 들어, 학습자들의 출생지역을 팀 구성의 기준으로 삼을 수 있다. 이 방법을 이용하는 경우 첫째, 교수는 수업 첫 시간에 학교에서 가장 가까운 곳에서 태어난 학습자를 앞으로 나오도록 한다. 학습자들은 아마 놀라면서 앞으로 나올 것이다. 둘째, 약 10분 동안 누가 어디서 태어났는지 확인한 후 줄을 서게 한다. 이 10분 동안 학습자들은 누가 어디서 태어났는지 확인하기 위해 매우 시끄럽게 떠들 것이다. 셋째, 학교로부터 가까운 곳에서 태어난 학습자부터 시작하여 줄을 세우고 1부

터 차례대로 16까지 번호를 세도록 한다. 그리고 그 번호는 자신이 속할 팀 번호라는 것을 알려준다.

이 방법은 특히 학습자들이 서로 잘 알지 못하고 처음 만났을 때, 그리고 경쟁적인 분위기보다는 서로 협력하는 분위기에서 더 적절하다. 학습자들은 이렇게 다양한 지역에서 태어난 학습자들과 우연히 팀이 되는 것을 선호한다. 또한 이를 통해 학습자들은 우연히 짜인 팀의 구성원과 함께 학습하는 상황이 발생할 수 있다는 중요한 사실을 인식하게 된다.

### 분산방법 – 좋은 자원으로 활용

**예시**: 수의과대학 1학년 생화학 과정, 학습자 100명.

수의과대학의 입학 경쟁률이 높아짐에 따라 수의과대학에 입학하고자 하는 학습자 중 다양한 영역(예를 들면, 생화학, 해부학, 유전학, 독물학, 생리학 등)에서 학위(석사, 박사)를 취득한 사람이 많아졌다. 교수가 이 같은 특성을 고려하여 생화학 과정에서 TBL을 적용하려면, 수업 첫 시간에 앞서 소개한 무선배정 방법으로 생화학 분야에서 학위가 있는 학습자들을 전체 팀에 골고루 배정해야 한다. 또한, 교수는 투명한 방법으로 팀을 구성함으로써 학습자들에게 공평하게 팀에 배정되었다는 인식을 주도록 해야 한다.

## 집단에서 팀으로의 발달

팀 구성은 학습자를 집단에 단순히 배정하는 것과는 다르기 때문에, 학습자들을 각각의 팀에 배정하였다고 팀 구성이 끝나는 것이 아니다. 첫 수업시간에 학습자들은 다른 학습자의 성격을 파악하고 서로의 학습방법을 알아가는 중요한 과정을 겪는다. 수줍고 과묵한 성격의 학습자는 자신보다 더 앞서가는 학습자를 인정할 수 있고, 성격이 활달한 학습자들은 자신들이 그룹을 이끌어 나갈 것이라고 생각할 수도 있다. 그러나 준비도 확인시험(Readiness Assurance Test, RAT)를 치른 후 집단 내에서 서로 피드백을 교환하고 나면 학습자들의 생각은 변하기 시작할 것이다.

일반적으로 한 집단이 제대로 팀으로 형성이 되기 위해서는 최소 4~5번의 수업 과정이 요구된다. 이러한 수업 과정에서 학습자들은 집단 내 각각의 학습자를 알게 된다. 이를 잘 이용한다면 집단이 성공적으로 풀어나가야 할 문제에 대해 좋은 아이디어와 문제해결 방법 등을 제시할 수 있다. 이는 어떤 집단 구성원에게 있어서도 드물게 의식적인 과정이다.

몇몇 교수는 팀이 잘 협력하기 위한 지침을 주는 것이 필요하다고 느낄 수 있다(형성, 폭풍, 규범 등. Tuckman, 1965). 그러나 필자의 경험으로는 불필요하다고 생각한다. 학습자들은 교수에게 팀워크를 배우는 것보다 협력에 대한 자체 보상과 책무를 통해 더 많은 것을 배운다. 만약 당신이 이를 믿기 어려우면 TBL을 진행하는 동안 1~2개 집단의 학습자들에게 다른 학습자들과의 협력학습을 통해 배운 것은 무엇이며, 이러한 과정을 통해 학습하는 가치는 무엇인지 질문해 보라. 수업의 초기 단계는 물론, 집단이 오랫동안 같이 학습하면 할수록 학습자들은 집단 과정의 중요성을 인식한다.

학습자들이 강력한 학습팀으로 변화하는 과정에서 무엇이 필요한가? 학습자들이 기존의 인지수준에 도전적인 과제를 경험할 때 협력은 강화된다. 만약 학습문제가 너무 쉽다면 학습자들은 함께 성공적으로 학습할 동기를 잃어버릴 것이고, 학습과제가 너무 어려우면 문제해결을 위한 시도를 하더라도 큰 의욕은 발휘하지 못할 것이다.

팀 구성의 또 다른 중요한 요인은 적절한 피드백이다. 교수는 피드백을 통해 TBL이 진행되는 과정에서 학습자들이 특정 단계에서 어떻게 학습하고 있는지를 파악할 수 있게 된다. 또한, TBL 과정 중 피드백은 몇 번에 걸쳐 이루어지기 때문에 팀 형성의 중요한 전략이 된다. 특히, 팀이 형성되는 시기에 팀이 얼마나 잘 수행하고 있는지에 대한 교수의 피드백은 매우 중요하다. 이는 강의 중심의 교육에서는 불가능한 일이다.

## 참고문헌

Tuckman, B. (1965). Developmental sequence in small groups. *Psychological Bulletin, 63*, 384–399.

제 7 장

# 팀의 유지

*John W. Pelley, Kathryn K. McMahon*

팀은 개인보다 문제해결을 더 잘 수행한다. 이유는 단순하다. 사람은 복합적이기 때문이다. 이러한 복합성 때문에 사람은 동일한 정보를 접해도 인식하는 과정이 서로 다르고, 동일한 문제에 대해서도 다른 결론을 도출해 낸다. 때문에 한 팀에서 각자의 인식과 의사결정과정에 대해 비교한다면 정확한 의사결정을 할 수 있는 기회를 극대화할 수 있을 것이다.

한 팀을 최적의 상태로 발전시키고 유지시키는 요소는 다양하다. 이 장에서는 우선 학습자들이 문제해결과정에서 어떻게 서로 다른 방법으로 협력할 수 있는지를 설명할 것이다. 그런 다음 집단의 독특한 특성이 어떻게 팀 바탕학습(Team-Based Learning, TBL) 과정에 적용될 수 있는지 설명할 것이다. 마지막으로 당신의 소속 기관에서 팀을 어떻게 유지할 수 있는지에 대한 제언을 하고자 한다.

## 문제해결과정과 집단 이질성의 역할

학습자들이 팀에 배정된 후에 TBL의 일차적인 목적은 팀의 응집력을 강화하는 활동을 하는 것이다. 팀의 응집력은 문제해결과정에서 모든 학습자가 적극적으로 참여할 때 나타난다. 그러나 이러한 적극적인 활동 중 학습자들이 서로 신뢰감을 형성했는지 바로 드러나는 것은 아니다. 진정한 팀의 응집력은 학습자가 서로 신뢰하기 시작할 때 나타난다. 그들은 서로의 지식에 대한 신뢰뿐만 아니라 그 지식을 효과적으로 적용하는 능력에 대한 믿음도 형성해야 한다. 문제풀이에 필요한 예습을 하는 것은 필수적이며, 학습자들은 이러한 지식을 적용하는 하는 과정에 대해 서로 도와줄 것을 기대한다.

일반적으로 팀이 이질적으로 구성되어 있을 때, 장기적으로 볼 경우 동질적인 집단보다 효과적으로 수행한다. 팀의 구성원들이 다양하면, 다양한 능력들이 나타날 수 있기 때문이다. 그러나 이질적 집단의 경우 응집력이 나타날 때까지 다소 시간이 소요될 가능성이 있다. 그럼에도 불구하고 집단은 장기적으로 활동을 해야 하기 때문에 가능한 한 이질적으로 구성하는 것이 바람직하다.

제6장에서 설명한 바와 같이 팀을 이질적으로 구성하는 방법은 다양하다. 예를 들면, 인구학적 정보를 이용하거나, 학습자들의 학부전공 영역으로 구분하는 방법 등이 있다. 이러한 전략은 학습자들이 무의식적으로 자신의 전공 배경과 유사한 학습자들과 한 팀이 되려고 하는 성향을 차단시킬 수 있다. 그 밖에도 기본적으로 성격검사(Mayers-Briggs Type Indicator, 2001, MBTI)를 통해 학습자들을 무선적으로 배정할 수 있다. 이 성격검사는 학습자들이 사고하고 의사소통하는 성향을 검사하는 것이다. MBTI는 네 가지의 성격 성향으로 구분한다. 다음에는 네 가지의 성격 성향에 따른 사고 유형을 설명하고자 한다. 이때 사고과정은 일련의 과정으로 설명되고 있지만, 실질적으로는 반복적으로 나타나는 것으로 이해하는 것이 바람직하다.

## 사고의 과정

### 정보의 평가: "감각" 성향

감각형 학습자들은 문제를 해결할 때 사실적 지식을 사용하는데, 이러한 지식은 서로 대화하는 데 필요하다. 학습자들은 이 단계를 준비하기 위해 TBL 읽기과제에서 제시된 학습목표를 검토한다. 명확하고 정확한 학습목표가 제시되지 않으면,

그 다음의 문제해결과정이 제대로 이루어질 수 없다. 감각 성향의 학습자들은 보다 정확한 정보를 검색하여 토론에 참여한다. 이들은 사실적 지식을 세세하게 기억하는 능력이 있기 때문에 감각 성향의 반대 성향인 직감 성향 학습자들의 부러움을 산다.

### 문제해결방법 또는 가능성 수립: "직감" 성향

직감형 학습자들은 문제해결 가능성을 상상하는 데 사실을 사용한다. 사실들은 서로 연관되어 있고 통합되어 있어 학습자들이 문제해결의 가능성을 상상하는 데 도움을 준다. 이러한 통합은 현재 있는 상황을 미래의 상황과 연결해 줌으로써 문제해결과정을 도와준다. 따라서 이와 같은 통합적 지식은 답가지 중 맞지 않은 형태를 찾아내는 데 도움을 준다. 문제해결 가능성을 찾는 과정에서 가장 통찰적인 토론을 하는 학습자들은 "직감" 성향의 학습자들이다. 이 학습자들은 반대인 "감각" 성향 학습자들에게 그들의 상상력에 대한 부러움을 산다.

### 최소 가능 답가지의 논리적 제거 과정: "사고" 성향

사고형 학습자들은 답가지를 선택할 때 논리적으로 접근한다. TBL에서 이러한 선택은 틀린 답가지를 제거해 나가는 것을 의미하는데, 이 과정에서 논리적인 근거나 이유를 발전시켜 나가야 한다. 틀린 답가지를 제거할 때 논리를 개발하여야 한다. 팀에게 질문을 던졌을 때, 우선적으로 이 학습자에게 "무슨 생각을 하는지 말해봐"라고 하는 것은 문제해결과정 중 논리개발에 해당하는 것이다. 순차적으로 틀린 답가지를 찾아내는 것은 "사고" 성향 학습자들이 잘하는 과정이다. 이들은 반대인 "감성" 성향 학습자들에게 실질적이고 현실적이라는 평을 받는다.

### 문제해결방법에 대한 가치 부여: "감정" 성향

감정형 학습자들은 문제해결방법에 있어 인간이 미치는 영향에 대해 평가한다. 이들은 문제해결과정에 참여하는 사람들의 영향력과 자신의 문제해결에 대한 영향력을 평가한다. 정보를 오랫동안 장기 기억에 유지할 수 있도록 하는 것은 인간의 감정이 개입되어 있기 때문이다. "감정" 성향의 학습자들은 문제해결과정에 인간적인 요소가 작용할 때 가장 많이 참여한다. "감정" 성향 학습자들은 그들의 반대 성향인 "사고" 성향 학습자들에게 논리성과 더불어 작용하는 질적 관점에 대하여 좋은 평을 받는다.

정보에 대한 평가에서 문제해결방법의 가능성을 선택하는 과정에 이르기까지 개개의 학습자는 네 가지의 인지적 선호도 중 한 가지를 나타내 보인다. Mayer-Briggs의 이론에 따르면 한 개인이 나타내는 인지 성향은 사고의 주 기능이다. 따라서 한 집단이 네 가지 성향을 지닌 다양한 학습자들로 구성되어 있다면 문제해결과정에서 장점으로 작용한다. 이러한 장점은 팀에 한정되어 있는 것은 아닌데, 그 이유는 개개의 학습자는 문제해결과정에서 적극적인 대화를 통해 자신의 능력을 향상시키기 때문이다. 혼자 학습하는 학습자의 경우 자신의 주 기능 한 가지만을 사용하게 된다.

Mayer-Briggs의 이론에서 한 가지 주의할 점은 성격 성향은 단지 선호도를 나타낼 뿐이며, 사고 기술로서 이러한 성향이 어느 정도 수준인지는 측정할 수 없다는 점이다. 지능지수가 동일한 학습자들도 지능을 다르게 사용하며, 삶의 방식에서 동일한 경험을 하는 학습자들도 그 경험을 다르게 사용한다. 즉, 동일한 성격 유형의 학습자들도 그 성향을 다르게 사용하므로, 성격 유형은 집단을 구성하는 도구로서는 적절하지 않다. 구성원이 집단에 어떻게 기여하는지 사고의 과정이 다름으로 인해 나타날 수 있는 오해를 이해할 수 있는 방법으로 참고하는 것이 적절하다. 학습 선호도의 긍적적인 사용에 대한 강조는 틀에 박힌 기대를 초래하기보다는 전문화된 개인으로의 발달을 촉진한다.

## 문제해결 체제로서의 집단 – 집단 역동성

집단은 단순 조각들의 모음으로서 존재하며, 적절한 조건이 갖추어졌을 때 팀으로 발전한다. 단순히 사람들을 모아 놓으면 서로의 신뢰를 형성하기 전까지는 팀으로서 기능하지 못한다. 이는 TBL의 경우는 물론 가족, 사회집단에도 적용되는 사실이다. 신뢰감이 한번 형성되면, 팀의 장점이 실현된다. 신뢰 수준이 높은 팀에서는 개개인이 편안하게 참여할 수 있으며 의사소통도 원활하게 이루어진다. 명확한 의사소통은 문제해결과정에서 학습을 극대화할 수 있는데, 인지적 기술은 개인의 생각을 표현할 때 가장 잘 발달되기 때문이다.

단순히 모인 집단이 잘 기능하는 팀으로 발전하기까지는 시간과 적절한 조건이 필요함을 이해해야 한다. 사실 한 집단에게 짧은 시간 동안 많은 것을 기대하는 것은 역효과를 초래할 수 있다. Tuckman(1965)은 집단의 발달을 4 단계, 즉 (가) 형성, (나) 폭풍, (다) 규범, (라) 수행의 단계로 나누었다. 각 단계의 특성에 대한 인식을 통해 교육자는 초기집단의 한계와 팀으로서 기능하기 위해 필요한 과정을 이해할 수 있다.

## 팀의 응집력 발달

### 형성 단계

초기에 집단 구성원들은 다른 구성원들에게 인정받기를 원한다. 따라서 팀에서의 초기 학습은 구성원을 파악하는 학습을 포함한다. 한 집단이 이 단계에서 높은 수준의 문제를 해결하기 위해서는 문제 자체보다는 구성원을 이해하는 데 시간을 더 많이 들여야 한다. 이 단계에서 규칙의 설정은 확신하고 안심할 수 있는 분위기를 제공하는 데 도움을 준다. 이는 서로에 대한 인상을 경험하는 시간이 되기도 한다. 이 단계에서는 또한 구성원의 역할과 기대에 대한 교육 시간을 통해 촉진될 수도 있다. TBL 과정을 시작하는 처음 시간에 TBL이 무엇인가에 대한 내용을 다루는 것도 좋은 방법이다. 만약 학습자들이 TBL에 대해 잘 알고 있다면, 첫 시간에 다른 주제를 선택하여 새롭게 구성된 팀이 잘 수행하도록 도와줄 수도 있다. 학습자들이 이전에 학습한 내용을 검토하는 것이 새로운 내용을 다루는 것보다 더 좋은 방법인데, 그 이유는 스트레스가 적은 분위기에서 내용보다는 팀의 발달에 대해 시간을 소요하는 것이 바람직하기 때문이다.

팀 개발의 첫 단계는 팀 구성원의 특성을 고려하는 것이다. 이렇게 구성된 팀원은 규칙과 각자의 역할에 의해 TBL을 수행하게 된다. 팀원들이 침묵 혹은 서로 어색해 하는 모습을 보이거나 불안 혹은 성급하게 진행시키는 모습을 보인다면 우선적으로 리더십 개발을 위해 노력하는 것이 바람직하다. 학생들은 추후 "폭풍" 단계로 넘어가게 되며 혼란을 경험하게 될 수도 있다.

### 폭풍 단계

폭풍 단계는 별도의 단계로 인식되거나 형성 단계의 마지막 부분으로 이해되는데, 두 단계의 특징이 유사하기 때문이다. 폭풍의 단계는 형성 단계의 특징을 좀 더 확장하는 것이다. 이 단계에서 집단 구성원은 여전히 다른 구성원을 존중하고 자신의 역할에 대해 확신해야 한다. 그러나 자신의 참여를 조직화하는 과정에서 학습자는 자신의 태도와 생각을 집단에 적응해야 하는 불편한 요구를 발견한다. 이러한 불편함을 최소화하는 과정에서 폭풍 단계를 특징짓는 갈등이 발생한다. 학습자들은 기억력과 자기 향상을 촉진하는 어떤 문화를 통해 조건형성된다. 그러나 여기에 사용되는 어떤 기술도 집단 문제해결에는 도움이 되지 않는다. 학습자들이 일반적으로 다음과 같이 말하는 것을 자주 들을 수 있다. "나는 그룹과 어울리지 않아", "나는 혼자 공부하는 것이 더 좋아" 등이다. 이는 "바보 같아 보이는 것이 싫어, 또는 내가 무엇을 말해야 하는지 잘 모르겠어, 또는 나의 의견에 동의하지 않는 경우 어떻게 해야 할지 모르겠어" 등으로 해석할 수 있다.

이 단계에서 몇몇의 학습자는 좌절을 경험할 수도 있으며, 갈등을 어떻게 해결해야 할지 모르는 경우가 있다. Birmingham과 McCord(2004)는 폭풍 단계에서는 학습자들이 의견에 대해 투표를 하는 것도 좋은 방법이라고 한다. 투표는 이견이 있을 때 신속하게 해결할 수 있는 방법이며, 다음 단계로 이동할 수 있도록 한다. TBL에서는 집단의 초기 과정에서 투표를 하는 경우가 자주 있는 반면, 서로에 대한 경험이 있는 집단의 경우 의사결정을 위해 의견을 수렴한다. 폭풍 단계에서 빠져 나오지 못하고 몰입하는 경우 투표는 의사결정에 좋은 방법이 될 수 있다. 이상적으로는 집단에서 의사결정을 위해 토론하고 의견을 수렴하는 것이 바람직하다.

## 규범 단계

집단 응집력은 규범 단계에서 처음으로 나타난다. 구성원들은 서로를 이해하고 인정하며 자신의 의견을 긍정적인 태도로 표현한다. 존중받지 못할 것에 대한 두려움이 사라지기 때문에 대화는 융통성 있게 전개된다. 또한 구성원들은 자신의 역할을 이해하고 다른 사람의 역할에 보완적이라는 것을 인식하기 때문에 대화는 좀 더 확신 있게 진행된다. 정보와 서로의 생각을 좀 더 충실하게 공유한다. 구성원들은 논쟁에 대한 두려움이 없어지며 논쟁의 장점을 이해하고 학습에 도움이 된다는 것을 알게 된다. 이러한 태도는 학습자들에게 논쟁의 감정적 효과, 즉 장기 기억에 대한 효과를 포착할 수 있도록 한다. 규범 단계에 도달하면 교수는 집단이 토론과정에서 좀 더 효율적으로 과제를 해결할 것을 기대할 수 있다. 제시되는 논리들은 더 풍부해지고 잘 표현된다. 이 단계에서는 긍정적인 피드백이 중요한데, 마지막 단계인 수행 단계를 잘 촉진하기 위해서이다.

## 수행 단계

수행 단계에 도달한 팀은 규범 단계에서 요구되는 신뢰와 인정을 최대화하게 된다. 그리고 이를 협력 작용을 위해 사용한다. 학습자들이 한번 서로 다른 생각이 연합되었을 때의 장점을 경험하고 나면, 어떤 TBL 과정에서든지 자유롭게 스스로 발선시켜 나간다. 전문가 사고기술 과정의 습득에 대한 Dreyfus 모형(Dreyfus & Dreyfus, 1986)에서는 이러한 과정을 맥락과 무관한 태도(상황보다는 규칙에 더 집중함)에서 맥락과 상관 있는 태도(규칙보다는 상황에 집중함)로의 변화로 설명한다. 전문가 사고기술 과정의 습득은 일차적으로 경험과 관련이 있다. 따라서 TBL 과정 중 한 팀이 문제해결에 대한 경험이 많을수록 한 팀으로서 수행하는 경향이 높아진다.

매우 잘 기능하는 팀은 규범 단계에 도달할 것이 기대되지만, 기능을 잘 하는 모든 팀이 수행 단계로 이어지는 것은 아니다. 이러한 현상은 어느 정도의 TBL 과정을 경험했는지에 따라 다르고 또는 팀의 일부 구성원이 폭풍 단계를 거치지 못하기 때문인 것으로 설명된다. TBL 과정에서는 모든 팀이 수행 단계에 이를 필요는 없다. TBL 팀은 규범 단계에서도 TBL의 장점을 충분히 경험할 수 있다.

## 팀 유지를 위한 제안

팀을 유지하는 목적은 규범 단계의 보존을 도와주는 것이며, 수행 단계로의 진행에서 장애물을 제거해 주는 것이다. 문제해결과정의 이론적 배경, 즉 이질성의 역할, 집단 역동성 등에 기초한 다음의 제안들은 다양한 보건의료 관련 교육 상황에서 도움이 될 것이다.

### TBL 과정에 대한 교육시간을 마련하라

만약 TBL을 대학에서 새롭게 도입한 경우라면, 교수와 학습자에게 이 방법에 대한 교육을 시켜야 한다. 사실, 교수가 TBL을 잘 알고 있다고 해도 학습자들은 설명이 필요할 것이다. 형성 단계가 순조롭게 진행되기 위해서는 새로운 방법에 대한 철저한 교육이 필요하다. 또한 TBL의 경험이 적은 교수에게는 이 방법에 대한 교육시간에 TBL의 형성 단계에서 자신의 역할을 다시 연습할 수 있는 좋은 기회가 될 수 있다.

### 동료평가를 위한 교육시간을 마련하라

동료평가는 TBL에서 가장 큰 논쟁을 불러일으키는 영역이다. 그러나 동료평가는 학습자 개인의 책임을 강화하고 사회적 태만을 방지하기 위해 중요하다. 학습자들에게 동료평가의 중요성에 대한 설명을 해 주어야 하며, 궁극적으로 동료평가가 어떻게 팀을 보호하며 개인의 책무성을 향상시킬 수 있는지 알려주어야 한다. 동료평가는 다양한 방법으로 사용될 수 있다. 어떤 방법을 선택하든지 첫 수업시간에 누구나 이해할 수 있도록 동료평가 방법과 평가는 어떻게 진행되는지 설명해 주어야 한다. 학습자들이 서로 평가해 볼 수 있는 기회를 주는 것도 도움이 된는데, 일반적으로 수업의 중간에 실시되는 형성평가가 기회가 될 수 있다.

또 다른 방법으로는 학습자들 간에 서로 피드백을 주도록 할 수 있고, 폭풍 단계를 잘 거치도록 도울 수도 있다: 학습자가 팀의 다른 구성원 각자에 대한 장점을 별도의 용지에 적어 놓도록 한다. 각자 자신의 메모카드를 한 곳에 쌓아두고, 각자 자신의 메모카드에 기입된 내용을 발표한 뒤, 이에 대한 의견을 주고받는다.

교수는 이러한 피드백 과정에 대해 어떻게 생각하는지 물어보며, 피드백의 잠재적 효과와 전문적 성장에 기여하는 점을 강조한다. 이러한 과정은 자연스럽게 동료평가에 대한 토론으로 이끈다. 동료평가에 대한 연습은 팀 내에서 어려운 학습자에 대한 직접적 비판을 하지 않도록 하는 간접적인 방법이다. 이는 어려운 주제인 동료평가에 대해 토론할 수 있는 기회를 제공하는 것이다.

### "너의 생각을 말해봐"라는 문구를 자주 사용하라

신임교수들의 부적절한 태도로 나타나는 현상 중의 하나가 너무 조급하게 적용 학습활동에 대한 답을 설명해 주는 것이다. 이러한 설명은 TBL이 진행되는 과정 중에 필요할 수도 있기 때문에 교수는 적절한 시간이 올 때까지 기다려야 한다. TBL 과정은 교수가 학습자들이 정답을 어떻게 도출해 내었는지 물어보는 것에 의해 결정적으로 좌우된다. 이 과정은 다른 팀으로 하여금 자신들의 토론 과정에 대해 숙고하도록 함으로써 집단 내의 역동성을 향상시키는 피드백을 제공한다. 모든 팀이 동일한 답을 제시하여도 토론과정에서는 문제에 대해 놀랄 만한 설명이 제시되기도 한다. 교수가 "두 번째로 가능한 답을 선택한 팀이 있는가? 교수가 두 번째로 가능한 답에 대해 질문을 하는 순간 학습자들은 서로의 의견에 차이가 있었지만 토론을 하지 않았던 두 번째로 가능한 답에 대한 논의를 시작하게 된다.

### 팀 개발을 위한 적절한 시간의 필요성을 인식하라(예습을 위해 만나야 하는 시간 포함)

각각의 TBL 과정은 다르기 때문에 팀이 하루아침에 구성되는 것이 아니라는 사실을 기억해야 한다. 한 팀의 구성원들은 잘 기능하는 한 팀으로 발전할 때까지 많은 시간을 할애하여 만나야 한다. TBL은 1~2개의 미니과정으로도 실시 가능하지만 잘 기능하는 팀, 즉 규범 또는 수행 단계의 팀에 이르기까지는 많은 시간이 필요하며, TBL 과정에서는 수업시간 사이에 예습을 위한 시간이 필요하기 때문에 빠른 시일 내에 규범 또는 수행 단계에 이를 수 없다. 학습자들이 예습할 시간이 부족하여 좌절한다면, 이들의 참여는 제대로 이루어질 수 없다. TBL 과정 책임교수는 학습자들에게 새로운 지식을 전달하는 시간과 TBL을 통하여 이 새로운 지식을 적용하는 시간을 잘 조화시킬 수 있도록 해야 한다.

### 교육과정의 다른 요소를 고려하라

TBL 팀의 유지와 성숙과정은 공허한 상태에서 이루어지지 않는다. TBL 과정 외의 교육과정의 다양한 요인들이 학습자들로 하여금 TBL을 어느 정도 받아들이도록 하는지에 영향을 미친다. TBL을 도입하기 전에 이러한 요인들이 무엇인지 파악하는 것이 중요하다.

1. TBL 과정은 어느 시기에 실시되는가? 교육과정의 초기? 또는 후반부? 시기에 따라 달라질 수 있다. 많은 학습자들은 의대에 입학하면 단순히 기억에 의존하고 일반적으로 수동적인 태도에 익숙해진다. TBL이 교육과정 초기에 실시된다면 학습자들의 인지적 타성인 단순 기억 수준 때문에 더 많은 노력이 필요할 것이다. 또한 교육과정 초기에 학습자들의 학부 배경은 매우 다양하며, 시간과 노력이 요구되는 새로운 학습방법에 빠르게 적응해야 하는 스트레스를 경험하게 된다. 또 다른 현상으로 교육과정 초기의 이러한 특징은 이미 경험한 다른 집단에서보다 폭풍 단계를 더 연장시킬 수 있다. 그러나 이와 같은 가능성을 염두에 둔다면 교수는 적절한 전략을 통하여 형성 단계에서 이러한 현상을 완화시킬

수 있다.

2. 어떤 유형의 교육과정을 운영하고 있는가? 전통적인 주입식 강의? 증례바탕학습? 문제바탕학습? 많은 교육과정들은 이미 강의 내용을 사례를 통해 통합하는 시도를 함으로써 학습에 영향을 미치고자 한다. 다른 교육과정들은 단순히 강의를 학습주제와 체계를 잘 조직하기 위한 것으로 인식한다. 만약 통합적 사례를 사용하는 교육과정이라면, TBL의 장점을 포함시킬 수 있다. 사례를 사용하지 않는다면, TBL은 교육과정에 입문하는 방법으로서 제공될 수 있다.
3. 어떤 과정이 TBL과 함께 진행되는가? TBL 과정은 예습이 필요하다는 것을 인식하고 있어야 하며, 동일한 시간에 다른 과정에서는 무엇이 요구되고 있는지 파악하는 것이 중요하다. 학습자들은 "너무 많은" 양을 읽어야 하거나 RAT이 너무 어렵고 자주 있는 것에 대해 매우 민감하게 반응한다. 많은 것을 요구하는 다른 과정과 함께 TBL이 진행되거나 또는 2개 이상의 TBL 과정이 진행되면 이는 쉽게 문제로 발생할 수 있다는 것을 인식해야 한다.

TBL 시행을 위한 주제와 수준의 선택은 개발자 혹은 그들이 속해 있는 기관의 특성에 맞게 이익과 불이익을 충분히 고려하여 준비되어야 한다. 학생들에게 TBL 경험이 효과적으로 작용하기 위해선 USMLE step 1 또는 임상 상황에서의 요소를 고려하여 준비하는 것이 바람직하다.

## 통합학습의 강화 기회를 소홀히 하지 마라

해당 대학에 독특한 또 다른 질문들은 TBL을 어느 정도 수준으로 도입할지 그리고 학습자들이 이 방법을 장점 또는 단점으로 인식할지에 따라 영향을 미치게 된다. TBL의 적용은 학습자들이 혼자 학습할 때에도 효과적으로 할 수 있도록 한다. 이는 특히 선형적 학습자(Myers-Briggs에서 감각 유형), 즉 통합적 학습기술이 부족한 학습자에게 해당된다. 지식의 통합은 반복인데, 이에 대한 많은 논리들은 TBL 과정에서 학습자들이 자신들의 답에 대한 방어적 설명을 하는 과정 중에 나타난다. 교수는 다음 문제로 넘어가기 전에 해당 문제에 대해 종합적 관점을 제시할 때,

학습자가 개별 학습과정에서 무엇을 주의 깊게 살펴야 하는지를 말해줄 수 있다. 학습자들은 문제에 대해 충분히 토론했기 때문에 지식의 통합이 어떻게 이루어지는지 그리고 높은 수준의 문제해결과정에 어떻게 적용할 수 있는지에 대한 좋은 예가 될 수 있다.

통합학습은 새로운 학습자료를 일단 전반적으로 훑어보면서 주제들을 어떻게 조직하고 개념화시킬 수 있는지에 대한 장점을 토론함으로써 선형 학습자를 확실하게 촉진할 수 있다. 통합학습은 또한 학습자들이 학습자료를 교수가 설명해 줄 때까지 수동적으로 기다리는 것이 아니라 자기주도적으로 학습내용의 윤곽을 파악할 수 있는 기회를 제공한다.

### 개인 학습자의 동기부여와 팀의 응집력을 위해 피드백을 제공하라

*Team Based Leanrning: A Trannsformative Use of Small Groups in College Teaching*(Michaelsen, Knight, & Fink, 2004)에서 Birmingham과 McCord(2004)는 팀의 개발을 학습자들의 참여를 요구하는 적절한 수준의 과제—개인에게는 너무 어렵지만, 집단에게는 도전적인—와 학습자들의 내재적 흥미를 이끌어 낼 수 있는 과제를 통해 촉진한다. 연구자들은 또한 효과적인 강화의 중요성과 학습 팀의 유지와 개발을 위한 피드백 시스템의 중요성을 강조한다. 수행에 대해 적절한 시기의 동료평가와 교수의 평가는 수업내용의 지식을 강화시키고 집단 응집력을 높인다. 최근 개발된 IF-AT의 장점은 집단의 RAT 수행에 대한 즉각적 피드백을 제공하는 것이다. 팀은 문제를 해결한 직후 바로 피드백을 받았을 때 최대로 개발된다.

## 참고문헌

Birmingham, C., & McCord, M. (2004). Group process research: Implications for using learning groups. In L. K. Michaelsen, A. B. Knight, & L. D. Fink (Eds.), *Team-based learning: A transformative use of small groups in college teaching* (pp. 73–93). Sterling, VA: Stylus Publishing.

Dreyfus, H. L., & Dreyfus, S. E. (1986). *Mind over machine: The power of human intuition and expertise in the era of the computer*. New York: Free Press.

Michaelsen, L. K., Knight, A. B., & Fink, L. D. (2004). *Team-based learning: A transformative use of small groups in college teaching*. Sterling, VA: Stylus Publishing.

Myers, I. B., McCaulley, M. H., Quenk, N. L., & Hammer, A. L. (2001). *MBTI manual: A guide to the development and use of the Myers-Briggs Type Indicator* (3rd ed.). Palo Alto, CA: Consulting Psychologists Press.

Tuckman, B. (1965). Developmental sequence in small groups. *Psychological Bulletin, 63*, 384–399.

제 8 장

# 촉진자 기술

*John W. Pelley, Kathryn K. McMahon*

팀 바탕학습(Team-Based Learning, TBL) 활동을 효과적으로 구성하고 운영하기 위해서는 다양한 기술이 필요하다. 전통적인 강의식 교수법에 익숙한 교수는 TBL 촉진자에게 필요한 역할을 낯설게 느껴 TBL 운영에 익숙해지기까지 시간이 좀 걸릴 수도 있다. 강의식에서의 교수는 전문지식 내용을 종합하여 전달하는 데 반해, TBL 촉진자는 학습자들로 하여금 제시된 문제에 대하여 이해한 바를 명확하게 표현할 수 있도록 안내하고 격려한다. 궁극적으로 TBL 촉진자는 수업에서 학습자들에게 제시한 문제나 응용에 대한 자신의 견해를 나눠 갖는 것을 목적으로 한다. 내용 전문가의 역할을 하는 경우와는 대조적으로 문제바탕학습(Problem-Based Learning, PBL) 촉진자로서의 주요 책임은 학습자들이 복잡한 문제를 분석하고 조사하여 해결하는 탐구 활동을 할 때 안내자 역할을 하는 것이다. 이 장에서는 TBL 활동의 촉진 효과를 극대화하는 데 도움이 되는 기술을 살펴보기로 하겠다.

촉진자가 TBL의 전체적인 짜임새를 숙지하여야 활동의 운영 과정이 순조롭게 진행될 수 있는 만큼, 대집단 토론을 할 때 각 팀마다 의견의 논리 근거를 말로 표현할 수 있도록 도와주는 능력이야말로 촉진자가 갖춰야 할 가장 중요한 기술이다. 이러한 논리 근거가 어떤 수준인지는 대체로 팀이 도달한 발달 단계에 달려있다. 다음에 열거한 시나리오들은 학습자들이 단결력을 발휘하여 건설적으로 협동하는 이른바 "규범(norming)" 단계에 해당하는 것이다(Tuckman, 1965). 또한 학습자들이 학급 전체를 상대로 편하게 발표할 수 있도록 도울 토론 기법도 얼마간 포함한다.

## TBL 시나리오

### "생각을 말해 보세요."

팀별로 답안을 시각적인 발표자료로 작성하거나 집단학습 준비도 확인시험의 한 가지인 '즉각적인 피드백-평가 기법(Immediate Feedback-Assessment Technique, IF-AT)' 서식을 완성하면 이제 자신들의 생각을 설명할 차례이다. 여러 팀이 동시에 답안을 제시하는 것이야말로 가장 훌륭한 출발점이 된다. 왜냐하면 답안을 동시에 제시함으로써 자기 팀의 생각이 다른 팀과 어떻게 대비되는지를 알아볼 수 있는 반응을 처음으로 얻게 되기 때문이다. 한 가지 간단하면서도 직접적인 방법으로는 아무 팀이나 골라 팀원들이 어떤 생각을 한 끝에 그 답안에 다다르게 되었는지에 대해 물어 보는 것이다. 다른 방법으로는 촉진자가 어떤 팀에게 솔선하여 토론을 시작해보라고 요청할 수도 있다. 교수는 답안에 대하여 가치판단이 되는 어떠한 언어나 행동 단서도 드러내지 말아야 한다.

교수가 동의하거나 이의를 갖는 듯한 얼굴 표정, 억양, 그 밖의 어떤 자세를 취하든 생산적인 토론이 진행되는 것을 저해할 수 있기 때문에 교수는 가능한 한 중립을 유지하여야 한다. 교수가 너무 긍정적인 반응을 하면 다른 논리를 대려고 하던 나머지 팀이 창피를 당할까봐 발표를 꺼릴 수도 있다. IF-AT 답안을 발표할 때에는 이런 문제가 더 커지는데 그 이유는 이미 자기네 팀이 답이 옳은지 그른지 통보를 받고 난 다음이기 때문이다. 이러한 경우에는 각 팀들의 토론을 통하여 틀린 답을 고르게 된 일련의 추론 과정을 다루거나, 다른 답안에 대하여 주장할 기회를 갖도록 할 수 있다. 때로는 놀랍도록 세련된 논리적 근거를 들을 수 있으니 기대하시라!

"생각을 말해보라"는 간단한 이 한 마디 말을 함으로써 팀은 논리에 즉각 집중할 수 있으니 TBL 촉진자에게 매우 유용한 구절이라는 점을 기억하기 바란다. 그러나 한 가지 주의할 점은 분위기가 한참 달아올라 대화가 흥미진진해지는 순간 이 구절을 말하는 것을 잊기 쉽다는 것이다. 강의식 교수법에 익숙한 교수 대부분은 전문가 의견을 말해주고 싶은 마음을 억누르고 학습자로 하여금 추론 과정을 말하도록 시키는 것에 대단한 노력이 필요하다는 것을 알게 될 것이다.

TBL 촉진 초심자가 자주 범하는 실수는 토론을 너무 일찍 끝냄으로써 응용문제에 대한 답안을 공유할 만큼 충분한 토론을 이끌어내지 못하는 것이다. 불행하게도 학습자들은 흔히 토론을 멈추고 정답 알려주기를 기다림으로써 촉진자로 하여금 토론을 일찍 끝내게 만든다.

### "비슷하지만 다른 답안을 선택한 사람은 없나요?"

팀마다 같은 답을 제시하면 교수는 모든 팀이 문제를 동일한 방식으로 생각하였다고 간주하여 더 이상 질문 찾기를 그만두는 수가 있다. 하지만 팀이 어떤 토론을 하고 어떤 생각 끝에 다른 답을 배제하게 되었는지 교수가 좀 더 물어보면 풍성한 분석적 사고가 드러나는 수가 있는데, 그때 교수가 강화해주거나 방향수정을 해줄 수 있다. 교수가 토론의 과정에 대해 물으면 우세한 답을 선택한 팀이라 할지라도 팀원 사이에는 반대 의견들이 있다는 것을 자주 발견할 수 있을 것이다. 다른 답을 물어봄으로써 팀 안에서 다수 의견을 지지하지 않았던 학습자에게 발언권을 주어 자신의 견해를 자세히 설명할 기회를 제공할 수 있다.

### "이 답이 어째서 옳을까요?"

처음 두 시나리오를 거친 다음에는 응용문제를 좀 더 깊이 분석해가는 기회를 만들어보도록 한다. 위 질문에 대한 최선의 답은 질문 문항 줄기에 제시한 자료에 전적으로 달려있다. 제시한 자료가 바뀌면 가능한 설명의 집합도 새롭게 나타나기 때문에 문제의 보기를 각각 달리 만드는 것이 좋다. 다른 환자 증례 자료를 검토하는데 시간이 더 소요되겠지만, 그럼으로써 주어진 질문을 최대한 활용할 수 있다는 장점이 있다.

### “내가 생각한 것은 이래요.”

주어진 질문에 대해 만족할 만큼 충분히 토론하였다고 생각되면 원래 정답이 무엇인지 학습자들에게 설명해 주는 것이 중요하다. 학습자들은 각 질문마다 마무리를 명확하게 지어주는 것을 무척 중요하게 여긴다. 이 기회에 교수는 다른 선택 가능성에 대해 비평 및 분석할 수 있을 뿐 아니라 강화가 필요한 부분을 설명하거나 재교육할 수 있다. 교수가 일련의 응용문제가 끝날 때까지 기다렸다가 최종 정답을 학습자들에게 알려주는 과정도 도움이 되겠지만 응용문제에 대한 최선의 답이 무엇인지 반드시 알려주어 경험으로부터 배울 수 있도록 하는 것도 중요하다. 교수가 이 방법을 사용한다면 학습자들이 응용문제와 씨름하느라 생긴 감정적인 힘이 학습 효과를 증폭시키게 되며, 경험을 끌어냄으로써 극적인 효과를 배가하여 궁극적으로 학습에 힘을 가하게 된다.

## 토론 기법

### 가장 멀리에서……

어떤 학습자가 발표를 할 때 교수는 반사적으로 학습자에게 다가가는 반응을 하게 된다. 하지만 교수가 발표하는 학습자와 거리를 멀리하면 그 학습자의 발표를 다른 학습자들이 들을 수 있도록 도울 수 있다. 교수가 발표하는 학습자에게서 멀리 위치해 있는 팀 뒤로 이동하면 학습자들 쪽에서 교수에게 발표가 들리도록 목소리를 더 크게 하기 위해 자연스럽게 노력하기 때문에 학습자의 발표를 모든 사람이 들을 수 있게 된다. 이 간단한 기법이 처음에는 어색하게 느껴질지도 모른다. 그러나 이 기법이 학습자가 교수에게뿐만 아니라 학습자 전체에게 발표를 효과적으로 전달하도록 돕는다는 것을 기억해야 한다. TBL은 학습자가 교수에게 말하기보다 학급 학습자을 대상으로 말할 때 원활하게 이루어질 수 있다.

학습자가 말하는 것이 모두에게 잘 들리게 하는 또 다른 방법은 말하는 사람은 누구나 일어서도록 하는 것이다. 처음에는 일어서는 것을 꺼릴 테지만, 이렇게 하면 모든 학습자가 발표 내용을 들을 수 있고, 대부분의 학습자가 조용히 경청하는 태도를 보이는 것을 보장할 수 있다. 따라서 "질문이 있거나 팀을 대표하여 발표할 때는 일어서서 할 것"을 TBL 수업의 기초 원칙 중 하나로 삼으면 훨씬 효과적일 것이다. 그리고 팀으로서는 반드시 구성원 모두가 이러한 책임을 지고 발표 경험을 할 수 있도록 순번 교대 원칙을 세울 수도 있다. 안타깝게 보건의료학 전공 학습자들은 학습자 때 다수를 청중으로 하는 상황에서의 발표를 연습할 기회가 거의 없었는데, 이 간단한 방법으로써 역량을 강화할 수 있다.

### "누구 여기에 덧붙일 사람?"

처음에 어느 한 학습자가 자기 팀이 답안을 선택한 논리적 근거를 대답하고 나면, 다른 학습자가 부가 정보를 제공하기가 쉬워진다. 다른 팀 학습자로 하여금 더 많이 개입하도록 하면 팀 간 토론이 더욱 자발적으로 일어나게 된다. 학습자들로서는 자기 개인의 생각을 밝히는 것보다는 자기 팀의 의견을 발표하는 것이 덜 부담스럽기 마련이다.

### "숨바꼭질"

발표를 이끌어 내고 싶지만 앞에서 말한 두 가지 법에 반응하지 않는 팀이나 학습자가 있을 경우에는 토론할 때 그쪽으로 다가가는 방법이 있다. 구석에 위치해 있어 시선이 미치지 않는 안 보이는 팀에게 교수가 다가가면 학급 전체의 주의를 환기 수 있게 된다.

여기에 적은 여러 가지 시나리오와 기법은 강의와의 근본적인 차이점을 예시해준다. 첫째, 강의를 하는 동안에는 제시하고, 정리하고, 설명하고, 예시하는 데 대부분의 시간을 사용한다. 강의는 으레 강단이나 교단에서 하기 마련이며, 대부분의 교실 구조는 교수가 학습자들 사이로 돌아다니기 나쁘게 되어 있다. 둘째, 대화가 이루어질 때에는 보통 교수가 끝을 자르고 설명을 덧붙인다. 상호작용하는 강의에서 조차 학습자가 질문을 하거나, 교수의 질문에 짤막한 대답을 하는 것이 고작이기 때문에 학습자가 무슨 생각을 품고 있는지 드러나는 경우는 거의 없다. 학습자의 인지과정을 드러내게 하 려면, 상황을 역전하여 교수가 아닌 학습자가 설명하도록 하여 책임을 지도록 하는 방법밖에 없다. 책임 소재를 바꾸어 학습자가 설명하도록 할 때 학습 경험이 최대가 되게 하려면 교수는 지금까지와 전혀 다른 기술을 써야 한다.

전통 강의에 익숙한 교수가 처음으로 TBL 활동을 촉진하려 할 때, 위축되는 것을 경험할 수 있다. 하지만 TBL은 여러 가지 면에서 강의보다 훨씬 더 즐겁기 때문에 시간이 지나면 이전에 강의를 했던 교수들 가운데 많은 사람들이 강의식 교수법으로 돌아가는 것을 꺼리게 된다.

TBL은 같은 활동을 여러 번 반복할 수 있는데, 반복할 때마다 학습자의 해석이 달라지기 때문에 매번 다른 경험이 가능하다. 아주 훌륭한 강의라 할지라도 에너지 수준에서나 몰입하는 정도에서나 다소 원활하게 진행된 TBL 활동의 수준을 따라갈 수가 없다. 흥미진진하게 계속해서 다음 단계를 기대하도록 학습자를 촉진하는 일만큼 즐거운 일은 없는 것이다.

## 참고문헌

Michaelsen, L. (2004). Getting started in team-based learning. In L. K. Michaelsen, A. B. Knight, & L. D. Fink (Eds.), *Team-based learning: A transformative use of small groups in college teaching* (pp. 27–52). Sterling, VA: Stylus.

Tuckman, B. (1965). Developmental sequence in small groups. *Psychological Bulletin, 63*, 384–399.

제 9 장

# 팀 바탕학습에서의 동료평가

*Ruth E. Levine*

전형적인 팀 바탕학습(Team-Based Learning, TBL)에서 동료평가는 필수 요소이지만, 보건의료학 분야에서 동료평가를 도입한다는 것은 결코 쉬운 일이 아니다. 이 장에서는 동료평가의 필요성을 뒷받침하는 이론적인 배경을 알아보고, 보건의료학 교육에서 사용할 수 있는 몇 가지 동료평가 방법을 살펴본 다음, 동료평가 프로그램을 실시하고자 할 때 교수가 마주하게 되는 어려움과 이러한 어려움을 극복하는 데 유용한 해결방안 등에 대하여 알아보도록 하겠다.

TBL에서만 동료평가를 사용하는 것은 아니다. 교육자나 보건의료 전문가들은 학습자의 대인관계 기술을 평가하거나 통찰력을 키우기 위해서 또는 전문가다운 행동을 증진시키기 위해서 동료평가를 사용해 왔다. 보건의료학 분야에서 동료평가에 대해 다룬 문헌을 살펴보면, 그리 광범위한 영역에 걸쳐 조사된 사항은 아닐지라도, 학습자의 수용성에 관한 결과를 어느 정도 제시해 주고 있다. 몇몇 연구에서 동료평가는 교수평가와 정적 상관관계를 나타내고 있거나(Arnold, Willoughby, Calkins, Gammon, & Eberhart, 1981; Sullivan, Hitchcock, & Dunnington, 1999; Van Rosendaal & Jennett, 1994), 필기 시험 수행과 정적 상관관계를 나타내고 있었다(Eva, 2001; Cheng & Warren, 2000; Levine et al., 2007; Norcini, 2003; Ramsey et al., 1993). 학습자들은 환경조건에 따라 어떤 환경에서는 동료평가가 자신들에게 유익했다고 보고한 반면, 다른 환경에서는 동료평가에 대해 저항감을 나타내기도 하였다(Greenbaum & Hoban, 1976; Heylings & Stefani, 1997; Levine et al., 2007; Magzoub, Schmidt, Dolmans, & Abdelhameed, 1998; Ramsey, Carline, Blank, & Wenrich, 1996; Reiter, Eva, Hatala, & Norman, 2002; Thomas, Gebo, & Hellnann, 1999; Van Rosendaal & Jennet, 1992; Vuorinen, Tarkka, & Meretoja, 2000; Wendling & Hoekstra, 2002). 동료평가에 대해 긍정적인 태도를 보인 학습자들은 동료평가에서 얻은 피드백 덕에 학습의 질이 향상되었다고 보고하였으나(Heylings & Stefani, 1997; Magzoub et al., 1998), 동료평가에 대해 부정적인 태도를 보인 학습자들은 동료평가가 자신과 동료 학습자들과의 관계를 방해한다고 보았다(Levine et al., 2007; Greenbaum & Hoban 1976; Van Rosendaal & Jennett, 1992). 그러나 그 어디에도 동료평가를 절대 해서는 안 된다고 보고한 연구는 없었다. 동료평가가 성공적으로 실행되면 학습자들은 동료에게서 유익한 피드백을 얻게 된다. 동료야말로 학습자 자신의 수행에 관하여 가장 잘 피드백할 수 있는 상대이다. 그러나 평가하는 방법이 제대로 훈련되어 있지 않거나, 동료와의 지나친 경쟁의식과 불신이 깃든 학습 분위기에서의 동료평가는 오히려 학습자에게 혜택이 아닌 위협으로 받아들여질 수 있다.

학습자가 책무성을 가지고 학습을 주도하는 것은 TBL의 핵심 원리 중 하나이다. 이러한 TBL에서 개인의 책무성을 강화하는 필수 도구 중 하나가 바로 동료평가이다. 동료평가는 학습자들로 하여금 팀에 이바지하도록 독려하며, 집단 태업으로 인해 다른 팀의 활동을 방해하는 일이 발생하지 않도록 하는 핵심 전략이다. 또한 동료평가는 학습자들이 효과적인 팀 구성원이 되는 데에도 도움을 준다. 수업 도중 동료평가를 실시하여 지금까지의 수행에 관한 피드백을 제공하면, 학습자의 태도 변화나 학습 향상에 도움을 받을 수 있다. 보건의료학 분야에서의 동료평가에 대하여 다룬 문헌 전반에 나타난 내용처럼 TBL에서의 동료평가에 관한 문헌에서도 여러 환경조건에 따라 학습자의 수용 정도가 다양함을 알 수 있다. Michaelsen과 Fink(2004)는 학부 수업에서 학습자들이 동료평가를 실시할 때 느끼는 "공정성"에 대하여 조사하였다. 그들은 특히 동료평가를 수업 중간에 한 번 실시하고, 학기말에 다시 한 번 실시했을 때 동료평가가 학습자들의 학점에 미치는 영향에 대하여 관심을 가졌다. 반면 6주간 실시되는 정신과 임상실습에서 나머지 사항은 동일하게 유지한 채 중간 동료평가만을 제외하였을 때 학습자들은 동료평가에 대하여 불만을 느낀다고 보고하였다(Levin et al., 2007). Michaelsen과 Fink는 동료평가가 학습자의 책무성 강화라는 목적을 달성하려면 크게 세 가지 요인이 고려되어야 한다고 강조하였다. 그 세 가지 요인은 어떠한 방법을 사용하든지 간에 (가) 여러 가지 크기의 팀에 적용 가능하며, (나) 팀 구성원의 활동을 정확하게 반영할 수 있어야 하고, (다) 학점에 상당 수준 영향을 미칠 수 있어야 한다는 것이다. 그들은 위에서 언급한 세 가지 요인이 갖추어져 있어야 학습자가 자기 팀 동료가 집단 활동을 중요하게 여기고 있다는 확신을 가지게 되어 집단 태업의 위험이 최소화된다는 점을 강조하였다.

"*Team-Based Learning: Transformative Use of Small Groups in College Teaching(Michaelsen, Knight, & Fink, 2004)*" 이라는 책에서는 두 가지 동료평가 방법을 소개하고 있다. 이 책에 소개된 두 가지 방법 모두 현재 보건의료학 분야 TBL 수업에서 많이 사용되고 있는 방법이다(Michaelsen & Fink, 2004). Michaelsen 방식에서는 동료평가 점수를 학점에 독립 요소로 반영한 반면, Fink의 방식에서는 동료평가 점수를 팀 활동 점수에 가중치로 곱하여 최종 점수를 학점에 반영한다. 각 방법에서 사용하는 동료평가지 양식을 이 장의 부록에 실어 놓았으니 참고하기 바란다. 각 방식에 대한 간단한 설명과 장단점은 다음과 같다.

## 방법 1 – Michaelsen 방식

Michaelsen 방식(부록 9.A 참조)에서 학습자는 자신의 팀 구성원들 각자가 팀 수행 전반에 얼마나 기여했는지 평가하게 된다. 예를 들어 6명으로 구성된 팀에서 학습자는 자신을 제외한 팀 동료들에게 50점의 점수를 배분할 수 있다. 이때 학습자가 배분한 점수의 평균은 10점이며, 동료에게 최저로 줄 수 있는 점수는 7점이고, 최대로 줄 수 있는 점수는 13점이다. 아울러 학습자는 각 팀원에 대한 정성평가 피드백도 함께 실시한다. 동료평가의 총점은 자신을 제외한 팀 동료들이 부여한 점수의 합이다. Michaelsen 방식의 가장 큰 특징은 점수 배분 시 반드시 동료 간에 점수차를 주어야 한다는 것이다. 이 말은 곧, Michaelsen 방식에서는 동료 모두에게 공평하게 10점씩 나눠주는 것은 허용되지 않으므로, 적어도 한 명에게는 평균보다 낮게, 다른 한 명에게는 평균보다 높게 점수를 부여해야 한다는 뜻이다. 학습자들은 이러한 요구사항을 듣고 매우 곤란해하기도 하는데, 특히 팀 수행 결과가 좋은 팀일수록 점수 배분을 놓고 이러한 경우가 많다. 학습자들이 "시스템을 상대로 두뇌플레이"를 하려는 경우도 흔한데, 팀 구성원들이 담합을 통해 높은 점수와 낮은 점수를 똑같이 배정하도록 미리 합의하여 팀 구성원 모두가 마지막 총점이 같도록 점수를 조작한다. Michaelsen은 이에 대하여 팀 구성원 간 담합에 의한 두뇌플레이는 허용될 수 있지만, 학기 시작이 아닌 학기 끝에 실시되는 동료평가의 경우에 한하여 허용해야 한다고 하였다. 한 학기 동안 팀 활동을 진행한 결과 자신의 팀 구성원 모두가 팀에 상당한 기여를 하였다고 판단되면 두뇌플레이를 통해서라도 모두 같은 점수를 받는 것이 합당하지만, 학기 초반의 경우에는 '학습에 비협조적인 성향을 가진 학습자' 들을 장려할 수 있으므로 두뇌플레이를 허용하지 않는 것이 바람직하다.

Michaelsen은 자신의 동료평가 방법을 대학 학부 교육에서 20년 이상 성공적으로 활용하였다. 그러나 그의 방법을 보건의료학 분야에서 시도하는 데 있어서는 몇 가지 어려운 점이 있었다. 예를 들어 정신과 임상실습에서 실시하였던 동료평가에서 학습자들은 팀 동료 모두가 실습을 잘 하였다고 판단되는데도 불구하고 어떤 팀원에게는 평균보다 낮은 점수를 부여해야 한다는 점을 불만스러워 하였다 (Levine et, al, 2007, p.21-22). 이와 마찬가지로 의과대학 교육자가 낸 단편 보고들도 비슷한 경험들을 보고하고 있다. 의대생들은 동료에게 어떤 형태로든 부정적인 점수를 매기도록 되어 있는 방식에 대하여 불만을 토로하였다. 이러한 현상은 수업이 길든 짧든 마찬가지이지만 특히 중간 평가가 없는 짧은 수업일 때 더욱 뚜렷하게 나타났다. 어떤 보건의료 교육자들은 학습자들의 이러한 저항을 경험하고 나서 Michaelsen 방식의 동료평가를 포기하는가 하면, 어떤 이들은 Michaelsen의 평가 양식을 사용하되 정성평가 피드백이 주가 되도록 바꾸거나, 또는 동료평가를 학점에 들어가지 않게 바꾸었다. Michaelsen이 경영학과 학부 학습자들을 상대로 이 양식을 사용하였을 때와는 달리 보건의료 교육자들을 대상으로 하였을 때 더 어려움을 겪는 이유는 무엇일까? 대부분 의대생인 보건의료분야 학습자들은 학부 학습자들에 비하여 더욱 경쟁적이고 지시하는 대로 잘 하지 않기 때문이라고 가정해볼 수 있겠으나, 이것도 추측일 뿐이다. 한 컨퍼런스에서 패널로 참여했던 학습자들의 말에 따르면 자신들은 동료 학습자들과 4년을 함께 지내야 하고 다른 수업이나 병동 등에서 마주칠 수밖에 없기 때문에 동료평가 점수를 10점 미만으로 낮게 매겼을 때의 위험부담이, 동료평가를 객관적으로 함으로써 기대할 수 있는 이점보다 크다고 판단한다는 것이다. 또 다른 이유로는 의대생의 수업은 학부 수업보다 짧기 때문에 대개 동료평가 과정을 편하게 느끼도록 도와주는 중간 평가를 생략하기 때문이라는 것이다. 그러나 이러한 설명은 그리 타당해 보이지 않는데, TBL을 일년 내내 실시하는 오하이오 주 데이튼에 있는 라이트 주립대학교 분쇼프트 의과대학(Boonshoht School of Medicine at Wright State University)과 같은 학교에서조차 학습자들의 불만 때문에 이 방법을 포기한 사실이 있기 때문이다.

## 방법 2 – Fink 방식

Fink 방식(부록 9.B 참조)에서 학습자들은 100점을 가지고 팀 구성원이 팀 수행에 기여한 정도에 따라 점수를 나누어 주도록 하는데, 이때 모든 팀 구성원들은 자신들의 동료들이 매긴 점수의 합계인 "동료 점수"를 받게 된다. 이 점수를 집단학습 준비도 확인시험(Group Readiness Assurance Test, GRAT) 점수와 곱하여 조정 집단 점수를 산출하게 되는데 이것이 최종 점수가 된다. Fink 방식에서는 이처럼 동료평가 점수가 백분 승수로 쓰이며 추가로 팀 구성원에게 정성평가 피드백 혹은 자신이 동료에게 그러한 점수를 준 이유도 함께 적도록 한다. Fink 방식에서는 보통 팀 구성원 대부분이 100점에 가까운 점수를 받는데, 기여를 많이 한 학습자가 100점을 약간 넘는 점수를 받고, 기여를 적게 한 학습자는 100점에 약간 못 미치는 점수를 받는다. 모든 팀 구성원이 같은 정도로 기여하였다고 판단될 경우, 학습자는 모두에게 같은 점수를 줄 수 있으며, 팀 구성원 가운데 남들보다 더 많이 기여한 학습자가 있다고 판단될 때에는 각각 차등하여 점수를 줄 수 있기 때문에 대부분의 학습자들은 Fink 방식의 동료평가를 공정하다고 생각한다.

동료평가 점수는 최종 점수에 상당한 영향을 미칠 수 있기 때문에 학습자들은 동료평가 방식에 민감하게 반응하곤 한다. 때문에 의과대학 학습자들은 모든 팀 구성원에게 같은 평점을 줄 수 있는 Fink 방식을 더 선호한다. 그러나 Fink 방식은 종종 학습자들로 하여금 팀 구성원의 최종 성적에 자신들이 얼마나 영향을 미치는 지를 과소평가하게 함으로써 동료평가 점수의 변화가 비교적 적게 일어난다는 문제점이 있다. 이런 현상은 수업 초기에 정보를 명확히 제공하고 수업 교수요목에 설명을 한 경우라도 발생할 수 있다. 이 문제에 대한 한 가지 대안으로 Michaelsen과 Fink는 수업 중간에 동료평가를 실시하도록 권장한다(Michaelsen & Fink, 2004). 한편 Fink 방식을 사용할 때의 장점은 동료평가의 비중을 명확히 알 수 있고 팀별로 동료 관찰 과정을 실행할 수 있을 뿐만 아니라, 대인 간의 의사소통 기술에 있어 도움이 필요한 학습자에게 값진 피드백을 줄 수 있다는 것이다. 특히 동료평가 점수가 예상보다 낮게 나왔다고 생각하는 학습자들은 이 과정을 겪음으로써 자신의 점수를 향상시킬 수 있는 기회를 갖게 되는데, 이 방법이 학습자들에게 자신의 의사소통 기술을 향상시킬 자원을 찾을 수 있는 시간과 동기를 제공하기 때문이다.

팀 수행을 돕고 수업 마지막에 실시되는 동료평가에 대한 학습자들의 어려움을 예방하기 위하여 Michaelsen과 Fink가 권장하는 또 다른 방법은 수업이 삼분의 일쯤 지났을 때 팀 활동 과정에 대한 분석 및 고찰을 실시해보는 것이다. 이를 위해 Michaelsen과 Fink는 3단계로 이루어진 활동을 권한다. 첫 번째 단계에서 학습자들은 팀을 위해 팀 구성원 각자가 도움을 줄 수 있는 활동과 팀 수행능력을 향상시키기 위하여 팀 구성원들이 할 수 있는 행동을 적게 한다. 두 번째 단계에서는 각자가 쓴 내용을 함께 나누고, 세 번째 단계에서 각 부문에서 최우수 항목을 정한다. 모든 단계를 거치면 자연적으로 학기말 동료평가에서 사용하여야 할 기준 목록이 만들어진다. 이러한 활동을 거침으로써 얻을 수 있는 이점은 동료평가 경험이 야기할 수 있는 불편한 감정을 일으키지 않으면서도 팀 활동을 촉진하는 행동과 저해하는 행동을 팀 구성원 스스로가 인식할 수 있는 계기를 마련해준다는 것이다. 하지만 이러한 팀 활동 과정 고찰은 각 개인의 특정 기여를 간접적으로 분석하는 것이므로 민감하지 않은 학습자는 팀 구성원들에게 성가신 행동을 저지르고 있다는 것을 인식하지 못할 수도 있다.

## 방법 3 – Michaelsen & Fink 방식

캐나다 온타리오 주, 킹스턴 시 퀸즈 대학교(Queens University)의 Lindsay Davidson은 Michaelsen 방식을 바탕으로 한 변형된 동료평가 체계를 사용하였다. 이 방식에서는 동료평가 점수를 퍼센트로 환산하는데, 예를 들어 학습자 여덟 명으로 구성된 팀에서 73/70의 점수는 104%가 되고 67/70의 점수는 95.7%가 되는 식이다. Fink 방법과 비슷하게 이 점수는 백분 승수로 사용하여 학습자의 최종 점수를 변화시키게 된다. 예를 들어 교정하기 전 성적 점수가 85점인 학습자가 동료평가 점수로 73/70(104%)를 받았다면 이 학습자의 성적은 88.4 (85 × 104)로 상향 조정된다.

다른 보건의료학 교육자들처럼 Davidson도 동료평가에 의하여 성적이 낮아질 수 있는 상황을 접하게 되면 학습자들이 상당한 불만을 토로하는 것을 겪었다. 그녀는 이 불만을 두고(주관적인 표현으로) "봉기와 반란 직전이었다(bordering on strife and revolt)"고 묘사하였다. 동료평가 과정을 변경하지 않으면서도 위와 같은 문제를 해결하기 위하여 그녀는 동료평가 점수가 100%미만인 학습자에게 성적 상의 불이익을 주지 않는 대신 개인에게 자신의 점수를 알려주도록 동료평가 체계를 바꾸었다. 이 방법을 따르면 결과적으로 100%를 넘는 점수를 받은 학습자들만 성적이 상향 조정된다. 또한 학습자들은 Fink 방식과 마찬가지로 무기명으로 된 복합 서술형 피드백을 받게 된다.

이와 같은 방법으로 동료평가를 변경한 후 학습자들이 느끼는 동료평가 과정에 대한 만족도는 매우 향상되었다. 그럼에도 불구하고 학습자들 중 일부는 정말로 "모두가 똑같다"고 느끼면 어떻게 해야 하는지 묻는다. Davidson은 이러한 학습자들에게 9와 11을 무작위로 매기고 의견란에 모두가 같은 정도로 팀 활동에 기여했음을 언급하라고 말한다. 어떤 팀은 Davidson의 말을 따르기도 하지만 여전히 일부 팀은 팀 구성원들끼리 공조하여 모든 사람이 100%의 점수를 받도록 "시스템을 상대로 두뇌플레이"를 하기도 한다. Davidson의 방법으로 동료평가를 실시한 가장 최근 수업에서 학습자들은 90%에서 109% 동료평가 점수를 받았으며 전체 학급에서 40%의 학습자가 동료평가 점수에 의한 성적 상향 조정을 받았다.

## 방법 4 – Koles 방식

라이트 주립 대학교 분쇼프트 의과대학(Boonshoft School of Medicine at Wright State University)의 Paul Koles가 개발한 이 형식은 현재 분쇼프트 의과대학 2학년 과정에서 일년 내내 실시되는 TBL 교육과정에서 사용되고 있다(부록 9.C 참조). 이 형식의 장점은 정량평가 부분이 훨씬 더 세밀하게 분화되어 있다는 점으로 크게 세 가지 영역에 대하여 평가한다. 여기에서 말하는 세 가지 영역이란 협동 학습 기술, 자기 주도 학습, 대인관계 기술 등이다. 그 하위에는 아홉 개의 소영역이 있는데, 아홉 개의 소영역에 대한 역량 달성 여부는 "하지 않음, 때때로 함, 자주 함, 항상 함" 등으로 평가한다. 평가질문은 "유용한 질문을 하였다.", "다른 사람을 배려하였다." 등으로 구성되어 있다. Koles 방식 역시 다른 동료평가 방법과 마찬가지로 학습자들에게 정성평가 피드백을 요구하는데 (가) "동료가 팀에 기여한 것 가운데 가장 가치 있는 것은 무엇인가"라는 질문과 (나) "동료가 팀을 더욱 효과적으로 도울 수 있는 것 가운데 가장 중요한 것은 무엇인가"라는 질문에 최소한 한 문장 이상의 답을 써야 한다. 또한 이 방법에서 학습자들은 동료평가 점수를 받기 위해 모든 팀 구성원에 대한 정량평가와 정성평가를 실시해야 한다.

Koles 방식은 팀을 구성한 지 다섯 달 가량 지난 후 학점에 포함되지 않는 중간 형성평가를 실시한다. 총합평가는 18~20개의 모듈을 학습한 후 실시하며, 학년 말 성적의 10%를 차지한다. 대부분의 학습자들은 정량평가에서 높은 점수를 받기 때문에 이 점수가 학습자들의 총점에 부정적 영향을 미치는 일은 없으므로 학습자 평가에는 정성평가가 훨씬 유용하게 사용된다.

Koles 방식은 동료평가 점수를 차등 분배하도록 의무화하지 않고, 기타 점수 분배에 대한 제한 사항이 없기 때문에 평가 과정에서 점수를 부풀리게 되어 거의 모든 팀 구성원이 높은 점수를 받게 된다는 문제가 있다. 학습자들은 대체로 Koles

방식의 동료평가에 대해 만족하지만 모든 학습자들이 전체적으로 고득점을 한다는 점에서 평점으로서의 타당도가 낮다고 할 수 있다. 하지만 Koles 방식에서 정성평가 부분은 학습자들의 전문직업성 개발에 적지 않은 도움을 준다.

## 방법 5 – Texas Tech 방식

루복(Lubbock)에 있는 텍사스 테크 대학교 의과대학(Texas Tech School of Medicine)의 Kitty McMahon과 동료 교수들은 Michaelsen 방식의 동료평가 사용에 있어 상당한 저항을 경험하자 그 대안으로 미국의과대학협회(Association of American Medical Colleges, AAMC)의 전문직업성 및 의사소통 평가지를 응용하여 전문직업성을 평가하고 증진하는 데 초점을 둔 동료평가를 개발하였다. 이 방식은 Koles 방식과 유사한 총 열두 가지의 세부 기준을 열거하였으며, 학습자들이 팀 구성원들에게 순위를 매기도록 하였다(부록 9.D 참조). 예를 들면 책무성/신뢰성, 겸손함, 학습 활동 준비성 등이다. 각 학습자는 5점 척도로 순위를 매기는데 1은 매우 부족, 5는 매우 과다, 3은 적정 기준으로 삼았다. 1점이나 5점에는 반드시 의견을 적어야 하며, 다른 경우에는 원하는 사람만 적도록 한다. 또한 정성평가 피드백 시 되도록이면 간단하고, 긍정적으로 할 것을 요구한다.

Kitty McMahon은 학습자들에게 두 학기 수업에 걸쳐 9개월 동안 팀 구성원을 세 차례 평가하도록 하였다. 첫 번째 평가는 형성평가로서 수업 시작 2개월 후 실시하였다. 이 평가는 성적에 포함하지 않았다. 두 번째와 세 번째 평가는 각 학기의 끝에 실시하였으며 성적에 반영하였다. 이와 관련된 모든 자료는 전산 입력하였으며 학습자들에게 피드백하였다.

Koles 방식과 마찬가지로 텍사스 테크 의과대학(Texas Tech School of Medicine)의 동료평가 방법에 대한 학습자들의 반응은 대체로 긍정적이었다. 그러나 이 방법 역시 Koles 방식에서처럼 동료평가 점수에 차등을 두지 않았기 때문에 평점이 부풀려지는 경향이 나타났다. 그것은 마치 모든 구성원에게 높은 점수를 주는 것이 학습자 문화의 일부인 듯이 보이기까지 하였다. 실제로 일부 학습자가 보낸 이메일을 보면, 학기말에 이루어지는 동료평가는 아무리 작은 점수라 하더라도 팀 구성원 성적에 부정적인 영향을 미칠 가능성이 있기 때문에 점수 배점에 있어서 부담감을 느끼게 되며, 그렇기 때문에 대체로 학습자들은 형성평가 형태로 실시되는 동료평가가 자신의 의견을 보다 정직하게 나타내기에 용이하다고 응답하였다.

## 요약

동료평가를 보건의료학 교육에 적용하는 과정은 분명 흥미롭고도 어려운 일이다. 위에서 살펴본 여러 방식을 보면 알 수 있듯이 동료평가를 운영하는 데 있어 완벽한 방식은 없다. 각 방식마다 장점과 문제 가능성 두 가지 모두를 지니고 있다. 그럼에도 불구하고 동료평가 요소를 넣어서 TBL을 실시하려면, 필히 염두해 두어야 할 기본 원칙들이 있다.

1. 평가를 수행하는 기술은 직관적으로 습득되는 것이 아니다. 학습자 대부분이 피드백하는 방법을 배운 적이 없다고 간주하는 것이 현실적이다. 건설적인 평가를 하는 방법에 대하여 설명한 짤막한 글이나 이야기 몇 마디가 동료평가를 주거나 받는 과정에 대해 학습자들이 느끼는 두려움을 가라앉힐 수 있다. 혹은 건설적 평가에 대한 설명을 평가 양식에 포함시키는 것도 한 가지 방법이다. 라이트 주립 대학교 분소프트 의과대학(Boonshoft School of Medicine at Wright State University)의 Dean Parmelee는 Michaelsen 양식에 아래처럼 "도움이 되는 피드백"이라는 내용을 덧붙였다. 이 내용은 Michaelsen과 Schultheiss(1988)의 논문 Making Feedback Helpful에서 발췌한 것이다.

 동료를 돕는 피드백 : 피드백을 할 때 도움이 되는 피드백의 일곱 가지 특징을 기억하세요. (1) (피드백을 주는 사람의 관점에서) 동료의 행동을 평가하지 않고 묘사할 것, (2) 막연하지 않고 구체적일 것, (3) 정직하고 성실하게 임할 것, (4) 피드백을 받는 사람의 입장에서 필요한 방식으로 표현할 것, (5) 시기와 맥락에 알맞게 할 것, (6) 피드백을 받는 사람이 수용할 준비가 되었을 때 실시할 것, (7) 피드백을 받은 사람이 제어

할 수 있는 행동과 관련하여 실제 적용이 가능할 것. (원문 113쪽 참조)

2. 모든 기술이 그렇듯이 동료평가 과정도 능숙해지려면 연습이 필요하다. 성적에 포함되지 않는 형성평가 성격의 동료평가 연습을 실시한 다음 성적에 포함되는 동료평가를 실시한다면 학습자들이 좀 더 수월하게 동료평가를 실시할 수 있다. 따라서 비교적 긴 수업에서는 수업 중간에 동료평가를 한 번 실시하는 것이 좋다. 짧은 수업에서는 좀 더 창의적인 해결책을 생각해야 하는데, 이를테면 Michaelsen과 Fink(2004)가 말한 "팀 활동 과정 고찰"이 그 중 하나다.

3. 여러 가지 면을 고려하였을 때, 동료평가는 경쟁의식이나 불신이 적으며 전문직업성을 북돋우는 문화에서 비교적 받아들여지기 쉽다. 동료평가를 추진하고 권장하는 수업이 많은 보건의료 교육기관일수록 학습자들은 동료평가 결과를 더 잘 수용하고 건설적으로 활용할 수 있어야 한다.

4. 정량평가와 정성평가 모두 이롭게 만들 수 있지만, 팀원 사이에 점수 차이를 두도록 강제 수단을 쓰지 않으면 정량평가는 점수가 부풀려지는 경향이 있다. 반면 정성평가는 학습자들이 느끼기에도 훨씬 편안하며, 학습자 간 차등평가를 강요하는 것을 꺼리는 교수에게도 그 중 논란이 적고 쉬운 방법이다. 그렇지만 동료평가를 정성평가만으로 실시하면 집단 태업 성향이 있는 학습자에게 무방비 상태가 되어버리고 만다는 문제점이 있다.

모든 교육 환경이 서로 다르기 때문에 특정 환경에서 아무리 좋은 동료평가 도구였다고 하더라도 다른 환경에서는 잘 받아들여지지 않을 수 있다. 그러나 중요한 것은(동료평가 체계를 확립하는 과정이 힘겨우며, 뛰어난 동료평가를 실시하였다고 하여 교수상을 주는 것도 아니지만) TBL 과정에서 중요한 역할을 차지하는 개인 책무성을 강화하는 핵심 도구로서 동료평가는 TBL에 굉장히 중요한 비중을 차지하고 있다는 것이다.

이같이 TBL의 실행에 있어 중요한 역할을 하는 동료평가를 더 효과적으로 실시하기 위해서 결국 다양한 방식의 동료평가를 실시해 보고 자신의 수업에 가장 적합한 동료평가를 찾아나가는 교수의 노력이 필요할 것이다.

## 참고문헌

Arnold, L., Willoughby, L., Calkins, V., Gammon, L., & Eberhart, G. (1981). Use of peer evaluation in the assessment of medical students. *Journal of Medical Education, 56*, 35–42.

Cheng, W., & Warren, M. (2000). Making a difference: Using peers to assess individual students' contributions to a group project. *Teaching in Higher Education, 5*(2), 243–255.

Eva, K. W. (2001). Assessing tutorial based assessment. *Advances in Health Sciences Education, 6*, 243–257.

Greenbaum, D. S., & Hoban, J. D. (1976). Teaching peer review at Michigan State University. *Journal of Medical Education, 51*, 392–395.

Heylings, D. J., & Stefani, L. A. J. (1997). Peer assessment feedback marking in a large medical anatomy class. *Journal of Medical Education, 31*, 281–286.

Levine, R. E., Kelly, P. A., Karokoc, T., & Haidet, P. (2007). Peer evaluation in a clinical clerkship: Students' attitudes, experiences, and correlations with traditional assessments. *Academic Psychiatry, 31*(1), 19–24.

Magzoub, M. E., Schmidt, H. G., Dolmans, D., & Abdelhameed, A. A. (1998). Assessing students in community settings: The role of peer evaluation. *Advances in Health Sciences Education, 3*, 3–13.

Michaelsen, L. K., & Fink, L. D. (2004). Calculating peer evaluation scores (appendix B). In L. K. Michaelsen, A. B. Knight, & L. D. Fink (Eds.), *Team-based learning: A transformative use of small groups in college teaching* (pp. 241–248). Sterling, VA: Stylus Publishing.

Michaelsen, L. K., Knight, A. B., & Fink, L. D. (2004). *Team-based learning: A transformative use of small groups in college teaching*. Sterling, VA: Stylus Publishing.

Michaelsen, L. K., & Schultheiss, E. E. (1988). Making feedback helpful. *The Organizational Behavior Teaching Review, 13*(1), 109–113.

Norcini, J. J. (2003). Peer assessment of competence. *Journal of Medical Education, 37*, 539–543.

Ramsey, P. G., Carline, J. D., Blank, L. L., & Wenrich, M.D. (1996). Feasibility of hospital-based use of peer ratings to evaluate the performances of practicing physicians. *Academy of Medicine, 71*, 364–370.

Ramsey, P. G., Wenrich, M. D., Carline, J. D., Inui, T. S., Larson, E. B., & LoGerfo, J. P. (1993). Use of peer ratings to evaluate physician performance. *Journal of the American Medical Association, 269*, 1655–1660.

Reiter, H. I., Eva, K. W., Hatala, R. M., & Norman, G. R. (2002). Self and peer assessment in tutorials: Application of a relative-ranking model. *Academy of Medicine, 77*, 1134–1139.

Sullivan, M. E., Hitchcock, M. A., & Dunnington, G. L. (1999). Peer and self-assessment during problem-based tutorials. *American Journal of Surgery, 177*, 266–269.

Thomas, P. A., Gebo, K. A., & Hellmann, D. B. (1999). A pilot study of peer review in residency training. *Journal General Internal Medicine, 14*, 551–554.

Van Rosendaal, G. M., & Jennett, P. A. (1992). Resistance to peer evaluations in an internal medicine residency. *Academic Medicine, 67*(1), 63.

Van Rosendaal, G. M. A., & Jennett, P. A. (1994). Comparing peer and faculty evaluations in an internal medicine residency. *Academic Medicine, 69*, 299–303.

Vuorinen, R., Tarkka, M. T., & Meretoja, R. (2000). Peer evaluation in nurses' professional development: A pilot study to investigate the issues. *Journal of Clinical Nursing, 9*, 273–281.

Wendling, A., & Hoekstra, L. (2002). Interactive peer review: An innovative resident evaluation tool. *Family Medicine, 34*(10), 738–743.

# 부록 9.A

## 방법 1 – Michaelsen 방식[1]

**동료평가** 이름 ___________ **팀 번호** ___________

다른 팀원이 자신의 학습이나 팀의 수행에 어느 정도 기여하였는지 느끼는 바를 솔직하게 반영하도록 점수를 배분하시기 바랍니다. 이 방법은 열심히 노력한 팀원에게 보상을 줄 수 있는 유일한 기회일 것입니다. (비고: 만약 모든 사람에게 동일한 점수를 준다면, 이는 가장 열심히 노력한 학생에게 불이익을 주는 것이며, 노력하지 않은 학생에게는 불공정한 점수를 주게 됩니다)

**지시:** 아래의 빈칸에 각각의 팀원에 대한 평가 점수를 기입해주세요. 각 팀원의 동료평가 점수는 자기 자신을 제외한 사람에게 받은 점수의 평균이 될 것입니다. 평가를 완성하려면 다음의 사항을 모두 수행해 주세요. 1) 팀원의 이름을 가나다 순으로 적는다. 2) 다른 팀원들에게 평균 10점을 배정한다. (예. 여섯 명이 한 팀이면 합이 50점, 일곱 명이 한 팀이면 합이 60점 배정) 3) 각 동료 간 점수에 차등을 둔다. (예. 최소한 한 명에게는 최대 15점에서 11점 이상 배정 가능하며, 한 명에게는 9점 이하의 점수 배정)

| 팀원 이름 | 점수 | 팀원 이름 | 점수 |
|---|---|---|---|
| 1) ______________ | | 5) ______________ | |
| 2) ______________ | | 6) ______________ | |
| 3) ______________ | | 7) ______________ | |
| 4) ______________ | | 8) ______________ | |

**추가 사항:** 아래 빈칸에 최고 점수와 최저 점수를 매긴 이유를 간략히 설명하시기 바랍니다. 이 의견은 원하는 학습자에게 무기명으로 전달되어 피드백 시 활용될 것입니다.

최고 점수를 준 이유. (필요하면 뒷면을 사용하세요.)

---

1 비고: 참고문헌 *Team-Based Learning: A Transformative Use of Small Groups in College Teaching*, p. 266, by L. K. Michaelsen, A. B. Knight, and L. D. Fink, 2004, Sterling, VA: Stylus. Copyright 2002 by Larry K. Michaelsen, Arletta Bauman Knight, and L. Dee Fink에서 인용. 허락 등재.

# 부록 9.B

## 방법 2 – Fink 방식[2]

### *팀원의 기여도 평가*

학기말에 모든 학급 학습자들은 각 팀원이 팀 활동에 얼마나 기여하였는지를 평가하여야 합니다. 이 기여도는 다음에 대한 여러분의 판단을 반영하는 것이어야 합니다.

준 비 성—수업 전 준비를 하였는가?
기 여 도—집단 토론과 활동에 생산적으로 이바지하였는가?
의견존중—다른 사람이 생각을 말할 수 있게 도왔는가?
융 통 성—의견불일치가 있을 때 유연하게 대처하였는가?

이 평가에서는 집단의 이익을 위하여 정말 열심히 활동한 사람의 평가는 높게 하고, 집단 과제에 그리 열심히 하지 않았다고 여겨지는 사람의 평가는 낮게 하는 것이 중요합니다. 기여를 한 사람은 집단이 받은 평가 점수 중 기여한 만큼에 대한 점수를 충분히 받아야 하며, 충분히 기여를 하지 않은 사람은 그에 비해 낮은 점수를 받아야 합니다. 당신의 평가는 집단의 점수에서 각 팀원이 받을 점수 비율을 수학적으로 결정하는 데 사용됩니다.

당신을 제외한 팀원 각각의 기여도를 평가하여 100점을 배분하십시오. 각 팀원에 대한 의견도 함께 써 주시기 바랍니다.

팀 번호: 점수 부여

1. 이름: ______________________________ ____________________
평가 이유:

---

2 비고: 참고문헌 *Team-Based Learning: A Transformative Use of Small Groups in College Teaching*, p. 267, by L. K. Michaelsen, A. B. Knight, and L. D. Fink, 2004, Sterling, VA: Stylus. Copyright 2002 by Larry K. Michaelsen, Arletta Bauman Knight, and L. Dee Fink에서 인용. 허락 등재.

2. 이름: ______________________________ ____________________

평가 이유:

3. 이름: ______________________________ ____________________

평가 이유:

4. 이름: ______________________________ ____________________

평가 이유:

5. 이름: ______________________________ ____________________

평가 이유:

평가자 이름: ______________________________ 총점: 100점

# 부록 9.C

## 방법 4 – Koles 방식[3]

### *팀 바탕학습 동료 피드백*

팀: ______________________ 평가받는 동료: ______________________

평가 시기:

**제1부: 정량평가 (아래 12개 영역 각각에 대하여 한 개의 칸에 O표 하세요.)**

| 협동학습 기술 | 전혀 아니다 | 아니다 | 그렇다 | 매우 그렇다 |
|---|---|---|---|---|
| 약속 시간에 맞춰 오고 활동 중 자리를 지킨다. | | | | |
| 팀 활동 시 경청과 참여의 균형을 잘 맞춘다. | | | | |
| 유익하거나 심층적인 질문을 한다. | | | | |
| 학습 정보와 개인의 견해를 주고받는다. | | | | |
| 관련 정보의 근거자료를 알려준다. | | | | |

| 자기주도학습 | 전혀 아니다 | 아니다 | 그렇다 | 매우 그렇다 |
|---|---|---|---|---|
| 팀 활동을 위하여 잘 준비하였다. | | | | |
| 학습내용에 대하여 적절한 깊이의 지식 수준을 보인다. | | | | |
| 지식의 한계를 인정한다. | | | | |
| 이해 영역에 대하여 자신감을 보인다. | | | | |

| 대인관계 기술 | 전혀 아니다 | 아니다 | 그렇다 | 매우 그렇다 |
|---|---|---|---|---|
| 도움이 되는 피드백을 제공한다. | | | | |
| 타인의 피드백을 수용한다. | | | | |
| 타인에게 배려하며 관심을 갖고 있다. | | | | |

3 비고: 라이트 주립 대학교 분쇼프트 의과대학(Boonshoft School of Medicine at Wright State University)으로부터 허락 등재.

**제2부: 정성평가 (각 항목에 대하여 최소한 한 문장 이상 쓰세요.)**

| 1) 이 사람이 팀에 기여한 것 중 가장 훌륭했던 것은 무엇인가요? |
| --- |

| 2) 이 사람이 팀에 조금 더 도움이 되기 위하여 할 수 있는 일 중 가장 중요하다고 생각되는 것은 무엇인가요? |
| --- |

# 부록 9.D

## 방법 5 - Texas Tech 방식

*텍사스 테크 대학교 HSC 의과대학*

**전문직업성 및 의사소통 평가 양식, 1페이지**

이름 ______________________

척도

부족함 ←———————————————————→ 지나침

**민첩성/신뢰도**

| 1 | 2 | 3 | 4 | 5 |
|---|---|---|---|---|
| 늦음 - 언제나 동료나 교수가 기다림 | | 일상적인 시간 엄수 - 시간을 효과적으로 사용함 | | 다른 사람들이 제시간에 올 때까지 시간을 낭비함 |

**책무성/확실성**

| 1 | 2 | 3 | 4 | 5 |
|---|---|---|---|---|
| 의무감이 없고, 책임을 적극적으로 회피하며, 쉬운 과제만 찾음 | | 팀 활동을 무엇보다 중요시하지만 자신의 삶과의 균형을 적합하게 유지함 | | 수행에 너무 신경 쓴 나머지 자신의 삶의 다른 부분을 훼손함 |

**타인 존중/팀워크**

| 1 | 2 | 3 | 4 | 5 |
|---|---|---|---|---|
| 동료나 교수에게 무례함 | | 다른 사람을 존중함 | | 다른 사람을 지나치게 존중한 나머지 자기존중을 도외시함 |

**겸손**

| 1 | 2 | 3 | 4 | 5 |
|---|---|---|---|---|
| 다른 사람에게 거만함 | | 자신의 위치를 알고 있고, 자만하지 않음 | | 겸손이 지나쳐 흠이 됨 |

**이타심과 배려/공감**

| 1 | 2 | 3 | 4 | 5 |
|---|---|---|---|---|
| 자신에 대한 배려가 다른 사람에 대한 배려보다 우선하고, 인정이 없음 | | 자신에 대한 배려와 남에 대한 배려가 균형을 잘 이루고, 다른 사람을 공감하며, 지각력 있음 | | 다른 사람에 대한 배려가 자기의 안녕을 저해할 정도임, 너무 배려한 나머지 객관적이지 못함 |

**역량과 탁월함 추구에의 전념**

| | | | | |
|---|---|---|---|---|
| 성취 기준이 낮음 – 겨우 통과하는 데 급급함 | | 언제나 추가 지식과 기술을 추구함 – 완벽을 향한 원대한 목표를 지님 | | 탁월성을 추구하느라 자신과 가족에게 손실을 입힘 |

**자기 평가/타인 평가**

| | | | | |
|---|---|---|---|---|
| 통찰력(반성) 결여됨 – 다른 이의 능력을 잘못 판단하며, 항상 자신의 수행을 과대평가함 | | 자신과 타인의 수행을 객관적이고 정확하게 평가함 | | 자기 의견 주장이 지나침 |

**책무성/비밀유지**

| | | | | |
|---|---|---|---|---|
| 임무나 다른 사람의 비밀 정보를 다루는 것을 신뢰할 수 없음 – 다른 이의 이름을 공개적으로 거론함 | | 임무 수행이나 비밀 정보를 다루는 데 대하여 신뢰할 수 있음 – 이 같은 것을 다른 사람에게 상기시킴 | | 다른 사람을 지나치게 단속함 |

**타인의 자율성과 신조에 대한 존중/관용**

| | | | | |
|---|---|---|---|---|
| 자신과 신조나 문화가 다른 사람들에게 편견을 가짐 | | 다른 사람에게 관용적임 – 섣부른 판단을 하지 않음 | | 다른 사람의 사적인 신조를 배려하느라 자신이 손해를 봄 |

**타인과 사회의 요구에 대한 민감도**

| | | | | |
|---|---|---|---|---|
| 다른 사람의 요구에 무심함 | | 다른 사람을 옹호함 – 가능하면 남을 돕고자 하며, 적합한 변화를 적극 추구함 | | 자신, 가족, 동료의 요구에 손실을 입히며 쟁점에 과도하게 개입함 |

*텍사스 테크 대학교 HSC 의과대학*

**전문직업성 및 의사소통 평가 양식, 2페이지**

이름 ____________________

척도

부족함 ←————————————————→ 지나침

**학습 활동을 위한 준비**

| 1 | 2 | 3 | 4 | 5 |
|---|---|---|---|---|
| 사전 준비를 해오지 않음 | | 활동을 위한 준비를 잘 해옴, 질문에 대하여 답하는 수준으로 보아 높은 수준으로 준비해 온 것이 확연히 드러남 | | 과제를 과도하게 준비하느라 자신이나 가족에게 손실을 일으킴 |

**의사소통/청취 기술**

| 1 | 2 | 3 | 4 | 5 |
|---|---|---|---|---|
| 동료나 교수와 효과적으로 의사소통하기에는 부적당한 언어, 비언어적 의사소통 기술을 사용함 | | 다른 이의 말을 경청함, 적당한 때에 알아 들은 바를 재진술함 | | 수동적으로 청취함 – 토론의 시간과 속도를 다른 사람이 조절함 |

**의견 (1점이나 5점 점수를 배정한 경우에는 반드시 의견을 적어 주세요.)**

______________________________

______________________________

______________________________

______________________________

______________________________

______________________________

______________________________

______________________________

날짜 ____________________

# 제 10 장

# 팀 바탕학습 관련 연구 및 학문적 성과

## *의료전문직 교육에서의 팀 바탕학습*

*Paul Haidet, Virginia Schneider, Gary M. Onady*

팀 바탕학습(Team-Based Learning, TBL)은 소집단 역학에 관한 이론과 실험적 연구의 도움을 받아 20년이 넘는 기간의 시행착오 과정을 거쳐 오늘날까지 발전해 왔다. 지금까지 TBL 발전의 많은 부분들은 Larry Michaelsen과 초기 TBL을 실제 행해본 교수들의 직접적 관찰과 수업 경험에서 유래된 것이라고 할 수 있다.

의료전문직 교육 상황에서 TBL 적용 시 고려해야 할 고유한 특징 및 제약이 있다(표 10.1 참조). 그 중 하나, 의료전문직 교육 분야는 타 분야에 비해 교육과정이 매우 엄격하게 조직되어 있다는 것이다. 의대, 치대, 간호대 등의 학습자들에게는 교육과정의 내용이나 순서에 대한 선택권이 거의 없다. 교육내용은 짧은 장기중심의 구획으로 나누어져 있으며 여러 전공과의 임상교수로 구성된 교수집단에 의해 교육이 실시되고 있다. 학교에 따라서는 평가 항목, 방식, 시기 및 평가 점수의 분포에 이르기까지 평가에 관한 세부적인 규칙을 정하기도 한다. 교육 상황에서의 제약은 의료전문직의 졸업 후 수련교육과 보수교육에서 더 커지게 된다. 대개의 경우 평가가 교육과정에 포함되어 있지 않으며, 학습자들의 참여가 요구되는 일(환자 진료 시간 등)로 인한 시간상 제약이 따라 모든 학습자가 일정한 시간에 동시에 모여서 교육받기가 어렵다. 또한 보통 하루 일정으로 진행되는 보수교육과정에서 볼 수 있듯이 교육과정별 교육시간 역시 제한되어 있다.

〈표 10.1〉 의료전문직 교육 상황의 특징

| 전형적인 고등 교육 상황 | 전형적인 의료전문직 교육 상황<br>(재학생 졸업 후 수련 및 보수 교육과정 포함) |
|---|---|
| 한명 또는 소수의 교수자에 의해 실시됨 | 여러 공과, 다수의 교수 집단에 의해 실시됨 |
| 많은 시간이 학습자 교육에 배정됨 (40시간 이상) | 학습자 교육 시간이 종종 제한됨 (40시간 이하) |
| 과정이 나뉘어 있음 | 졸업 후 수련교육(Graduate Medical Education, GME), 졸업 후 보수교육(Continning Medical Education, CME) 과정이 종종 분리되지 않은 채 배정됨 |
| 학습자에게 강의 참석 시간이 보장됨 | 환자 진료, 겹쳐진 일정 등으로 학습자의 참여가 요구되는 일이 많아 시간상 제약 따름 |
| 교수자에게 교육과정을 계획하고, 이행할 시간이 보장됨 | 교수자는 종종 교육 시간을 임기를 지지하기 위한 시간에 투자하여(예. 외래진료, 연구) 균형을 맞추어야 함 |
| 교육과정 책임자 교육과정 전반을 조정하는데 자주 큰 지위가 부여됨 | 의과대학이 평가항목, 방식, 시기 및 평가의 세부적인 규칙 지정 및 필수 과정 분배의 지위가 부여됨 |
| 과정당 학습자의 수가 보통 100명 이상임 | 과정당 학습자의 수가 보통 100명 이하임 |

의료전문직 교육에 TBL을 적용하고자 할 때 지금까지의 TBL에 관한 경험들이 중요한 토대가 된다. 그러나 의료전문직 교육에 TBL을 채택한다는 것이 혁신적 교육기법을 새로운 교육내용 영역에 단순히 적용하는 것만을 의미하는 것은 아니다. 의료전문직 교육의 고유한 상황적 제약들을 고려하여 적용하는 방식에 있어 융통성이 요구된다. TBL 적용 과정에서 본 기법의 원칙에 충실한 것과 반대로 융통성 있게 적용하는 것 이 두 가지가 상충되기 때문에, 의료전문직 교육에서 성공적으로 TBL을 적용할 수 있는 방법에 대한 연구가 필요하다. 이 장에서는 먼저 TBL 관련 집단역학 연구와 의료전문직 교육에의 TBL 적용과 관련된 연구 결과를 고찰하고, 다음으로 문헌에 보고된 연구결과를 근거로 현재 및 향후 이루어질 TBL 관련 연구 방향을 안내할 수 있는 개념적 모델을 제시하고자 한다. 마지막으로 TBL 관련 실험 연구를 통해 어떻게 학문적 성과를 도출할 수 있는지에 대한 TBL 연구 사

례로 마무리하고자 한다. 필자들의 고찰은 주로 발표된 문헌에 국한되어 있지만, 지금까지 TBL 발전 과정의 상당 부분이 연구에 의한 공식적 문헌 보고 외에도 다음과 같은 추가적 과정에 의해 이루어져 왔다. 이러한 과정으로는 개별적인 시도와 관찰, 교육자료와 기법의 공유, 의학교육자 공동체 내의 의견교환 등이 있고, 이러한 과정은 TBL 협력체와 같은 조직에 의해 촉진되었다.

## 집단역학 연구

TBL에서는 학습집단 혹은 팀이 형성되어 작업함으로써 학습과정에 중요한 역할을 한다. Carolyn Birmingham과 Mary McCord(2002)는 집단역학과 높은 수행을 보이는 학습 팀의 계발에 대한 문헌을 광범위하게 고찰한 바 있다. 해당 문헌을 소개하기 위해 여기서 집단의 크기와 다양성 및 집단 성숙 과정에 대한 주요 결과들을 간단히 개괄하고자 한다. 본 문헌에 대해 좀 더 자세한 내용을 원하는 독자들은 원전을 참조하기 바란다.

첫째, 집단의 크기는 의사소통과 학습과정에 중요한 영향을 미친다. 이상적인 집단 구성원의 수는 5~7명 정도이다. 집단의 크기가 더 커지면 흔히 구성원들이 토론에 참여할 기회를 갖지 못하기 때문에 이로 인해 해당 집단 응집력 형성에 장애가 되어 구성원의 만족도가 낮아지는 원인이 될 수 있다. 반면에 5명 미만인 경우에는 응집력은 커지지만 구성원들의 지식의 양과 다양성에 있어서 충분하지 않다. 이러한 경험과 지식의 다양성은 해당 집단이 문제해결에 동원하여 사용함으로써 구성원의 학습을 유도할 수 있는 자원으로서의 역할을 하기 때문에, 집단의 효율성을 결정하는 주요 요소가 된다. 또한 5명 미만의 집단에서는 강하거나 지배적인 성격의 소유자에 의해 방해받기가 쉽다.

둘째, 집단 구성원의 배경, 경험, 관점 및 지식 측면에서의 다양성이 집단학습 과정에서 중요한 영향을 미친다. 이러한 다양성은 해당 집단이 주어진 업무를 성공적으로 수행하는 데 있어 요구되는 지식, 기술 및 경험을 배가시키는 역할을 한다. 집단의 다양성을 높이기 위해서는 집단을 구성할 때 학습자의 선택에 맡기지 말고 교수가 직접 구성할 필요가 있다. 학습자의 선택에 맡기는 경우에는 동질적인 집단을 구성하여 집단의 다양성이 떨어지기 쉽기 때문이다. 또한 다양하게 구성된 집단이 집단작업 과정에서 동료 구성원의 재능을 효율적으로 이용할 수 있게 되려면 약 40시간의 공동작업 시간이 필요하다. 충분한 시간 동안 공동작업을 통해 응집력 있는 집단이 되면, 이질적인 집단이 동질적인 집단보다 높은 성취도를 보이게 된다.

셋째, 집단의 성숙과정이 집단 및 개인의 학습과정에 중요한 영향을 미친다. 집단은 다양한 단계를 통해 경험을 공유하면서 신뢰를 형성하게 된다. 해당 집단은 공동 목표를 설정하게 되고 구성원들은 자신이 속한 집단의 이익을 위해 서로를 돕게 된다. 이 과정에서 각 구성원들의 고유한 능력과 재능을 서로 인식하게 되고, 이러한 모든 능력들을 집단의 업무 수행에 집중하게 된다. 이렇게 성숙한 집단에서는 복잡한 업무를 해결할 수 있는 능력이 유도되어 결과적으로 각 구성원들이 개별적으로 성취할 수 있는 수준보다 더 큰 능력을 집단이 소유하게 된다. TBL에서는 보상시스템(reward structure)이 개인과 집단에게 동기를 부여함으로써 집단의 성숙과정에 기여하게 된다. 구성원 개인의 책무성은 개인으로 하여금 집단에 좀 더 적극적이고 효과적으로 기여하도록 도울 뿐 아니라 공동작업에 대한 개인의 준비를 유도한다. 집단 책무성은 구성원이 팀에 좀 더 헌신하게 하고 팀 구성원 간의 상호작용의 효율성을 높일 수 있도록 돕는다. 집단의 수행결과에 대한 피드백이 적시에 이루어진다면 구성원들은 각 개인의 노력과 공동작업 방식이 어떻게 집단작업의 수행결과에 영향을 미치는지에 대해 즉시 알 수 있기 때문에 집단 내 상호작용이 증진될 것이다.

## 의료전문직 교육에서의 TBL 관련 연구결과

2006년 11월 현재 건강과학 분야에서는 TBL과 관련하여 15편의 논문이 발표되었고, 4편이 인쇄 중에 있다. 대부분의 발표된 논문이 TBL의 학습성과에 초점을 두고 있는 반면에 소수의 논문에서는 측정도구 개발(O' Malley et al., 2003), TBL의 전파(Searle et al., 2003; Thompson et al., 2007), 교수방법에 따른 의사소통 방식(Kelly et al., 2005)처럼 다른 측면을 보고하고 있다. 발표된 문헌에서 사용된 대부분의 자료는 통상적인 교육과정 개발 및 평가 상황에서 수집된 것이다(Dunaway, 2005; Haidet, O' Malley, & Richards, 2002; Hunt, Haider, Coverdale, & Richards, 2003; Levine et al., 2004; Mcinerney & Fink, 2003; Nieder, Parmelee, Stolfi, & Hudes, 2005; Seidel & Richards, 2001; Stringer, 2002; Vasan & DeFouw, 2005). 일부 논문에서는 구교육과정을 거친 학습자들을 대조군으로 설정하였다(Levine et al., 2004; McInerney & Fink, 2003; Nieder et al., 2005). 한 논문에서는 기존 교육과정과는 별도로 실험을 수행하였는데 학습자들을 무작위로 집단을 구성하여 서로 다른 방법으로 교육을 수행하였다.

위에 기술한 적지만 풍부한 문헌들은 의료전문직 교육 연구분야의 강점과 한계를 동시에 상징한다고 하겠다. 실험적으로 실시하는 교육에 강제적으로 학습자를 참가시킬 수 없는 윤리적 원칙과 자료가 한정된 상황에서 대부분의 평가 및 학습성과 자료는 교육현장에 적용하면서 실시한 관찰연구를 통해 수집되었다. 상기한 연구들의 결과들을 총체적으로 고려할 때 다음과 같은 학습성과 패턴을 알 수 있다.

## 지식중심 학습성과 (knowledge-based outcome)

강의 중심으로 이루어진 전통적인 교육과정을 거친 학습자보다 TBL 교육과정을 경험한 학습자들이 좀 더 우수한지에 대한 의문에 많은 관심이 모이고 있다. 문제해결, 성찰적 실천, 창의력 등과 같이 단순한 지식암기를 넘어서는 인지적 측면에 대해서는 평가가 어렵고 또한 통상적인 의료전문직 교육에서는 이러한 측면들의 평가가 이루어지고 있지 않기 때문에 지금까지의 관련 자료 대부분은 기존에 사용되고 있는 지식중심의 평가 방법에 의해 수집된 것이다. 따라서 대부분의 자료들이 지식의 획득 및 기억 차원에 국한된 부분에 대해서만 기술하고 있고, TBL이 촉진한다고 예상되는 다른 차원의 학습효과에 대한 부분은 다루고 있지 않기 때문에 기존 자료를 통해 유도할 수 있는 TBL의 학습효과에 대한 결론에는 한계가 있다.

그럼에도 불구하고 지금까지의 자료에 의하면 TBL 교육과정을 거친 학습자가 학습성적에 있어서 전통적 교육과정을 거친 학습자에 비해 최소한 동등하거나, 일부 사례에서는 오히려 더 나은 결과를 보이고 있다. 상당한 부분의 TBL 활동이 포함된 교육과정을 거친 학습자 집단과 전통적 교육과정을 이미 거쳐간 학습자 집단을 대조군으로 비교한 세 개의 연구에 의하면, 한 연구에서는 TBL 교육집단이 최종시험 내지는 표준화시험에서 대조군과 동등한 수준의 결과를 보였고(Nieder, et al., 2005), 나머지 두 개의 연구에서는 대조군에 비해 TBL 교육집단이 우수한 결과를 보였다(Levine et al., 2004; McInerney & Fink, 2003). 후자의 두 가지 연구 중에서 Levine 등은 추가 연구를 통해 당시에 TBL 교육과정을 통해 대조군 학습자 집단에 비해 우수한 성적을 보였던 학습자들이 TBL 기법을 사용하지 않은 두 개의 과목에서는 대조군 학습자 집단에 비해 더 나은 성적을 보이지 않는다는 사실을 밝혔다. 이러한 연구결과는 표준화시험에서 향상된 성적이 학습자 자체가 우수하다든지 혹은 더 열심히 공부해서 나온 결과가 아니라 TBL 자체에 의한 결과라는 것을 보여준다(R. Levine, personal communication, 2007년 4월 30일). Nieder 및 다른 학자들이 해부학 과목의 학습자 성적을 분석한 결과에 의하면 TBL로 교육한 학습자들의 평균성적은 과거 학습자 집단에 비해 다르지 않았지만 학습자 간의 시험성적의 편차가 줄어들었고 과목 낙제율이 낮아졌다. 이러한 연구결과는 위험군에 속한 하위그룹의 학습자들이 TBL 교육방식으로 효과를 가장 많이 본다는 것을 시사한다. 대조군 없이 TBL을 시행한 연구에서는 성적평가에서 양호한 결과를 보이고 있다. Haidet 등(2004)의 무작위실험연구에 의하면 TBL 교육집단과 강의중심의 교육집단 간의 성적 차이는 보이지 않았다. 그러나 해당 연구에서 교육과정은 단발성 TBL로 구성되어 있었고, RAT, 평점, 동료평가 및 장기간의 팀 활동 등의 TBL의 많은 요소들이 포함되어 있지 않았다.

## 수업 몰입도

팀 구성원 및 팀 간의 토론, 팀이 도출한 답을 모두 함께 동시에 제시해야 하는 운영규칙에 의해 유도되는 활기찬 분위기 등 TBL의 특징들을 고려할 때, TBL과 관련된 모든 문헌들에 수업 몰입도에 대한 평가가 포함되어 있는 것은 당연하다. 이와 관련된 모든 연구결과를 살펴보면 TBL은 학습자와 교수 및 동료 학습자 간 그리고 교육자료에 대해서 높은 몰입도를 보였다. 본 연구들의 평가방식으로는 수업이 예정된 시간을 초과한 경우에 강의실을 떠나는 학습자의 비율에 대한 단순관찰(Haidet et al., 2002)에서부터 학습자들의 자체 응답 및 정신측정학 도구를 이용한 제3자에 의한 관찰(Dunaway, 2005; Hauder, Morgan, O' Malley, Moran, & Richards, 2004; Hunt et al., 2003; Kelly et al., 2005; Levine et al., 2004; Seidel & Richards, 2001; Stringer, 2003; Vasan & DeFouw, 2005)에 이르기까지 다양하다. 이들 연구에서 수업 몰입도의 기준은 학습자가 주어진 과업에 계속적으로 임하는 정도, 동료 및 교수와의 능동적인 의사소통, 신문 보기나 이메일 검색 등과 같이 수업과 관련 없는 행동을 하지 않는 상태 등으로 정의하였다. 과정에 대한 정성적 평가를 실시한 보고(Hunt et al., 2003; Levine et al., 2004)에 의하면 TBL 중심 교육과정에서의 지식평가에서 높은 성적을 거두기 위한 일차적 원인으로는 학습자에게 좀 더 철저한 사전 읽기 및 예습을 할 수 있도록 지도함으로써 교육자료에 대한 학습자의 몰입도를 증가시키는 것이라고 하였다.

정성적 혹은 정량적 기법으로 몰입도를 측정하는 수준을 넘어 학습자들의 몰입도가 증가하는 이유를 조명하는 연구는 거의 없는 상태이다. 최근 한 연구(Levine, Kelly, Karakoc, & Haidet, 2007)에 의하면 팀 내 동료 학습자 간의 관계 형성 및 팀 수행 결과에 대해 각자 기여한 것에 대한 팀 구성원들의 인식이 학습자들로 하여금 교육과정 중에 교육자료와 동료 학습자에 대해 몰입하게 하는 강력한 동기로 작용한다고 한다.

## 학습자 태도

지금까지 수행된 연구들은 교과내용, 수업별 혹은 과정별 교육효과, 팀 작업의 유용성, TBL 자체의 유용성에 대한 학습자의 태도에 대해 많은 측정을 하였다. 대부분의 연구에서 TBL의 여러 측면에 대해 호의적인 태도를 보여주고 있지만 모두가 그러하진 않다. 이러한 연구결과들을 총체적으로 종합해보면 학습자들은 TBL에 대해 흥미로우면서도 상반된 복합적인 반응을 보이고 있다. 라이트 주립대학(Wright State University)을 비롯한 여러 기관(Haidet et al., 2002; Seidel & Richards, 2001)에서의 초기 관찰에 의하면 학습자와 전공의들은 TBL 자체에 대해서 호의적인 태도를 보였고, TBL 교수전략을 이용하여 수업을 진행한 후부터 배우는 교과내용에 대한 태도가 개선되었다.

학부생, 대학원생 및 의과대학 1, 2학년을 대상으로 실시한 추가 연구에서도 TBL에 대한 긍정적 태도가 동일하게 보고되었다(Dunaway, 2005; McInerney & Fink, 2003; Nieder et al., 2005). 또한 Levine 등(2004)에 의한 보고에 따르면 임상실습과정의 의대생들이 TBL 과정에 참가한 후에 팀 학습의 가치에 대한 인식이 개선되었다고 한다. 그러나 Hunt 등(2003)의 보고에 의하면 임상실습 이전의 근거중심의학의 TBL 과정에서 의대생들은 바람직한 학습 행동을 보였다. 그러나 많은 학습자들이 TBL을 비효율적이고 효과가 제한적인 방법으로 평가하고 있었다. 이러한 연구결과는 무작위로 실시된 조사에서도 동일하였다(Haidet et al., 2004). 해당 연구가 단지 일회성의 학습경험을 비교하였다는 기본적인 한계(학습집단이 제대로 형성될 수 있을 정도의 충분한 시간이 주어지지 않음)를 고려한다 해도 TBL에 의한 능동적 학습과 강의에 대한 학습자들의 태도에는 의미 있는 차이가 발견되었다. 학습자들은 TBL이 학습목표를 달성하는 데 효과적이지 않으며, 강의식 수업에 비해 배우는 것이 적다고 생각하였다. TBL에 참여한 학습자들은 강의식으로 교육받은 학습자들에 비해 수업에 대한 몰입도가 높았다고 자신들이 지각하고 있음에도(제3자에 의한 관찰결과도 동일) 불구하고 TBL 방법에 대해 부정적인 태도를 보였다. 반면에 TBL 또는 강의로 각각 교육받은 학습자들의 교육 전후 지식평가에서 두 집단은 동일한 성적을 보였다. 본 연구결과에 대한 연구자들의 설명에 의하면, 강의식과 비교해서 TBL 방법을 통해 최소한 동일한 수준으로 학습이 이루어지고 수업에 대한 몰입도도 더 높았음에도 불구하고, TBL과 같은 능동적 학습방법이 학습자들이 가지고 있는 효과적인 교육에 대한 기본적인 선입견과 상충함에 따라 학습자들이 TBL의 가치를 낮게 인식하게 되었을 가능성이 있다고 한다. 교육현장에서 TBL에 대한 실험연구가 늘어남에 따라 향후 관련 연구에서는 TBL 경험과 학습성과에 미치는 영향을 이해하기 위해 학습자 태도에 대한 연구를 지속하면서 교수태도에 대한 평가 작업도 같이 시작해야 할 것이다.

## 의료전문직 교육 분야에서 TBL 관련 연구를 위한 개념적 모델

의료전문직 교육의 고유한 특징과 이로 인해 TBL 적용 시 수반되는 여러 제약들을 고려할 때, TBL의 실행 및 평가와 관련한 추가 연구가 필요하다. 예를 들면 TBL을 실행하고 있는 교수들은 학습자 집단이 높은 수준의 수행 학습 팀이 되기 위해서는 상당한 시간의 접촉 시간(통상적으로 40시간 정도)이 필요하다는 데 의견을 같이한다(Birmingham & McCord, 2002). 그러나 일반적으로 의료전문직 교육의 단일 교육과정에서 이렇게 많은 접촉 시간을 확보하기는 쉽지 않다. 접촉 시간 관점에서 이상과 현실의 간극은 관련 연구에서 추구할 수 있는 다음의 주제들을 시사해 주고 있다:

1. TBL 과정에서 학습 팀의 접촉시간이 적은 경우 어떠한 학습효과를 기대할 수 있겠는가?
2. 여러 과정에서 동일한 학습 팀이 유지된다면 높은 수준의 수행 학습 팀의 특징적인 상호작용 패턴이 유도될 수 있겠는가?
3. 소위 "40시간 법칙"이 모든 교육과정 혹은 상황에서 적용되는가? 임상병동과 같은 특수한 상황에서 혹은 훈련을 통해 좀 더 빨리 높은 수행 학습 팀이 형성될 수 있겠는가?
4. 교육과정 진행과정에서 TBL을 경험해 보았을 경우 나중에 다시 TBL을 시작할 때에는 좀 더 짧은 접촉 시간으로도 높은 수준의 수행 학습 팀이 될 수 있겠는가?
5. 수행능력이 높은 집단이 될수록 개별 학습자의 학습이 증가하는가?

TBL을 최대한 성공적으로 수행하려면 의료전문직 교육 환경에서 가장 효율적인 TBL 적용을 위한 관련 지식을 쌓아야 한다. 이를 위해 상기 문제들과 기타 관련 의문점에 대한 연구를 할 필요가 있다.

교육자들은 TBL에 대한 경험을 쌓아가면서 중요한 의문점들을 갖게 될 것이다. 반면에 연구자들이 동일한 접근 틀을 공유하여 연구한다면 이 분야에 도움이 될 것이다. 바로 이 점에서 개념적 모델이 도움이 될 수 있다. 왜냐하면 이러한 개념적 모델이 TBL 분야에서 도출되는 연구결과와 이론의 기본적 지도 역할을 할 수 있기 때문이다. TBL과 관련해서 의료전문직 교육 분야의 연구를 통해 지금까지 알려진 연구결과들과 함께 TBL의 개발 과정에서 근거가 되었던 일반적으로 인정되는 가설, 이론, 관찰소견 및 연구결과들로부터 TBL의 개념지도를 도출할 수 있다. 그림 10.1에 TBL의 개념적 모델이 제시되어 있다. 이 모델을 통해 TBL의 기본 가정과 학습에 대한 효과들을 분명하게 제시하고 관련 연구를 위한 브레인스토밍과 연구주제 도출과정을 촉진시키고자 한다. 제시된 모델에 관련 데이터가 축적되고 변화 및 수정되면서 해당 모델의 구성요소와 이들의 관계로부터 새로운 결론들이 도출되리라 기대한다.

이 모델에서는 학습자의 몰입이 중심개념을 형성한다. TBL의 기본 가정은 교육내용과 학습자 상호간에 학습자들로 하여금 의미 있는 몰입을 촉진할 수 있는 활동이 궁극적으로 바람직한 학습 성과를 유도할 수 있다는 것이다. 이러한 가정은 대부분의 교육학습이론의 핵심이며(Bransford, Brown, & Cocking, 2000), 여러 가

**[그림 10.1]** 팀 바탕학습의 개념적 모델

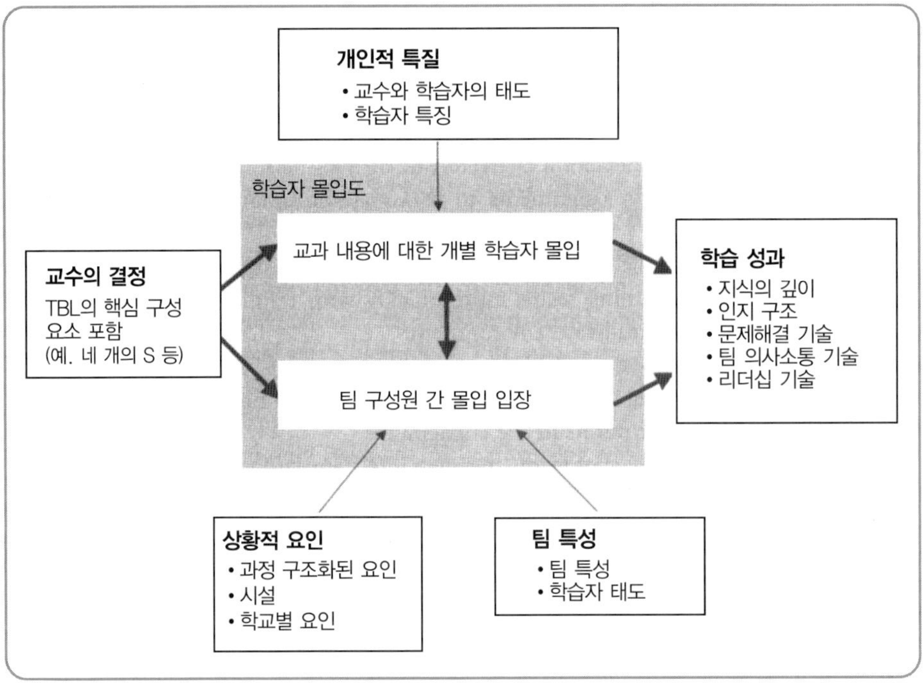

지 다양한 형태로 기술되고 있다. 예를 들면 Parker Palmer(1998)는 "진리의 공동체(Community of Truth)"를 이상적인 학습환경으로 기술하고, 여기서는 학습자와 교수 및 학습자 상호간의 대화가 학습주제에 대해 깊은 몰입과 이해를 촉진한다고 하였다.

개념적 모델에서는 TBL 적용이 일련의 설계 결정요소들을 특징으로 하고 있고, 이러한 특징적 설계 요소들이 높은 수준의 학습자 몰입을 유도한다. 학습자 몰입은 서로 밀접하게 관련되어 있는 두 가지 수준에서 이루어진다. 첫 번째는 개별 학습자의 교과내용에 대한 몰입이다. 이러한 몰입은 개인별 예습 및 학습을 통해 이루어질 수 있지만 또한 학습자가 곰곰이 생각해보고, 가설을 세우거나 관련 정보를 검색하여 이미 알고 있는 지식과 교과내용을 연결하면서 관련 학습주제에 대해 이루어지는 깊은 상호작용을 의미하기도 한다. 즉 교과내용에 대한 몰입은 학습자가 자신의 기존 지식과 경험에 교과내용을 편입시키는 일종의 통합과정이다(Dewey, 1938).

두 번째 형태의 학습자 몰입은 학습 팀 내에서 이루어진다. 집단 형성과정에 대한 연구분야에서 집단 발달에 관한 이론들에 의하면 높은 수행 팀들은 예를 들면 (형성, 격동, 규준, 실행) 단계처럼 많은 발달단계를 거쳐 발전해 간다고 한다(Tuckman, 1965). 집단 발달에 관한 이론들에 의하면 높은 수행팀은 개별 구성원별로 고유한 강점들을 취합하고 최대한 활용하여 팀의 목표를 달성할 수 있는 상호작용 패턴을 보이는 것이 공통적인 특징이라고 한다.

개념적 모델에서 중심이 되는 핵심은 그림 10.1에서 굵은 화살표로 나타나 있듯이―예를 들어 TBL 수업의 4가지 구성요소인 "네 개의 S"처럼―수업 설계 시 교수가 이떤 구성요소를 결정하느냐가 학습자와 교과내용 및 학습자 상호간에 대한 관계, 즉 학습자 몰입에 영향을 미치게 된다는 점이다. 팀 구성원 간의 몰입과 교과내용에 대한 몰입, 이 두 가지 몰입은 상호 밀접한 관련이 있을 뿐 아니라 상호 강화작용을 하기도 한다. 예를 들면 TBL 과정을 경험한 정신과 실습학생들을 대상으로 한 조사에 의하면 자신의 팀을 실망시키지 않으려는 욕구가 압도적으로 나타남에 따라 이런 심리가 수업 전에 미리 교과내용을 예습하게 되는 일차 동기로 작용하였다고 한다(R. Levine, personal communication, 2003). 학습자 상호간 및 교과내용에 대한 몰입의 정도가 좀 더 크거나 질적으로 높으면 높을수록 지식, 술기, 태도와 같은 다양한 학습성과 성취에 유리하게 작용할 것으로 기대할 수 있다.

마찬가지로 교과목별 특수요인 및 학교별 상황적 요인들이 TBL 수업에서의 몰입의 정도와 질에 영향을 미칠 수 있는데, 이러한 요인에는 해당 과정에서 구성원 간 접촉 시간의 양과 수업의 정기적 실행 여부, 강의실 방음 및 안락함의 정도, 동시에 진행되는 교과목의 종류 및 교과목의 진행 배열 그리고 해당 학교의 학습문화가 있다.

또한 팀 자체의 특성이 팀의 수행능력을 극대화할 수 있는 행동패턴으로 발전해 가는 과정에 영향을 미칠 수 있는데, 이러한 특성으로는 팀별 구성원 성격 구성, 팀 내 리더십, 인지 및 감성 스타일의 조화 여부, 팀 작업에 대한 가치 중시 정도와 같은 학습자별 태도, 좋은 수업에 대한 학습자별 정의가 있다. 이러한 매개변수들로 인해 상황별로 TBL 수업의 성공 여부에 영향을 미칠 수 있기 때문에 가능하면 이러한 매개변수들을 평가해 봄으로써 해당 상황을 좀 더 잘 이해할 수 있고, 전문의료직 교육상황에서 TBL을 채택하여 접근 계획을 수립할 때 도움이 될 수 있다.

개념적 모델은 TBL 연구자들이 공유할 수 있는 표준틀을 제시함으로써 이를 참고하여 연구문제의 도출, 연구방법의 개발 및 평가 전략을 설계하는 데 도움을 주고자 제시되었다. 의료전문직 교육환경에서의 TBL 실행에 관한 세부 사항과 관련된 분야의 발전과 관련 지식의 축적을 위해 교육자들은 TBL의 경험에 근거한 연구를 계속 진행하고 그 연구결과를 전파할 필요가 있다. 이 장의 마지막 부분에서는 통상적인 교육환경에서 TBL 관련 연구를 진행함에 있어서 상기한 개념적 모델을 어떻게 적용할 것인가를 보여주는 사례연구를 제시하고자 한다.

## 사례연구 : 의과대학 1학년 교육과정의 통합과목

본 사례연구의 의도는 독자들이 TBL을 계획할 때 TBL 관련 연구 기회를 탐색할 수 있게 하기 위함이다. 본 사례는 현재까지 보고된 의학교육에서의 TBL을 주제로 하여 발표된 연구들과 관련된 비공식 자료에 근거하였으며, 개념적 모델의 특정 요소에 근거하여 시도할 수 있는 경우를 보여줄 수 있도록 구성하였다. 실제 실행과정에서는 자신의 상황에 적절한 연구문제, 가용한 자원 및 도출될 연구결과의 전반적 의미를 고려하길 바란다. 연구과제를 성공적으로 수행하는 데 가장 중요한 점은 연구자가 조사할 연구문제를 하나 내지는 소수로 제한해야 한다는 점이다. 이렇게 함으로써 해당 업무에 집중할 수 있고 궁극적으로는 성공적으로 본 연구를 마침으로써 자신의 TBL 경험의 결과를 전할 수 있게 될 것이다.

## 사례 배경

중간 규모(학년당 120명) 의과대학의 교육과정위원회가 1학년 가을 및 봄 학기의 교육과정을 통합하기로 하였다. 학기당 한 명씩 2명의 과정책임자의 관리하에 새로운 통합교육과정을 만들기 위해 4개의 교실이 함께 작업을 해야 한다. 과정책임자들은 새로운 교육과정의 내용에 대해 작업을 할 교수들을 모집하기 시작하였다. 해당 의과대학의 수뇌부는 과정책임자에게 학습자의 능동적인 학습량을 증가시키고 강의량은 감소시켜야 된다고 요청하였다. 그러나 이러한 목표를 달성하기 위해 어떠한 교육방법을 사용해야 하는지에 대해서는 구체적으로 지시하지 않았다. 과정책임자들은 교수의 수와 교육시간이 한정되어 있는 상황에서 능동적 학습을 위해서는 TBL이 훌륭한 선택이라는 데 동의하였다.

## 팀 특성

TBL 담당 교수들은 해당 과정의 공통 구성요소들의 설계 시작 단계에서 학습자들의 팀 구성방식에 대해 고민하였다. 학습자들이 팀을 선택하게 하지 말고 과정책임자가 팀을 구성해야 한다는 데 모든 교수들이 동의하였다. 그러나 교과목 내용과 팀 구성과 관련하여 참고할 수 있는 학습자 관련 배경 정보가 없었다. 무작위로 팀을 구성하는 것만이 가능한 선택이었다. 그러나 경영대학원 과정의 경험이 있는 일부 교수들은 좀 더 체계적인 방법으로 팀을 구성해야만이 팀 수행도를 극대화시킬 수 있다고 하였다.

**연구 문제** : 무작위로 팀을 구성하는 것보다 성격 혹은 인지 스타일에 근거한 팀 구성 방식(예. MBTI)이 더 높은 팀 수행도를 보일 것인가?

**연구방법** : 교수들은 1학기 이후에는 팀을 다시 구성해서 1년 동안 동일한 학습자들을 대상으로 두 가지 팀 구성 방식(무작위 방식과 성격에 근거한 방식)을 적용하기로 결정하였다. 새로운 교육과정의 첫 해 1학기에는 성격에 근거한 방식을 사용하고 2학기에는 무작위 방식을 사용한다. 두 번째 해 1학기에는 무작위 방식을 사용 확인하고 2학기에는 성격에 근거한 방식을 사용한다. 또한 2년 동안 개인학습 준비도 확인시험(IRAT), 집단학습 준비도 확인시험(GRAT), 최종시험에서 동일한 문제를 사용한다. 교수들은 수업시간에 각 팀 내에서의 상호작용의 질에 관해 관찰하여 기록을 하고, 매 학년말에는 해당 학년의 학기 간의 관찰기록을 비교하며, 2년 후에는 각 학년의 IRAT, GRAT, 최종시험 성적을 비교한다.

## 시설

열 개의 작업공간이 있는 실습실이 있고, 이 공간을 사용하게 되면 6명이 한 팀이 되어 총 열 개의 팀이 TBL을 할 수 있다. 이 경우 전체 학급의 반씩 참가하여 각 수업을 두 번씩 실시해야 한다. 혹은 학급 전체를 수용할 수 있는 강의실도 사용 가능하다. 두 공간 모두 수업을 비디오 녹화할 수 있는 카메라 시설이 되어 있다. 과정책임자들은 어느 공간을 사용할 것인가(그리고 작은 공간을 사용 시 추가 수업 부담)에 대해 생각하면서, 교육 공간의 구조와 전체 학급의 크기가 학습과정에 미치는 영향에 대해 궁금해 한다.

**연구문제** : (가) 교육공간의 구조가 학습 팀에서 학습자들의 상호작용에 어떻게 영향을 미치는가? (나) 전체 학급의 크기가 학급 전체를 대상으로 하는 토론(예. 팀과 팀 간의 토론)의 질에 영향을 미치는가?

**연구방법** : 과정책임자들은 1학기에는 실습실을 사용하고 2학기에는 강의실을 사용하기로 하였다. 다음해에는 순서를 바꿔서 1학기에는 강의실을 사용하고 2학기에는 실습실을 사용하기로 하였다. 모든 TBL 수업을 비디오 녹화하기로 하였고,

TBL 과정에서 학습자들의 토론의 질과 토론의 촉진 과정에 대한 모든 TBL 참가 교수들의 의견을 듣기 위해 각 TBL 수업 종료 후 5분 인터뷰를 하기로 하였다. 과정책임자들은 녹화된 모든 TBL 수업을 검토하여 TBL 수업과정에서 나타나는 특정 의사소통 패턴에 대해 의견을 제시하기로 하였다. 2년 후에 과정책임자들은 다른 두 교육공간에서 학습자들의 토론의 질과 상호작용 패턴의 차이를 체계적으로 분석하기 위해 참여교수 인터뷰 자료, TBL 수업시간의 학습자들의 신체언어 자료, 참여교수들의 수업녹화 검토 자료, 과정책임자들의 수업녹화 분석 자료들을 검토할 계획이다.

## TBL 구성요소

TBL 실행 첫 해에 각 학습자가 팀 내의 동료 학습자를 평가하는 동료평가과정을 실행한다. 과정책임자는 각 학습자들이 팀의 동료 학습자들에게 나누어 주어야 하는 일정 점수를 준다. 학습자들은 이 점수를 분배함에 있어서 차이를 두어야 한다(예. 3명 이상의 팀 동료에게 동일한 점수를 줄 수 없음). 팀 동료 학습자들로부터 받는 동료평가 점수는 해당 학습자의 해당 과목 평가점수에 일정 부분 반영된다. 시행하는 첫 해에 과정책임자는 학습자들로부터 동료평가에 대해 많은 불만을 듣게 된다. 이러한 불만의 핵심은 학습자들로 하여금 동료 학습자를 평가하게 하는 것은 공정하지 않다는 것과 일부 팀들은 동료평가를 약속에 의해 조작하여 평가를 하고 있다는 것이다. 과정책임자들은 동료평가가 팀의 수행도에 어떤 영향을 미치는지 그리고 다음해에도 동료평가를 계속해야 하는지에 대해 궁금해 한다.

**연구문제 :** 동료평가 과정이 학습자들의 사전 준비 학습과 팀 내에서의 상호작용 측면에서 학습자들의 행동에 어떠한 영향을 미치는가?

**연구방법 :** 동료평가 과정과 연관해서 해당 교과목의 공식적인 정성평가를 실시하기로 한다. 무작위로 선택된 40명의 학습자가 본 주제와 관련된 세 개의 중심 집단에 참여하게 된다. 여기서 학습자들을 무작위로 선택한 것은 무작위 선택이 동료평가에 관한 태도 측면에서 균형 있게 섞여 있는 학습자들이 선택되리라는 가정에

의한 것이다. 또한 중심 집단을 구성하는 데 있어서 중심 집단 내에서 자기 팀 내의 집단역학에 대해 안심하고 정직한 답변을 할 수 있도록 각 중심 집단 내에는 동일한 팀의 구성원이 동시에 배치되지 않도록 한다.

과정책임자들은 참여 학습자들에게 50달러의 수고비를 줄 수 있도록 교육부학장으로부터 예산을 확보한 후 본 재원을 이용하여 중심 집단 모집에 응하도록 유도한다. (가) 동료평가가 개별 학습자의 수업에 대한 몰입도에 미치는 영향과 (나) 동료평가가 팀 내의 의사소통 역학에 미치는 영향, 이 두 가지에 대한 학습자들의 인식에 대한 조사 문항이 들어있는 중심 집단 인터뷰 가이드를 개발한다. 과정책임자는 본 TBL 과정에 참여하지 않은 교수로서 정성적 연구에 관한 전문성을 지닌 교수로 하여금 중심 집단에 대한 조사 진행을 맡도록 하고, 해당 교수에게 TBL의 성격과 동료평가와 관련된 문제들에 대해 설명을 해준다. 또한 과정책임자들은 행정보좌역으로 하여금 중심 집단 토론 녹취 내용을 속기하도록 하고(인적 사항은 제거) 이러한 속기록에 대한 분석 계획을 세운다. 본 분석은 학습자들이 동료평가에 부여하는 의미와 함께 이러한 의미가 개별 학습자 및 팀의 몰입도에 미치는 영향을 이해하고자 하는 데 목표가 있다.

상기한 세 가지 연구사업은 의료전문직 교육에서 TBL 실행 시 가능한 풍부한 연구 기회들 중의 적은 사례에 불과하다. 필자들은 개념적 모델의 특정 영역을 선택하여 본 모델이 특정 연구를 위해 브레인스토밍과 여러 가능한 선택들에 대한 탐구를 어떻게 도와줄 수 있는지를 보여주고자 하였다. TBL 관련 연구 기회들이 포착되면 이들을 정리해서 (가) 실행 가능성과 (나) 추구하는 정보의 중요성 측면에서 비교할 수 있을 것이다. 이러한 방식으로 의과대학 교육과정에 TBL을 접목시킬 수 있는 가장 훌륭한 방법의 개발을 목표로 대학보직자, 고정책임자, 참여교수들 및 기타 관련 구성원들이 해당 대학을 위한 연구계획을 수립할 수 있을 것이다.

## 결론

결론적으로 TBL은 개척자들의 계속된 시도와 이에 따른 연구결과와 더불어 집단

역학 분야의 이론 및 연구가 바탕이 되어 개발된 것이다. 의료전문직 교육에 TBL을 적합하게 적용하기 위해서는 의료전문직 교육분야의 독특한 교육상황을 고려해야 한다. 의료전문직 분야의 교육자들이 TBL을 실행하고, 평가하고, 각자의 경험을 교환하는 등의 TBL 연구 활동에 의해 의료전문직 교육 분야에서의 TBL의 성공적인 접목이 이루어질 수 있을 것이다.

## 참고문헌

Birmingham, C., & McCord, M. (2002). Group process research: Implications for using learning groups. In L. K. Michaelsen, A. B. Knight, & L. D. Fink (Eds.), *Team-based learning: A transformative use of small groups* (pp. 73–94). Westport, CT: Praeger.

Bransford, J. D., Brown, A. L., & Cocking, R. R. (Eds.). (2000). *How people learn: Brain, mind, experience, and school.* Washington, DC: National Academy Press.

Dewey, J. (1938). *Experience & education.* New York: Touchstone.

Dunaway, G. A. (2005). Adaptation of team learning to an introductory graduate pharmacology course. *Teaching and Learning in Medicine, 17*(1), 56–62.

Haidet, P., Morgan, R. O., O'Malley, K. J., Moran, B. J., & Richards, B. F. (2004). A controlled trial of active versus passive learning strategies in a large group setting. *Advances in Health Sciences Education, 9*(1), 15–27.

Haidet, P., O'Malley, K. J., & Richards, B. F. (2002). An initial experience with team learning in medical education. *Academic Medicine, 77*(1), 40–44.

Hunt, D. P., Haidet, P., Coverdale, J. H., & Richards, B. F. (2003). The effect of using team learning in an evidence-based medicine course for medical students. *Teaching and Learning in Medicine, 1*(2), 131–139.

Kelly, P. A., Haidet, P., Schneider, V., Searle, N., Seidel, C. L., & Richards, B. F. (2005). A comparison of in-class learner engagement across lecture, problem-based learning, and team learning using the STROBE classroom observation tool. *Teaching and Learning in Medicine, 17*(2), 112–118.

Levine, R. E., O'Boyle, M., Haidet, P., Lynn, D., Stone, M. M., Wolf, D. V., & Paniagua, F. A. (2004). Transforming a clinical clerkship through team learning. *Teaching and Learning in Medicine, 16*(3), 270–275.

Levine, R. E., Kelly, P. A., Karakoc, T., & Haidet, P. (2007). Peer evaluation in a clinical clerkship: Students' attitudes, experiences, and correlations with traditional assessments. *Academic Psychiatry, 31*, 19–24.

McInerney, M. J., & Fink, L. D. (2003). Team-based learning enhances long-term retention and critical thinking in an undergraduate microbial physiology course. *Microbiology Education, 4*(1), 3–12.

Nieder, G. L., Parmelee, D. X., Stolfi, A., & Hudes, P. D. (2005). Team-based learning in a medical gross anatomy and embryology course. *Clinical Anatomy, 18*(1), 56–63.

O'Malley, K. J., Moran, B. J., Haidet, P., Seidel, C. L., Schneider, V., Morgan, R. O., Kelly, P. A., & Richards B. F. (2003). Validation of an observation instrument for measuring student engagement in health professions settings. *Evaluation & The Health Professions, 26*(1), 86–103.

Palmer, P. (1998). *The courage to teach*. San Francisco: Jossey-Bass.

Searle, N. S., Haidet, P., Kelly, P. A., Schneider, V. F., Seidel C. L., & Richards, B. F. (2003). Team learning in medical education: Initial experiences at ten institutions. *Academic Medicine, 78*(Suppl. 10), 55–58.

Seidel, C. L., & Richards, B. F. (2001). Application of team learning in a medical physiology course. *Academic Medicine, 76*(5), 533–534.

Stringer, J. L. (2002). Incorporation of active learning strategies into the classroom: What one person can do. *Perspectives on Physician Assistant Education, 13*(2), 98–102.

Thompson, B. M., Schneider, V. F., Haidet, P., Levine, R., McMahon, K., Perkowski, L., & Richards, B. F. (2007). Team learning at ten medical schools: Two years later. *Medical Education, 41*, 250–257.

Tuckman, B. W. (1965). Developmental sequence in small groups. *Psychological Bulletin, 63*(6), 384–399.

Vasan, N. S., & DeFouw, D. (2005). Team learning in a medical gross anatomy course. *Medical Education, 39*(5), 524.

제2부

# 적용 사례

제 11 장

# 의과대학 예비과정에서의 팀 바탕학습

## *유전학*

*Dorothy B. Engle*

전 세계가 밀레니엄 버그에 대비하고 있던 1999년, Edward 왕자가 Sophi Rhys-jones와 결혼할 때 필자는 Larry Michaelsen이 주관하는 팀 바탕학습(Team-Based Learning, TBL) 관련 교수개발 워크숍에 참가했었다. 상기한 3가지 사건들 중에서 필자에게 가장 의미 있던 것은 TBL 워크숍에 참가한 일이었다.

당시 필자는 학부과정에서 유전학을 3년째 가르치고 있었다. 유전학은 생물학 전공자들에게는 필수과목이었고, 의과대학 진학 준비자들에게는 반드시 이수하도록 추천되는 과목이었다. 유전학은 생물학의 하위 학문 분야이지만 일종의 기법과 관련된 분야이기 때문에 생물학의 여타 분야들과는 다르다. 유전학은 유전과 유전의 단위인 유전자가 개체의 다양한 특징들을 나타내도록 하는 방법들에 대해 초점이 맞추어져 있다. 또한 유전학은 생화학, 생리학, 생태학에 이르기까지 생물학의 모든 분야에 적용될 수 있는 일종의 도구모음이라고 할 수 있다. 이 점에서 유전학은 수학과 비슷하다. 마치 특정 문제를 푸는 방법을 이해하면 이를 아주 다양한 문제들에 적용할 수 있는 것과 마찬가지이다. 유전학은—특히 분자 수준에서의 실험기법으로서—의학, 수의학, 법 집행 분야뿐 아니라 생물학의 전 분야에 걸쳐 경이적인 위력을 발휘하고 있다. 점차적으로 많은 질환들을 유전자 수준에서 이해하게 됨에 따라 의료전문직 교육의 예비과정에서 유전학 원리에 대한 철저한 기초지식과 유전자 기법에 대한 이해가 필수적으로 요구되고 있다.

## 필자는 왜 학부 유전학 과정에서 TBL을 채택하였는가

3년 동안 필자는 "일반적인" 으로 유전학을 가르쳤다. 과정 중 일부 시간을 문제해결 방법에 대한 시범과 약간의 통상적인 소집단 작업에 할애한 것 외에는 대부분을 강의로 일관한 것이다. 대부분의 학습자들은 각 장에 포함되어 있는 대부분의 문제들을 혼자 풀었으며, 일부는 과제해결 모임(homework club)에서 해결 하였다. 학습자들의 성적은 상중하별로 통상적인 분포를 보임으로써 예측한 바의 결과를 보였지만, 필자는 계속해서 뭔가 만족스럽지 못한 느낌을 지울 수가 없었다. 대부분의 학습자들이 전통적인 실험들을 재연하고 그것들의 의미를 토론할 수 있었지만, 해당 지식을 적용해서 다른 상황을 다룰 수 있는 실험을 제안하는 학습자는 거의 없었다. 학습자들은 적은 양의 자료를 이용한 단순한 계산문제에는 능숙해졌지만, 일련의 실험과정들을 통해 하나의 완성된 결론을 도출해 내는 것에는 어려움을 겪고 있었다. 학습자들에게는 익숙해진 강의 형태가 가장 잘 맞아 보였다. 대부분 3학년인 학습자들은 이미 생물학 수업에서 적당하게 학점을 취득하는 방식을 알고 있었고, 의과대학에 지원할 학습자들은 의대입학시험(Medical College Admission Test, MCAT)을 위해 유전학에 대한 피상적인 이해가 필요할 뿐이었다(하지만 최근에는 MCAT에서 좀 더 복잡한 유전학 문제가 출제되기 시작해서 유전학이 의대 준비생들에게는 좀 더 중요한 과목이 되었다). 필자는 이런 상황을 바람직하다고 볼 수 없었다. 필자는 유전학자를 만들고 싶었지만 "유전학 역사가"를 계속해서 만들고 있었다. 이는 학습자들의 잘못이 아니라 필자 본인의 잘못이라는 것을 알고 있었다. 당연히 학습자들은 필자의 심기가 점점 불편해지고 있다는 것을 전혀 모르고 있었다.

유전학 수업과 관련된 필자의 또 다른 불만은 학습자들이 매우 전형적인 행동을 보인다는 것이다. 학습자들에게 수업 전에 과거에 이미 배운 특정 내용을 복습하고 오라고 자주 상기를 시키지만 진단평가용 퀴즈 성적을 보면 대부분의 학습자들이 복습을 하지 않았다는 것을 알 수 있다. 결국은 일반생물학 수업에서 배웠던 개념들을 유전학 시간에 다시 설명해야 했다(필자 자신이 입문과정을 가르치고 있기 때문에 학습자들이 이에 대해 배우지 않은 것처럼 가장하기는 어렵다). 교수가 알아서 다시 가르쳐 주는데 학습자들이 구태여 복습을 하고 올 필요가 있겠는가? 또한 학습자들에게는 으레 시험 보기 전 날 "벼락치기 공부"를 하는 습관이 오래 전 부터 굳어져 있지 않는가?

1999년, Larry Michaelsen을 교수개발실에서 초청하여 그를 통해 TBL을 배운 적이 있다. 필자는 워크숍에서 교수전략과 관련된 몇 가지 비결을 배울 거라 기대했었으나, 이처럼 완전히 변환하게 될 것이라고는 생각하지 못했다. 그가 TBL에 대해 전반적인 설명을 한 후 수업 시간에 강의만 하는 경우와 TBL을 시행할 경우의 학습성과를 비교 설명하였을 때 필자는 놀람을 감출 수 없었다. 여기서 필자가 배운 가장 중요한 교훈은 그 동안 수업 시간의 대부분을 강의로 진행함으로써 학습자들이 혼자서 학습할 수 있는 것까지 직접 가르치고 있었다는 것이었다. 교과내용의 경우 교과서를 읽으면 쉽게 알 수 있는 단순한 정의들을 설명하는 데 시간을 낭비하였으며, 이미 학습자들이 과거에 배운 내용이고 독립적으로 복습할 수 있는데도 불구하고 수업시간에 다시 불필요하게 반복하여 가르치고 있었던 것이다. 이와 같은 일에 소중한 시간을 낭비하면서 오히려 교수의 도움과 안내가 필요한 것과 관련해서는 계속하여 과제물로 내줌으로써 학습자 혼자 해결하도록 하고 있었다. 학습자들의 문제해결력 증진을 위해 수업 중에 그에 대한 연습을 일부 하고 있었지만 남은 시간이 부족하여 충분히 할 수 없었다. 이를 보완하기 위해 정규 수업 외의 시간에 소집단 학습을 시도해보려 하였으나 학습자들이 별도의 시간을 내기가 어려워 비생산적이었으며 좌절감만 불러왔다. 다행스럽게도 TBL 워크숍에서 필자가 가르치는 과목에 쉽게 적용할 수 있는 방법에 관한 정보를 많이 다루고 있었다. 필자는 Michaelsen의 TBL 모델과 새 교과서를 토대로 기존 유전학 과정 전체를 해체하고 다시 구성하기 시작하였다. 유전학의 교육과정은 대부분 문제해결과 관련되어 있기 때문에 교과내용을 TBL 형태로 다시 만드는 작업은 비교적 용이하였다.

## 유전학 과정에서의 TBL 실행

2000년 1월 필자는 당시 새로운 교육방식에 대해 적대적이진 않았으나 회의적이었던 학습자들에게 새롭게 개선된 유전학 과정을 시작하였다. 필자는 학습자들이 신입생이었던 시절에 첫 생물학 과정을 담당하면서 학습자들의 고등학생에서 대학생으로의 이행과정을 성공적으로 도와 신뢰를 얻은 바 있었다. 이러한 학습자들의 신뢰를 바탕으로 그 후로부터 2년이 지나 TBL을 처음 시행하게 되었다. 우리는 (가) 사전 학습과제 및 읽기과제(reading assignment), (나) 개인학습 준비도 확인시험(Individual Readiness Assurance Test, IRAT), 집단학습 준비도 확인시험(Group Readiness Assurance Test, GRAT) 및 적용학습활동(Application Exerases), (다) 복잡한 개념들에 대한 간략한 설명(short clarification of complex ideas), (라) 수차례의 문제해결 과정 수업시간(several class periods of problem solving)의 순서로 기본적인 TBL 형식을 따랐다. 문제해결 단계의 경우 전체 학급을 대상으로 시범을 보인 후 비슷한 문제를 팀별로 풀어보게 하였다. 이때 필자는 팀 사이를 다니면서 각 팀들의 진행과정을 옆에서 지켜보았다. 학습자들에게 단순한 문제에서부터 어려운 문제를 제시하며 수업을 진행하였고, 각 수업시간 사이에는 관련된 과제물을 부과하였다. 대부분의 문제는 교과서에서 발췌하였고, 일부 문제의 경우 여러 장의 내용을 포함하여 적용학습활동을 개발하였다. 평가에 포함된 기타 활동으로는 연구논문의 분석과 팀 연구계획서(group research proposal) 작성이 있다.

TBL 수업을 시작하기 전에는 강의를 먼저 듣고 난 후 강의노트를 길잡이 삼아 해당 부분을 공부하는 것이 학습자들의 통상적인 공부 방식이었다. 따라서 TBL을 시작함에 있어 학습자들로 하여금 수업준비를 위해 사전에 읽어오기 등의 예습을 하도록 유도하였다. 첫 번째 TBL 수업 중 학습자들이 교과서 첫째 장의 읽기과제 수행과정에서 내용의 초점을 파악하는 데 어려움을 겪었다는 사실이 드러났다. 학습자들에게 중요한 부분과 그렇지 않은 부분을 구별할 수 있는 경험이 부족하다는 것은 당연한 사실이었다. 길잡이 역할을 하는 강의를 듣지 않은 상황에서 교과서를 대강 읽어 나가는 학습자가 있는가 하면 반대로 일부 학습자는 교과서의 모든 정보를 암기하려고 노력하였다. 이러한 현상은 도중에 각 장마다 읽기지침(Reading Guide)을 만듦으로써 쉽게 해결되었다. 읽기지침에서 필자는 1학년 입문과정을 통해 이미 배운 내용을 본 수업을 위해 필요한 선수학습 내용으로 제시하였고, 학습자들의 예습을 위해 해당 교과서 부분의 읽기 과정에서 얻어야 할 정보에 관한 유도질문(leading questions)들을 수록하였으며, 수업시간에 좀 더 의미 있게 다루어야 할 주요 개념들을 강조하였다. 학습자들은 읽기지침에 있는 유도질문들에 대해 예습한 후 관련 해답을 적은 노트를 가지고 수업에 들어왔다. 특별히 어렵거나 모두 새로운 정보로 이루어진 부분을 다루게 될 때에는 질문과 답변 시간을 짧게 한 후에 RAT을 시작하였다. 필자의 경우에는 계획된 수업시간이 50분밖에 되지 않아서 RAT을 비교적 짧게 진행하였다. IRAT에서는 OMR 카드(Scantron test form)를 사용하였으며, 최근에는 즉석에서 정답의 확인이 가능한 긁어내기식 답안지(scratch-off sheet: 번호를 긁어내면 답이 확인되는 답안지)를 GRAT에 사용하기 시작하여 즉각적인 피드백이 가능하게 되었다. RAT 평가를 통해서 수업을 위해 예습을 한 학습자와 하지 않은 학습자가 구별되었다. 사유가 있어서 수업에 결석한 경우를 고려하기 위해 가장 낮은 IRAT 및 GRAT 점수를 최종 평가점수에서 제외하였다.

집단역학은 동료평가 점수를 사용하여 평가하였다. 이 부분이 필자가 TBL을 시작한 이후 가장 많은 변화를 시도한 부분이다. 처음에는 최종 평가점수 중 10%의 점수를 동료평가 점수로 배정하고 학습자가 동료들에게 점수를 할당하도록 하였다. 예를 들어, 6명으로 이루어진 팀의 경우 각 학습자에게 50점의 점수를 나머지 5명의 학습자에게 분배하도록 하였으며, 이때 반드시 9점과 11점이 최소한 1명씩 있도록 하였다. 필자가 담당했던 학습자들의 경우, 이러한 접근 방식으로 인해 두 가지 문제가 생겼다. 첫째, 구성원들이 각자 자기의 책임을 다해서 수행도가 높은 집단에서는 강제로 점수 차이를 나게 하는 것이 해당 팀에게는 매우 당황스러운 일이었다. 둘째, 6명의 팀원 중에 자기 역할을 제대로 하지 않는 아주 좋지 않은 학습자가 한 명 속해 있는 경우에는 해당 학습자에게 아주 낮은 점수를 주고 나머지 학습자에게 더 많은 점수를 할당함으로써 본 방식이 실질적으로 유리한 점이 있었다. 이러한 방식으로 인해 잘 하는 학습자의 경우에 어느 집단에 속해 있느냐에 따른 점수 차이가 발생하였다. 수행도가 높은 집단의 가장 잘하는 학습자가 11점을 받는 반면에 동일한 능력의 학습자가 한 명의 문제 학습자가 있는 집단에서는 15점을 받는 일이 생기게 된 것이다. 따라서 최근에 필자는 세부 분할 체계(fraction system)로 전환하였는데, 이 방식에서는 획득한 집단 점수(group point)를 100% 기준으로 하여 팀 구성원들이 기여한 정도에 따라 점수를 부여한다. 대부분의 학습자들은 획득한 집단 점수의 전부(100%)를 받고, 소수 문제 학습자들의 경우 전체 집단 점수의 일부만을 받는다.

## 성과

첫 해는 비교적 잘 진행되었으며, 지금까지 조금씩 변화시켜 오면서 7년 동안 70개 팀 총 420명의 학습자들이 TBL을 경험하였다.

학습목표의 달성여부를 평가하기 위해 개별 시험, 개별 및 팀에 의한 연구논문 분석 그리고 팀에 의한 연구계획서를 평가방법으로 사용하였다. 시험문항은 TBL 이전의 시험에 비해 개방형 질문의 비중을 늘리고 내용 수준을 높여 출제하였다. 시험문항으로는 실험 데이터를 의도적으로 모호한 설명과 함께 제시한 후, 학습자들에게 적절한 결론을 도출하도록 하였다. 학습자들은 실험의 목적을 기술하고 해당 연구결과를 설명할 수 있어야 했다. 이를 위해서는 높은 수행, 평균 및 낮은 수행 집단이 구별될 정도의 점수 분포를 보이기는 하였지만, 수업 중에 충분한 연습을 하였기 때문에 대부분의 학습자들은 비교적 성공적으로 수행하였다. TBL 이전 강의식 교육방법이 주를 이루었던 과거와 비교했을 때, 필자의 경험상 예전에는 1명 내지 2명의 뛰어난 학습자들만이 이러한 수준의 질문에 답할 수 있었다.

학습자들은 시험문항 외에도 평가목적으로 논문 분석을 수행하였는데, 1편은 개별적으로 또 1편은 팀별로 해서 총 2편을 분석하였다. 실행 방식은 연구논문을 읽고 논문에서 사용한 방법과 연구결과의 해석과 관련하여 주어진 질문에 답을 하는 것이었다. 팀별 논문 분석을 개인별 논문 분석보다 먼저 시행하여 처지는 학습자들로 하여금 분석 및 질문에 답변하는 방식을 배우도록 하였다. 마지막 최종시험은 팀에 의한 연구계획서(group research proposal) 작성이었다. 긴 시험 시간 동안 각 팀은 특정 생물학적 현상에 관한 개략적인 연구계획을 수립하여야 한다.

연구계획서에는 다루게 될 연구문제, 연구목적, 실험목록, 가상의 실험결과와 해석이 포함되었다. 이렇게 작성된 각 팀의 연구계획을 오버헤드 프로젝터용 필름(OHP)에 기록하여 학급 전체에 발표하는 시간을 가졌다.

학습자들은 처음에는 TBL 교수전략 방식에 신뢰를 보이지 않았지만, 결국에는 수업을 즐기게 되었고 수업에 대한 평가에서도 긍정적인 반응을 나타냈다. 오전 8시 30분의 이른 시간임에도 불구하고 학습자 중 아무도 졸지 않았으며, 일부 학습자들은 정기적인 RAT과 과제물 평가에 의해 어쩔 수 없이 수업에 집중하게 되면서 마침내 공부하는 법을 배우게 되었다고 고백하였다. 과거에는 참담한 평가 점수를 보였던 시험문제 유형들에 대해 현재 달라진 성취도를 보면서 학습자들의 사고 및 적용 능력이 극적으로 개선되었음을 알 수 있었다. 마지막 최종시험으로 연구계획서 작성을 시행해 본 결과 대부분의 학습자들이 학습목표를 달성하였음을 확인할 수 있었다. 이 경우 팀 과제로써 팀 평가에 속하지만 2년 동안은 실험적으로 학습자들로 하여금 개별적으로 먼저 작성하도록 하였다. 기쁘게도 절반 이상의 학습자들이 자신의 힘으로 논리적인 연구계획서를 작성하는 것을 볼 수 있었다. 연구계획서 과제 중 팀으로 평가되는 과제는 각 구성원들의 도움을 통해 모든 팀의 연구계획서가 평가를 통과하였다.

정량화된 자료를 제시하기는 어렵지만 TBL을 선호하는 점 중의 하나는 학습자들이 성장하고 성숙해 가는 모습을 볼 수 있다는 점이다. 일례로 어떤 해에는 경험이 많은 고등학교 화학교사인 Alice라는 여성이 수강을 하게 되었는데, 그녀는 생물학 교사 자격을 얻기 위해 여러 과목을 수강 중이었다. Alice는 자신감 있게 팀 내에서 가장 먼저 대화를 시작하는 사람이었고, 그녀의 나이나 경험 때문에 해당 팀의 학습자들은 자동적으로 그녀가 말하는 것은 모두 옳다고 가정하였다. 그 팀의 학습자들은 자신들의 생물학 지식이 그녀의 지식보다 수십 년 정도 앞선 최신 지식이기 때문에 더 나은 해결책을 제시할 수 있었다는 것을 처음에는 불행하게도 깨닫지 못하였다. Alice의 의견이 소수 의견임에도 불구하고 학습자들은 그녀의 제안을 적용해 보려고 애를 썼고, 결국에는 해당 문제가 Alice가 제안한 방식으로는 풀리지 않아 좌절하게 되었다. 필자는 해당 팀에 가서 다른 방식들을 생각해 보도록 조언을 해주었고, 나이가 적은 학습자들이 제시한 대안들이 놀랍겠지만 더 잘 맞을 수 있다는 사실을 깨달을 수 있도록 도와주었다. 다행스럽게도 Alice는 수용적이었고 공손하였다. 그녀는 뒤로 물러서서 다른 사람이 문제해결을 시작할 수 있도록 인내를 가지고 기다려 주었다. 결국에는 Alice를 포함하여 팀 전체가 계속적으로 높은 수행도의 팀 수행결과를 보였고, 이 경험은 학습자들에게 자신감을 갖게 하는 소중한 계기가 되었다. 필자는 학습자들이 성숙하는 과정을 아주 즐겁게 지켜보았다. 필자가 계속 강의식 교수법을 고집하였다면, 어떻게 교육하느냐에 따라 학습자들의 성장 정도가 달라질 수 있다는 것을 깨닫지 못했을 것이다. 일부 영리하지만 조용한 학습자들이 TBL 과정을 통해 자신의 능력을 보임으로써 팀 구성원들에게 존중받게 되고 자신감을 갖게 되었다. 강의식 수업에서는 어느 누구도 자신이 어떠한 정도의 능력을 가졌는지를 알 수가 없다. 마찬가지로 악의는 없지만 위압적이고 강한 태도의 학습자들은 잘못하여 거만하게 보이는 것을 피하기 위해 자신의 반응을 억제하게 된다. 상기한 두 가지 경우 모두 팀 작업과 동료평가를 통해 해당 학습자들의 성장과정에 도움을 주게 된다.

유전학 수업 마지막의 수업평가를 보면, 학습자들은 대부분 긍정적인 반응을 보였고 매년 계속해서 동일한 반응을 보여주고 있다. "상호작용이 증가함으로 인해 여러 가지 서로 다른 관점들을 이해할 수 있었다", "집단작업으로 인해 모든 것이 더 쉽고 즐거웠다", "집단작업과 문제에 중점을 두는 것이 즐거웠고, 이로 인해 계속 교육내용에 집중할 수 있었다", "필자는 개별시험의 점수가 전체 평가의 50%만을 차지하는 것이 좋았다. 필자는 시험을 잘 보지 못해서 내 성적에 다른 점수가 부여되는 것이 도움이 되었다.", "본 수업은 필자가 과학을 전공할 수 있다는 자신감을 회복시켜 주었다. 필자는 모든 과학 수업이 토론을 중심으로 이루어지기를 바란다." 등의 의견을 예로 들 수 있다. 아직도 팀 내의 상호작용에 의한 방식보다는 강의를 더 선호하는 학습자들이 일부 있지만 이들은 극소수에 불과하다.

## 노력

최근 대학에서의 성적 인플레이션 문제의 심각성을 고려할 때, 아마도 TBL과 관련하여 가장 어려운 부분은 평가일 것이다. 집단과 개인에 대한 점수 비율은 어떻게 해야 하는가? 필자는 매년 이 문제와 씨름하면서 공정성과 평가의 적절한 엄격성을 유지하기 위해 때때로 상대적 점수 비율을 변경시켜 왔다. 필자는 Larry Michaelsen이 추천한 방식처럼 학습자들이 점수의 가중치를 정하게 할 정도의 용기가 아직은 없다. 하지만 미래에는 아마도 그렇게 할 가능성이 있다.

7년 동안 70개 팀 중에서 기대 이하의 수행도를 보였던 팀은 단 두 팀이었다. 한 팀의 경우는 가장 우수한 학습자가 수동적이면서도 저항적인 태도를 보였는데, 그녀는 혼자서는 수행능력이 아주 우수했지만 팀 작업 과정에 참여하여 기여할 의지가 전혀 없었다. 대조적으로 팀에서 가장 말이 많은 한 학습자는 자기주장이 강하면서 자신만만한 태도를 보였다. 하지만 그녀의 자신감은 근거 없는 자신감이었고 동료들에 비해 그녀의 기초지식과 준비는 미흡하였다. 이러한 두 명의 극단적인 스타일의 구성원 사이에서 팀은 타당한 답을 찾기 위해 계속해서 애를 썼다. 아마도 나머지 학습자들은 다른 팀에 있었다면 훨씬 더 잘하였을 것이라 생각한다.

필자는 작년에 문제가 있는 팀을 경험한 적이 있는데, 이 팀은 전부 내향적인 성향의 학습자들로 구성되어 있었다. 간혹 팀의 한두 명이 적극적으로 나서 보려고 했지만 계속해서 나머지 학습자들의 부정적인 반응으로 결국에는 좌초되고 말았다. 이전 과정에서 높은 점수도 받았고, 필자가 계속해서 긍정적 지지와 함께 수업 후 격려의 말을 해주었음에도 불구하고 그 팀은 진행 속도와 수행의 질 측면에서 항상 다른 팀에 비해 뒤처져 있었다. 그들은 처음과 비교하여 마지막에는 현저한 개선이 이루어졌지만 학습 효과성 측면에서는 여전히 평균 이하 수준을 보였다. 필자는 본 팀의 일부 학습자들은 다른 팀에 있었다면 더 많이 배우고 더 높은 점수를 받았으리라 생각한다.

최근 필자는 집단역학 측면에서 흥미로운 변화가 있었음을 알 수 있었다. 과거 7년 중 5년 동안은 전형적인 집단 상호작용의 유형이 다음과 같았다. 포괄적인 질문을 대상으로 할 때, 팀은 대개 여러 접근 방식을 토론하고 필자에게 세부적인 부분들을 확인하는 데 약간의 시간을 사용한다. 올바른 접근법이 확인되면 곧바로 모든 두뇌는 해결책을 찾는 데 집중하여 해당 문제의 해답을 3~5분 이내에 도출한 후 바로 다음 문제로 이동한다. 올해 필자는 하루에 풀 수 있는 문제의 수가 급격하게 감소한 것을 목격하였다. 팀들은 토론을 진행하느라 바쁘고 계속적으로 작업에 집중하고 있었지만 작업이 진척되는 속도는 감소하였다. 이를 해결하기 위하여 어느 날 필자는 가장 느린 팀을 도와 구성원들로 하여금 접근 전략을 올바르게 결정할 수 있도록 하였다. 그러나 놀랍게도 그 팀은 10분 후에도 계속 전략을 토론하고 있었고 할 수 없이 필자가 개입하여 해당 문제를 종료하도록 만들었다. 수업 후에 해당 팀의 학습자들과 이야기해 본 결과, 그들은 합의된 해결책을 충분히 이해하고 있었다. 그럼에도 불구하고 그들은 합의된 해결책을 적용하기 전 다른 생각을 가지고 있었던 각각의 학습자들이 왜 처음에 잘못 생각하였는지에 대해 확실히 규명해야만 했다. 다시 말해 수업시간이 주어진 과업의 수행 시간이 아니라 각자 잘못된 생각에 대한 일종의 "치유의 시간"이 된 것이다. 이번 수업의 목적에 대해 확실하게 다시 주지시키고 문제의 팀을 뒷자리에서 앞으로 전진 배치시킨 뒤 해당 팀은 효율적인 팀으로 변모되었다. 이를 통해 필자가 깨달은 소중한 교훈은 TBL 수업시간에 팀이 작업하는 방식에 대해 분명하게 주지시켜야 된다는 점과 분명히 현 세대의 학습자들이 집단 작업에 필요한 기술을 보편적으로 지니고 있지 않고 있으므로 이를 고려해야 한다는 점이다. 따라서 필자는 수업 초기에 팀에서의 올바른 상호작용 방식과 필자가 학습자들에게 기대하는 부분에 대해 좀 더 많은 시간을 할애하여 설명해 주고 있다.

## 결론

결론적으로 필자는 유전학 교육방식을 TBL로 전환한 것에 대해 매우 만족한다. 학습자들은 유전의 원리와 유전학 기법의 실제 상황에서의 적용에 대해 더 잘 이해할 수 있게 되었다. 의과대학 예비과정 학습자들의 준비 측면에서 전반적 성공을 나타내는 외부 척도인 MCAT의 생물과학 분야에서 우리 학습자들의 평균 점수가 전국 평균을 항상 상회한다는 사실이 이를 뒷받침해준다. 또한 필자는 의과대학에 가기를 원하는 학습자들을 위해 많은 추천서를 쓰고 있기 때문에 단순히 강의 방식으로 배워서는 습득할 수 없는 자질인 타인과의 협력 작업을 잘 할 수 있는 능력에 대해 정확하게 기술해 줄 수 있다. 의과대학과 같은 전문대학원들은 지원자의 학업성적을 중요하게 생각하면서도 동시에 타인을 존중하면서 협력을 잘 할 수 있는 지원자들을 찾고 있다.

제12장

# 생화학 입문과정에서의 팀 바탕학습

## *처음 시도해 보는 교수 견해*

*Teresa A. Garrett*

필자는 2006년 4월 샌프란시스코에서 개최된 미국 생화학 및 분자생물학 학회에서 팀 바탕학습(Team-Based Learning, TBL)을 처음 접하게 되었다. 학회에는 과학교육 및 교육기법과 관련된 포스터 세션이 있었다. 필자는 듀크 대학(Duke University)의 의과대학과 학부에서 생화학 교육을 담당하고 있었기 때문에 해당 포스터 세션에 참가하였고 그곳에서 미주리 주립대학(Missouri State University)의 Scott Zimmerman을 만나게 되었다. 그는 '100명 이상 규모의 생리학 수업에서의 TBL 적용' 에 대한 포스터를 발표하고 있었다(Zimmerman & Timson, 2006). 그는 교육방법과 결과를 설명하였고 필자는 그것에 흥미를 느꼈다. 필자는 "팀 바탕학습: 대학교육에서 소집단의 전환적 사용" (Michaelsen, Knight & Fink, 2004)이라는 제목의 책을 주문하였고, 필자의 수업에 TBL을 어떻게 통합시킬지 생각하기 시작하였다.

이 장에서는 TBL에 대한 초기 경험을 기술하였다. 필자는 TBL 관련 회의에 참가하거나 다른 교수가 TBL을 시행하는 것을 본 적 없이 수업에 TBL을 시도하였다. 필자는 Scott Zimmerman과 의견을 나누었고, TBL 관련 책과 웹사이트(http://www.ou.edu/idp/teamlearning/)를 참고하였으며, 듀크 대학의 TBL 경험이 있는 동료 교수로부터 조언을 얻었다. 지금까지 필자는 학부의 생화학 수업에 TBL을 활용해 왔으며 의과대학 교육에도 적용하기 시작하였다. 이 장을 통해 좋았던 점과 잘못된 점들 모두가 포함된 필자의 TBL 초기 경험을 공유함으로써 TBL을 시도해본 적이 없는 사람들을 이 분야에 뛰어들어 시도해 보도록 장려하고자 한다.

## 왜 필자는 TBL을 시도하고자 하였는가

필자는 몇 가지 이유 때문에 TBL에 흥미가 있었다. 그 이유들은 "TBL: 대학교육에서 소집단의 전환적 사용"(Michaelsen, Knight, & Fink, 2004)에 기술되어 있는 TBL 교수전략의 원리와 정확히 일치한다. 필자는 특히 TBL 교수전략이 학습과정에 팀 구성(team building)과 교과내용을 이용한 문제풀이 과정을 결합시키는 것이라는 점에 끌렸다. 또한 단순암기보다는 비판적 사고를 강조하면서 학습자들이 보다 재미있고 능동적인 학습경험에 집중할 수 있게 되기를 원했다.

필자는 생화학 입문과정에서 학습자들이 엄청난 양의 정보를 단순암기하고 있다는 현실에 불만이 많았다. 학습자들이 생화학 전반에 관련된 어휘와 기본적인 개념을 익히기 위해 어느 정도 시간 투자가 필요하다는 것을 인정한다. 그러나 인터넷과 참고자료를 통해 막대한 양의 정보에 쉽게 접근이 가능한 상황에서 생화학적 경로들에 대한 단순암기가 과연 학습자들에게 필요한 핵심 개념의 이해에 반드시 필요한지 내지는 도움이 되기는 하는 건지에 대해서는 반드시 재고할 필요가 있다. 세포의 생화학적 경로들 중 많은 경우 이미 배웠던 화학과 유기화학의 지식을 적용하여 생각해 보면 훨씬 쉽게 배울 수 있기 때문이다.

필자는 단순암기보다는 지식의 적용을 위한 비판적 사고가 강조되어야 한다고 생각한다. 방대한 양의 정보에 쉽게 접근이 가능한 상황에서 비판적 사고능력의 개발이 점점 더 중요해지고 있다. 학습자들은 획득한 정보를 비판적으로 수용하여 해결해야 할 문제에 새롭게 적용할 수 있어야 한다. 또한 생화학 입문과정에는 실습시간이 포함되어 있지 않기 때문에 TBL을 적용하면 공식적인 실습 시간 없이도 학습자들이 문제해결과정을 통해 실제 실험 자료를 비판적으로 분석할 수 있는 수업이 가능할 것이라 보았다.

TBL의 또 다른 매력은 즐겁다는 것이다. TBL 수업을 통해 학습자들이 교육내용에 자극되어 생화학에 대해 좀 더 흥미를 느끼게 됨으로써 학습자들이 생화학이라는 과목에 몰입하게 되는 과정을 지켜보는 것은 즐거운 일이다. 그러나 칠판 앞에 서서 계속 강의만 해서는 이러한 결과를 기대할 수 없다. 필자는 TBL이 수업의 단조로움을 깨고 활기를 부여할 수 있는 방법이라는 것을 경험을 통해 알 수 있었다.

## TBL의 시작

필자가 담당하고 있는 학부의 생화학 입문과정은 6주간의 여름과정이다. 수업은 매일 75분간 진행되었고, 수업내용에는 단백질의 구조와 기능, 기초 효소 동역학, 대사 및 핵산 생화학이 포함되어 있다. 필자는 그동안 강의로만 수업을 진행하였다. 훨씬 많은 규모의 학습자를 대상으로 같은 과의 교수가 가을학기에 비슷한 과정을 유사한 형식과 교수요목으로 수업을 진행하였다. 필자가 듀크 대학에서 가르치기 시작하기 전부터 듀크 의과대학에서 TBL이 도입되어 실시되고 있었지만 같은 과의 어느 교수도 TBL을 시도해 본 적이 없었다. 필자가 TBL을 처음 시행하려 할 때, 일부 동료 교수들은 과연 동일한 수업시간에 같은 양의 수업내용을 TBL로 다룰 수 있는지에 대해 의문을 가졌고, 다른 일부는 필자에게 익숙한 교수방법인 강의법 대신에 다른 방식을 시도하려는 이유를 궁금해 하였다. 그럼에도 불구하고 필자는 TBL을 이용하여 교육이 개선될 수 있는지 궁금하였기 때문에 TBL으로의 전환을 계속적으로 추진하였다.

6주간에 걸쳐 5번의 TBL을 계획하였다. 첫 날 TBL의 개념을 소개한 후에 전체 학습자를 대상으로 팀 구성을 하였다. 전체 50명 학습자를 7명으로 구성된 5개 팀과 8명으로 구성된 2개 팀으로 나누었다. 팀을 구성하기 위해 학습자들을 생물학, 화학, 공학, 수학 등의 순서로 전공에 따라 강의실 벽 쪽에 일렬로 세웠다. 여기서 필자가 가한 유일한 조작은 이미 학사학위를 가진 학습자를 줄의 맨 뒤로 배치한 것뿐이었다. 학습자들에게 번호를 붙여 팀을 나눈 후 명단을 만들었다. 팀별로 서로 소개하는 시간을 통해 얼굴을 익히게 하고 팀 사진을 찍었다.

필자는 팀을 무작위로 배정하거나 예비시험 점수를 바탕으로 팀 구성을 하는 방식들도 고려해 보았지만 결국은 학습자들에게 투명하게 공개된 방식을 사용하기로 하였다. 왜냐하면 학습자들이 교수가 모든 팀을 균등하게 구성하고자 한다는 사실을 알게 하는 것이 중요하기 때문이다. 일단 팀이 구성되면 성이나 인종 별로 균형이 맞지 않는 팀을 조작하기 위한 어떤 조치도 취하지 않았다. 이로 인해 6명의 남성 학습자와 단 1명의 여성 학습자로 구성된 팀이 발생하게 되었는데, 해당 여성 학습자와의 면담을 통해 그 학습자가 팀 구성에 대해 불편하게 느끼지 않는다는 사실을 확인한 후에는 팀 구성을 그대로 유지하였다.

TBL은 대체적으로 표준화된 형식을 따라서 시행하였다. 각 TBL 세션을 시작하기 전에 학습자들에게 교과서인 '레닌저 생화학(*Lehninger Principles of Biochemistry*, Nelson & Cox, 2005)'을 이용하여 15~35쪽 정도의 읽기과제(reading assignment)를 부여하였다. TBL 시작 시에는 팀별로 앉게 하고 각 팀에 팀 폴더(team folder)를 주었다. 팀 폴더의 표지에는 나누어주기 용이하도록 각 팀의 사진을 부착하였다. 폴더 안에는 개인학습 준비도 확인시험(Individual Readiness Assurance Test, IRAT), 개인 답안지, 집단 답안지, 집단학습 준비도 확인시험(Group Readiness Assurance Test, GRAT)과 답을 동시에 제시할 때 사용하는 응답카드(response letters)가 들어있다. 또한 과제물 혹은 시험지를 각 팀 구성원들에게 돌려줄 때도 팀 폴더를 사용하였다.

TBL은 읽기과제와 관련된 6~8개의 선택형 문항으로 이루어진 IRAT로 시작하였다. 필자는 이 문제들을 지나치게 어렵게 만들지는 않았다. 학습자들에게 읽기과제를 주의 깊게 읽었다면 문제를 푸는 데 큰 어려움은 없을 것이라고 이야기하였다. 학습자들이 IRAT에 대해 지나치게 스트레스를 받지 않으면서 TBL을 준비하기를 원하였으며, TBL이 학습자들에게 긍정적 경험이 되기를 바랐다. 시험 중에 책은 볼 수 있으나 제한된 시간 안에 문제를 풀도록 하여 준비를 하지 못한 학습자의 경우 주어진 시간 내에 모든 답을 책에서 찾아낼 수 없도록 하였다. 답안지를 걷은 후에는 동일한 시험인 GRAT을 시행하였다. 답 제시용 응답카드를 사용하여 학급 전체가 함께 답을 동사에 발표하고 검토함으로써 평가와 관련하여 모호한 부분이 남지 않도록 하였으며, 그 다음 단계로 집단 적용학습활동 단계로 넘어갔다.

모든 적용학습활동에는 실험 데이터 분석 부분이 포함되어 있었다. 일부 문제에서는 문헌 내지는 필자의 실험실에서 나온 실제 데이터를 사용하였고, 일부는 적용 문제에 맞게 만들어진 가상의 데이터를 사용하였다. 이러한 가상의 데이터를 사용하는 경우에 학습자들이 분석해야 할 데이터에 대해 의도적인 조정이 가능하고, 필자가 강조하고 싶은 특정 개념과 문제에 학습자들로 하여금 초점을 맞추게 할 수 있으며, 실제 데이터를 분석할 때 발생할 수 있는 혼란을 방지할 수 있다.

적용학습활동 단계에서 필자는 각 팀을 돌아다니면서 학습자들의 질문에 답하거나 설명을 해주면서 능동적인 사고를 유도하였다. 적용학습활동 단계에서 학습자들이 생각하고 자신들의 지식을 적용하는 모습들을 실제로 볼 수 있기 때문에 TBL 과정 중에서 필자에게는 이 단계가 교수로서 가장 만족스러운 부분이다. 강의실은 학습자들의 답을 찾기 위한 소란스러운 토론, 손짓, 데이터를 응시하는 모습, 책장을 마구 넘기며 찾는 모습들로 분주해졌다. 이러한 장면들을 본다면 이것이 바로 능동적 학습이라는 데 의문의 여지가 없을 것이다.

TBL 시작 단계에서 필자는 TBL을 시도하는 모든 사람들의 공통적인 문제인 강의실 구조 문제에 직면하게 되었다. 필자는 고정식 의자로 125명을 수용할 수 있는 강의실을 사용하고 있었다. 학습자들에게 팀별로 토론이 가능한 형태로 앉아 보도록 하였는데, 한 팀의 경우 앞줄에 두 명, 뒷줄에 5명으로 두 줄로 앉게 되었다. 결국 그 팀원 중 양 끝의 세 명은 토론에 참가하지 못한 채 지루한 표정으로 앞만 응시하고 있는 상황이 발생하였다. 이것은 팀의 다른 학습자들이 그들을 토론에서 배제시킨 것이 아니라 좌석의 위치로 인해 해당 학습자의 토론 참여가 방해를 받은 것이다. 필자는 해당 팀에게 모두 일어서서 다시 자리 배치를 하도록 하였다. 이후 그들은 모두 토론에 참여할 수 있었고 팀 작업이 적극적으로 이루어졌다.

대부분의 적용학습활동에는 선택형 문항을 사용하였지만 필자는 대개 마지막 한 두 문제를 단답형 문항(short-answer question)으로 만들었다. 선택형 문항의 답을 응답카드(response letters)를 이용하여 학급 전체가 함께 검토한 후에 단답형 문항에 대한 각 팀들의 다양한 답들을 서로 공유하였다. 수업 후에는 단답형 문항을 포함한 적용학습활동을 채점하고 각 팀의 답안지를 스캔하여 해당 파일을 교과목 블랙보드에 올려놓았다. 이를 통해 모든 학습자들이 다른 팀의 답과 답에 대한 필자의 의견을 함께 나누면서 배우게 되었다. 필자는 여기에 조금 더 개방적인 질문을 포함시켜 팀 토론에서 이루어지는 사고의 깊이를 평가하고자 하였다. 생화학 고급과정에서 문제바탕학습(Problem-Based Learning, PBL) 방식을 사용하는 일부 교수들은 개방형 질문을 사용하여 각 팀의 최종 답을 강의실 벽의 포스터 보드에 게시함으로써 다른 팀들이 이를 평가하는 방법을 사용하고 있다(White, 2002). 첫 시도에서는 이러한 방식을 TBL 과정에 어떻게 통합해야 하는지를 알 수가 없었지만, 아마도 향후에는 가능하리라 생각한다.

## TBL 시행 결과

필자는 표준화 시험을 통해 수행도를 평가한 자료를 수집하지도 않았고, 본 수업을 3년 정도 강의한 상황에서(2년은 강의만으로 진행하였고, 1년은 TBL을 적용한 형태로 진행함), 강의보다 TBL 방식으로 수업하였을 때 학습자들의 평가 점수가 더 높다고 말할 수 있을 만큼의 충분한 자료를 가지고 있지도 않다. 하지만 이러한 수업의 진행 양상에 대해 개인적으로 느낀 바가 있었으며, 과정에 대한 재검토와 수업 종료 시에 설문조사를 시행한 바 있다.

첫 번째 TBL 수업에 대한 전체적인 느낌은 매우 긍정적이었다. 필자는 TBL을 통해 강의식 수업으로부터 벗어날 수 있는 기회를 얻을 수 있었다. TBL 진행과정을 통해 학습자들이 적극적으로 참여하는 모습에 필자 또한 고무되었다. 이는 도전적이면서 재미있고 흥분되는 경험이었다. 필자는 학습자들이 필자에게 던지는 질문이 점차 생각을 요하는 질문들로 바뀌는 모습과 수업 중에 여러 가지 생각들에 대해 서로 토론하는 모습을 지켜보면서 즐거웠다. 또 하나 흥미로운 것은 TBL 수업에서는, 강의식 수업에서처럼 학습자들이 수동적으로 강의만 듣고 있는 것이 아니라 적극적으로 문제에 대한 답을 찾기 위해 노력하는 모습을 볼 수 있다는 점이었다. 따라서 필자가 앞으로도 계속 TBL 방식을 사용할 것이라는 점은 분명하다.

본 과정의 전체적인 수업평가 결과는 전년도에 비해 개선되었다. "수업의 질"에 대한 평점은 5점 만점에 4.16에서 4.69로 증가하였다. 이것은 필자가 생화학 수업을 시작한 지 3년째의 결과이기 때문에 이러한 결과가 TBL 방식을 사용한 것 때문인지 혹은 필자의 교수 경험이 쌓였기 때문인지는 확실하지 않다. 개인적으로 분명한 점은 TBL 과정이 수업하기가 더 즐거웠다는 점이다.

학급의 전체 평균 점수 또한 TBL을 사용하였을 때가 전년도에 비해 3% 높았다. 이번에는 TBL을 처음으로 사용하였기 때문에 IRAT을 지나치게 어렵게 만들지는 않았다. 학습자들은 적용학습활동에서 대체적으로 점수가 좋았다. 전체 점수에서 TBL 부분이 12.5%를 차지하기 때문에 이로 인해 약간의 점수 인플레이션이 발생하였을 소지는 있다. 그러나 두 해의 시험 점수를 비교하였을 때, 시험 평균점수도 3% 높았다. 하지만 학습자들의 수행도가 통계학적으로 의미 있게 향상되었는지를 알 수 있으려면 좀 더 많은 시간이 필요할 것으로 생각된다.

수업평가 설문에서 대학의 공식적인 표준문항 외에 TBL을 시행한 학급에만 TBL 관련 설문을 추가하여 조사하였다. 그림 12.1에서 "필자는 TBL 과정이 필자의 학습활동을 향상시켰다고 생각한다."에 대한 응답을 보면 학습자들의 의견은 대부분 긍정적이었으며, 그중 일부 의견은 수업 중에 비판적 사고가 증가되었음을 시사하고 있었다. 예를 들면 한 학습자는 "TBL은 틀에서 벗어나 새롭고 창의적인 생각을 하도록 만들고 독립적으로 학습을 하게끔 유도한다."라고 하였으며, 일부는 "서로 다른 전공의 구성원들로 이루진 집단이어서 모든 TBL의 단계마다 다양한 접근이 이루어진다. 팀의 모든 사람이 서로 다른 역할 내지 기여를 팀에서 하게 된다."라는 의견으로 팀 구성(team-building) 과정에 대해 언급하였다. 지적된 문제점의 대부분은 "TBL은 즐거웠다. 그러나 시험에 대비해 복습을 할 때는 어느 부분에 초점을 맞추어야 하는지 알기가 어려웠다."라는 학습자의 의견처럼, TBL 과정의 어떤 내용이 시험에 나오는지를 알 수가 없다는 점에 관한 것이었다. 이러한 건설적인 의견들은 필자가 앞으로 TBL 과정을 개선하는 데 도움을 줄것이다.

## 교훈

필자는 TBL의 첫 시도를 통해 앞으로 해결해야 할 몇 가지 문제점을 발견하였다. 일부 문제점들과 가능한 해결책들을 제시해 보고자 한다.

**문제점 1 :** 의자가 고정된 형태의 강의실은 팀 발달 과정(team development)에 장애가 된다. 앞에서 언급한 것처럼 고정 좌석의 계단식 강의실(amphitheater)에서 TBL을 시행할 경우 학습자들이 효율적으로 상호작용하기가 더 어렵게 된다.

**해결책** : 필자는 다음의 두 가지 점에 대해 계속해서 관심을 기울일 예정이다. TBL 과정에 좀 더 적합한 강의실, 강의실의 구조적인 문제로 인해 제대로 상호작용이 일어나지 못하는 팀들.

**문제점 2** : 학습자들은 읽기과제 내용 중에서 어떤 내용이 TBL 과정에서 다루어지게 될지 확실히 모른다. 앞에서 언급된 것처럼 이것은 과정 종료 후 수업평가에서는 물론이고 수업진행 중에도 계속해서 지적된 문제점이다.

**해결책** : 과정의 핵심개념과 학습목표를 기술한 TBL 예습지침(TBL prep study guide)을 작성하라. 이 지침이 학습자들로 하여금 가장 중요한 내용에 초점을 맞추어 공부할 수 있게 할 것이다.

**문제점 3** : 학습자들은 TBL의 예습 및 본 수업에서 다루는 내용 중에서 어떤 부분이 시험에 있어 중요한지를 알지 못한다. 이는 또한 반복해서 지적되는 문제점이다.

**해결책** : 복습수업(in-class review) 시에 핵심 내용을 강조하는 유인물을 배포한다.

**문제점 4** : TBL 시간에 학습자들이 알아야 할 내용을 모두 다루지 못하였다. 필자는 간혹 TBL 시간에 매우 흥미 있는 집단 적용학습활동(group application exercise)에 초점을 맞추다 보면 다른 핵심 개념을 다루지 못하는 우를 범하는 경우가 있었다. 예를 들면 페닐케톤뇨증의 분자 수준에서의 발생기전은 아미노산의 분해과정을 배울 수 있는 훌륭한 예이다. 그러나 단일 아미노산의 분해 과정과 관련된 문제들에만 초점을 맞추게 되면 요소회로(urea cycle)와 같은 질소대사과정의 중요한 생화학적 개념들을 다루지 못한다.

**해결책** : 해당 시간의 수업목표들을 분명하게 염두에 두고 집단 적용 연습문제들을 만든다. Larry Michaelsen 및 Dean Parmelee의 연구에 근거하여, 다른 핵심 개념들에 대한 이해 내지는 토론이 이루어져야만이 해당 질문에 답할 수 있도록 질문을 관련된 개념들을 포함시켜 면밀하게 구성하였다. 상기한 예의 경우 적용학습활동은 페닐케톤뇨증에 초점을 맞추고 있지만 페닐알라닌의 대사와 관련되면서도

**[그림 12.1]** 학습자들의 다음 진술에 대한 반응 : "필자는 TBL 수업방식이 필자의 학습을 증진시켰다고 생각한다."에 대한 학생응답

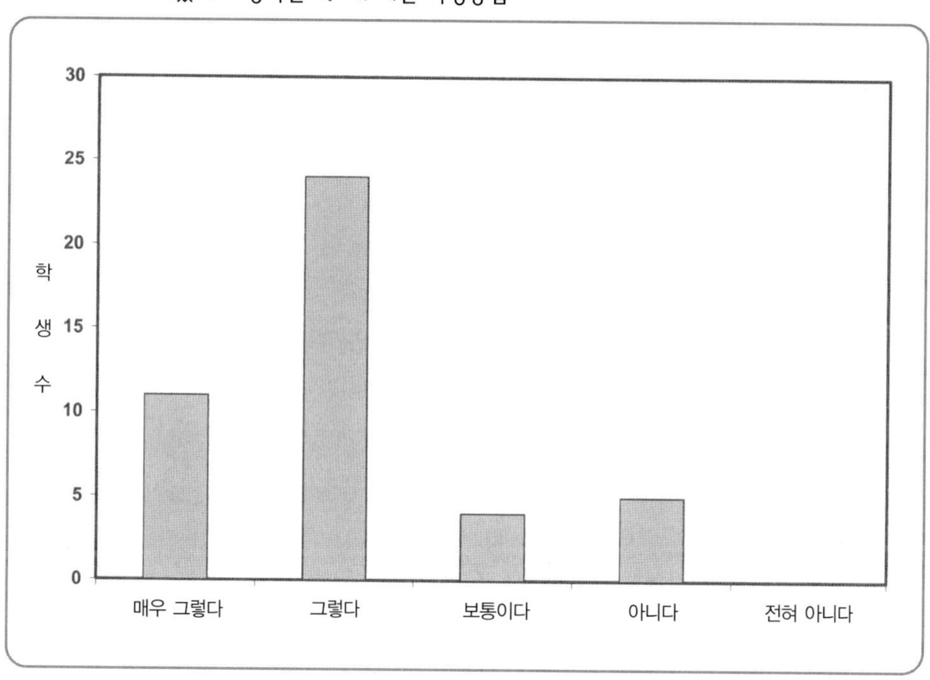


학습자들로 하여금 요소회로에 대해 생각하게끔 만드는 답가지들(multiple choice options)이 포함되도록 문제를 구성하였다.

**문제점 5** : 75분 안에는 TBL 수업을 마치지 못한다. 계획되어 있는 교수요목을 정해진 수업 시간 내에 진행하여야 하기 때문에 TBL 수업을 처음부터 끝까지 75분에 마치도록 해야만 하였다.

**해결책** : 이 문제점에 대한 간단한 해결책이 몇 가시 있다. 첫째는 집단 적용 문제의 수를 줄이는 것이다. 1시간 동안 보는 시험에는 1시간에 적절한 시험문제 수를 정해야 하듯이, 필자는 75분 TBL 수업에 알맞은 집단 적용 연습문제의 수를 정해야만 했다. 둘째는 필자가 라이트 주립의대(Wright State University)를 방문하였을 때 배운 요령들을 사용해 보는 것이다. 그 곳에서는 TBL 수업 시간에 실물화상기를 사용하여 타이머(timer)를 비추어 주었다. 학습자들은 TBL 진행 과정마다 할당된 시간을 알고서 주어진 시간에 맞추어 진행하였다. 또한 각 팀에는 깃대가 있어

서 깃발을 깃대에 올림으로써 팀의 활동이 종료되었다는 신호로 사용하였다. 이런 방식을 사용하여 전체 학급이 정해진 시간 이전에 끝나면 바로 다음 과정으로 진행하였다. 이러한 아이디어들은 수업을 정해진 시간에 맞추어 진행하는 데 큰 도움이 되기 때문에 앞으로의 TBL 수업에 사용할 예정이다.

필자는 앞으로는 팀당 6명이 넘지 않는 규모의 TBL을 시행해 보고자 한다. 50명 규모의 학급의 경우 6명씩 6개팀, 7명씩 2개 팀으로 나누는 것이 적당할 것이다. 일부 학습자들은 팀의 크기가 너무 크다고 생각하기 때문에 필자는 5명에서 7명 사이로 팀을 구성할 예정이다. 또한 GRAT에 즉각적인 피드백-평가 기법(Immediate Feedback-Assessment Technique, IF-AT) 답안지의 사용을 시도해 보고자 한다. 이 경우 해당 팀의 답이 틀렸을 때 어디가 잘못되었는지 토론을 하여 다른 답을 다시 시도할 기회가 주어지고 이 경우 감점된 점수가 적용된다. 필자는 또한 수업 끝 부분에 동료평가를 시행해 보고자 한다. 학습자들은 팀 구성원들의 TBL에 대한 사전 예습 상태와 수업 중의 참여도에 대해 평가하게 될 것이고 이 점수는 학습자들의 TBL 성적에 반영될 것이다.

## 의과대학 기초의학교육에서 TBL의 실행

필자는 여름학기에 학부생들을 가르치는 것 외에도 듀크 의과대학 교육과정의 첫 번째 수업인 '분자와 세포'(Molecules and Cells) 과정의 조정자(coordinator)이기도 하다. 이것은 6주간의 통합과정으로서 생화학, 유전학, 세포생물학의 기초개념을 다룬다. 이 과정은 110시간이 넘는 수업시간으로 구성되어 있고 40명 이상의 교수진이 강의, 질병 및 환자 중심의 임상연관교육(disease and patient-centered clinical correlations), 조직학실습 및 복습과정(review)에 참여하고 있다. 필자는 모든 수업을 참관하고 복습과정을 도와주고 시험문제를 모으는 작업을 통해 해당 수업의 조정자 역할을 수행한다. 필자는 연속해서 3년 동안 이 수업을 참관하면서 비판적 사고 능력을 강화시키고 능동적으로 학습을 유도하는 TBL이 본 과정에 추가되었으면 좋겠다는 생각을 하게 되었다.

'분자와 세포' 과정 책임자는 다양한 개념들과 기초의학 패러다임들을 보완하고 통합하기 위한 방편으로 TBL을 해당 과정에 부분적으로 실행하는 데 동의하였다. 예를 들면 헌틴텅 병(Huntington's disease)에 관한 TBL은 학습자들로 하여금 해당 질환의 임상 및 기초과학 데이터를 비판적으로 분석하게 함으로써 DNA 복제, 단백질 구조, 단백질 접힘(protein folding) 및 유전학에 대한 개념들이 통합될 수 있다.

학부의 생화학 과정에서의 경우처럼 학부의 전공에 따라 일렬로 세운 후 섞는 방식으로 팀을 구성하였다. 대학 졸업자들로 구성된 본 수업의 경우 필자는 팀 구성 방식에 두 가지 변화를 주었다. 대학원 학위가 있는 학습자는 모두 전공에 상관없이 줄 끝에 서게 하였다. 병리보조(pathology assistant) 교육 프로그램 학습자들(총 6명으로서 해당 교육과정의 일부로 본 수업을 수강)은 한 팀으로 구성하였다.

필자는 학부 과정에서 시행하였던 TBL 수업에서 배운 교훈들을 고려하여 각 TBL 수업의 목적과 목표들이 학습자들에게 분명하게 제시되도록 하였다. 각 TBL 수업 전에 예습에 대한 지침들을 전달하였는데 여기에는 수업 참석 내지는 수업의 스트리밍 비디오의 시청 그리고 간단한 교과서 읽기 정도가 포함되었다. 이러한 지침은 상기한 '문제점 2'와 '문제점 3'을 해결하는 데 다소 도움이 되었다.

이번 수업의 학급 규모는 학부과정의 두 배가 넘는 105명의 학습자가 수강하였다. 각 TBL 수업에 해당 수업의 내용을 잘 아는 교수 1명과 함께 들어갔다. 이렇게 해서 2명의 교수가 적용학습활동 시간에 학습자들의 질문에 답할 수 있게 되었다. 이 같은 대규모의 학급에서 위와 같은 방식은 효과적이었다. 학습자들의 질문이 많아서 적용학습활동 시간 내내 2명의 교수가 질문에 답하느라 분주하였다.

우리는 수업에 사용되는 계단식 내강의실(amphitheater)의 물리적인 제약 때문에 학부 수업 시와 비슷한 문제에 봉착하였다. 계단식 대강의실은 고정식 좌석이고 15개 팀이 펼쳐서 충분히 자리잡을 수 있는 정도의 공간이 되지 않았다. 또한 이 강의실은 GRAT이나 집단 적용 문제에 대해 모든 사람이 토론하기 시작하면 소음이 매우 심했다. 조용한 환경에서만 학습과 작업에 집중할 수 있는 일부 학습자들은 주의 집중이 안 될 정도의 소음에 대해 불평하였다. 앞으로 이러한 문제점들을 어떻게 해결해야 할지에 대해서는 필자도 아직 뚜렷한 방안은 없다. 고정좌석 문제는 좌석의 위치가 팀 발달과정(team development)에 방해가 되지 않는지 팀을 주의 깊게 관찰하여 대처함으로써 해결할 수 있다 하더라도 계단식 대강당의 크기와 소음 문제는 쉽게 해결할 수 없는 문제이다. 학급을 두개로 나누어서 50명 정도로 TBL 수업을 운영하는 방법도 있지만 두 개의 연속적인 TBL 수업을 운영하는 것은 교수들에게 너무 부담이 되고 과정의 빡빡한 일정상 계획하기가 쉽지 않다.

IRAT과 적용학습활동들은 처음 만들어서 사용하기 때문에 일부 문제들의 표현상 모호한 점 때문에 학습자들을 매우 힘들게 하기도 하였다. 이러한 문제점은 새로운 선택형 문항을 사용할 때 흔히 있는 일이다. 학습자들은 필자가 예측할 수 없는 방향으로 질문을 이해하는 경향을 보인다. 그러나 이러한 문제들은 매년 학습자들의 비판을 수용하여 수정되고, 세부적인 부분들은 보완함으로써 점차 해결될 것이다.

의과대학의 '분자와 세포' 과정에서의 TBL의 첫 시도는 긍정적이었다. 수업평가에 의하면 많은 학습자들이 TBL이 학습을 증진시켰다고 생각하였고 동시에 개선할 점들을 제시하였다. 필자와 같이 TBL 수업에 참여하였던 교수들은 강의와는 다른 색다른 수업방법이라는 점과 학습자들과의 상호작용이 증가하였다는 점이 좋았다고 하였다. 필자는 교수와 학습자들이 점점 TBL에 적응이 되면 해당 과정에 점차적으로 TBL 수업을 추가하여 관련 문제점들을 개선해 가며 확대 적용할 계획이다.

## 맺음말

필자의 TBL의 첫 경험은 놀라웠다. 이 과정을 통해 필자는 학습자들이 비판적 사고와 협력 작업을 할 수 있다는 것을 실제적으로 볼 수 있었다. 학습자들이 과학에 대해 흥분을 느끼는 것을 지켜보는 것을 좋아하는 필자에게 TBL은 아주 만족스러운 경험이었다. 팀별 적용 연습의 토론 시간에는 학습자들의 배우고자 하는 열정이 강의실을 둘러쌌다. 학습자들은 흥미롭고 생각이 깊으며 명민한 질문들을 하였고 TBL 과정 외에는 본 적이 없는 통찰력을 보였다.

필자는 본인의 경험이 다른 이들로 하여금 자신의 수업에 TBL을 시도하게 할 수 있기를 바란다. TBL을 시도하기 전에 관련 워크숍에 참가하거나 TBL 수업에 학습자로 참여하지 않아도 TBL과 관련한 책 또는 웹사이트가 좋은 참고가 되어 줄 것이다. 가능하면 TBL을 하고 있는 이들과 접촉하여 실행 세부사항에 대해 의논하고 어려운 문제들의 해결에 관해 도움을 얻는 것이 좋다.

마지막으로 필자는 학습자들에게 감사를 전하고 싶다. 그들은 이 새로운 교육 방법에 대해 개방적이었다. 필자는 학습자들에게 조언과 비판을 부탁하였고 학습자들은 열심히 응해주었다. 필자의 TBL 수업은 학습자들의 배움에 대한 개방적인 태도와 열정 때문에 계속 향상될 것이다. 필자는 TBL로의 전환을 위한 모험에 이러한 학습자들과 함께하였다는 것이 자랑스럽다.

## 참고문헌

Michaelsen, L. K., Knight, A. B., & Fink, L. D. (2004). *Team-based learning: A transformative use of small groups in college teaching.* Sterling, VA: Stylus Publishing.

Nelson, D. L., & Cox, M. M. (2005). *Lehninger principles of biochemistry* (4th ed.). New York: W. H. Freeman.

White, H. B. (2002). Plants versus animals in the dining hall: A problem-based learning problem. *Biochemistry and Molecular Biology Education, 30*(5), 315–221.

Zimmerman, S. D., & Timson, B. F. (2006). Team-based learning improves performance in a physiology laboratory course. *The Federation of American Societies for Experimental Biology Journal, 20*, A17.

제 13 장

# 필수 학부 간호교육과정의 강의식 수업을 대체할 대안으로서의 팀 바탕학습

*Michele C. Clark*

필자가 팀 바탕학습(Team-Based Learning, TBL)을 처음 접한 것은 2004년도였다. 필자는 동료와 함께 우리 간호대 학습자들의 국가간호자격시험(National Council Licensure Examination, NCLEX) 점수 하락에 대한 고민을 이야기하고 있었다. 임상의사인 동료는 중등교육과정을 마친 후 교육개선기금(Fund for the Improvement of Postsecondary Education, FIPSE)을 지원받아 새로운 교육방법인 TBL을 시범적으로 사용해보고 평가해왔다. 동료의 말에 의하면 FIPSE 프로젝트는 지난 18개월간 40개의 교육과정을 지원해 왔는데, 자세히 말하자면 임상 전 교육에서 임상의학교육까지와 전공의 교육, 그리고 3개의 임상의사 보조 임상교육과정을 지원했다. 동료는 TBL 모형을 활용한 수업을 받은 학습자들의 학업 수행 결과는 강의식 교육을 받은 다른 학습자들과 동일하거나 혹은 그들보다 월등했다고 하였다.

그 당시 필자는 간호학 이론과 임상요소를 통합한 새로운 필수 교육과정을 개발하고 있었다. 그 교육과정은 다른 2개의 수업 내용을 통합하여 노년층과 약층 인구 관리에 대해 초점을 맞춘 것이었다. 이 수업은 약 9개의 모듈로 구성되어 있고 모듈마다 9개의 형식적인 강의가 함께 이루어지도록 구성되어 있었다. 그러나 새로운 수업을 개발하고자 했던 필자의 열정은 많은 학습자들이 지속적으로 수업에 참여하지 않음으로 인해 좌절되었고, 그것은 필자에게 많은 실망을 안겨 주었다. 수업에 참여한 학습자들은 미리 읽고 와야 하는 과제를 수행하지 않아 수업에 제대로 참여할 수 없었고, 때문에 필자는 수업 중 의미 있는 질문을 할 수도 없었다. 전통적인 강의법이 진행될 때 학습자들은 그 어떤 토론에도 참여할 준비가 되어 있지 않았을 뿐만 아니라, 출석률 또한 저조했다.

이러한 이유들로 인해 필자는 TBL을 활용하고 있는 동료에게 새로운 TBL 교수전략을 소개할 수 있는 교수개발 워크숍을 진행해 줄 것을 부탁하였다. 교수들은 이 워크숍에 매우 적극적으로 참여하였다. 그러나 적극적인 참여와는 달리 그들은 학습자들이 수업에 들어오기 전 기본적인 원리를 미리 예습해 오도록 하는 전략이 비현실적이라고 비판하였다. 실제로 많은 교수들이 TBL은 분명 실패할 것이라고 생각하였다. 특히 교수들이 회의적이었던 부분은 수업마다 학습자들이 학습해야 하는 학습량이었다. 교수들은 간호의 기본안전에 필요한 학습 자료를 학습자들 스스로 찾아낼 수 없을 것이라고 믿고 있었다. 필자는 교육자로서 이 점이 가장 문제되는 것임을 알았다. 만약 학습자들이 필요한 학습 자료를 읽어오지 않고 실습에 필요한 핵심 내용을 이해하지 못한다면, 앞으로 경험해야 하는 실제 임상 상황은 과연 어떻게 견뎌낼 수 있을까?

이러한 의문점과 고민들을 해결하고자 교수들은 학습자들이 각 수업마다 읽어와야 할 읽기과제(reading assignment)의 분량을 계산해 보았다. 그 결과, 학습자들이 주당 읽어야 하는 과제의 분량은 50~60쪽에 달했고 그것을 한 한기로 계산해 보면 한 교과목당 약 600~800쪽을 소화해야 한다는 결론이 나왔다. 교수들은 학습자들이 왜 읽기과제를 해오지 않는지를 비로소 이해하게 되었다. 학습자들에게 주어진 과제는 수행하기 불가능한 것이었다. 이후 우리는 보다 적절한 읽기과제를 위한 방법을 궁리하게 되었다. 교수들은 학습자들에게 있어 교육내용을 성공적으로 학습하는 데 필요한 중요 학습 요소들을 선별하였고, TBL 교수전략에 있어서 학습자들에게 적절한 읽기과제를 부여하는 것이 학습 성공에 결정적인 요소가 되었다.

TBL을 활용했을 때의 장점과 단점에 대한 여러 가지 토론과정을 거친 후 간호대 교수진은 노인 환자들의 간호 관리라고 이름 붙인 새로운 교육과정에 TBL을 적용시켜 보기로 하였다. 이 교육과정은 8개의 모듈을 사용하는데 그중 4개의 모듈에서 TBL을 적용하기로 하였다. 이 필수 교육과정은 7주간 진행되는 것으로 3학기 간호대 학습자 약 70명이 실시하는 과정이었다.

학습자들이 TBL에 대해 익숙해지는 시간을 마련하기 위해 오리엔테이션 기간을 활용하여 TBL을 경험하게 하였다. 이어서 간단한 강의를 통해 TBL의 이론과 요소들에 대해 설명하고 강의가 끝나면 강의 내용에 대한 간단한 퀴즈를 실시할 것이라고 예고해 주었다. 강의가 끝난 뒤 학습자들은 각각 7명씩 10개 팀으로 나누어졌다. 이렇게 구성된 팀은 이후 7주간 같은 팀으로 활동하였다. 학습자들의 학습자원(직장 경험, IQ, 학업 준비도)이 공평하게 배분되도록 각 팀을 구성할 때 학습자들의 직무 스케줄, 자녀 양육 여부, 수강하고 있는 교과목 수 등을 미리 고려하였다. 이러한 집단 구성은 기존 TBL 과정을 운영하면서 얻은 경험을 바탕으로 한 것이며, 학습자들의 다양한 인생 경험들이 보다 다양한 집단을 형성할 것이라는 가정하에 결정되었다.

그러나 우리는 학습자들의 학업 성적은 고려하지 않았다. 그 이유는 학습자에게 집단 구성이 어떻게 이루어졌는지를 알 수 있게 하기 위해서였다. 학습자들에게 집단 구성 방법을 공개함으로써 집단 구성 과정에 다른 의도가 없음을 알려 주고자 했다. 집단 구성 시 성적을 고려하지는 않았지만, 다양한 인종, 성별, 그리고 학업 수행 능력을 갖춘 학습자들이 공평하게 집단을 구성할 수 있도록 하였다. 우리는 학습자들끼리 서로 익숙해지기 위한 별도의 시간을 마련하지 않았다. 왜냐하면 이미 그들은 두 학기를 지내는 동안 서로에 대해 잘 알게 되었을 것이라고 예상했기 때문이다.

집단 구성을 마친 후, 수업에서 다룬 내용에 대해 학습자들에게 10개 항목의 개인학습 준비도 확인시험(Individual Readiness Assurance Test, IRAT)을 실시하였다. 학습자들은 약 15분간 퀴즈를 풀고 이를 제출하였다. 제출 후에는 다시 한 번 팀원들끼리 서로 의논을 하면서 문제를 풀도록 하였다. 그 다음 우리는 학습자들이 팀별로 모여서 집단학습 준비도 확인시험(Group Readiness Assurance Test, GRAT)을 보게 하였다. 우리는 즉각적인 피드백-평가 기법(Immediate Feedback Assessment-Technique, IF-AT) 답안지를 각 팀별로 배포하였고 팀에서 선택한 각 문항의 답을 답안지에 표기하도록 하였다.

학습자들은 종종 집단 학습에 대해 불평을 늘어놓곤 한다. 그러나 우리는 GRAT 활동에서 의외로 적극적이고 활발한 학습자들의 참여에 매우 놀라지 않을 수 없었다. GRAT은 각 문제의 정답을 찾기 위해 모든 학습자들이 참여하는 활동이기 때문에 교실은 학습자들의 말소리로 상당히 시끄러웠다. 필자가 교실을 걸어 다니며 학습자들이 토론하는 내용을 들어보았더니, 서로 자유롭게 반대의견을 펼치고 자신의 생각을 적극적으로 표현하고 있었다. 과연 다음주에 학습 내용이 일반적인 강의식 수업으로 제공되었을 때와 IRAT과 GRAT이 성적에 포함된다고 알려주었을 때, 학습자들이 이러한 열정을 지속적으로 보여줄지 의문이 들었다.

이 오리엔테이션 기간 동안 TBL의 마지막 구성요소인 적용학습활동(application exercise) 또한 소개되었다. 이 학습활동에서는 학습자들에게 이미 배운 내용에 대한 시나리오와 팀별로 3~4개의 선택형 문항을 제공하였다. 이 질문들은 비판적인 사고능력을 요구하며, 정답을 고르기보다 가장 적절한 답을 찾도록 구성되어 있었다.

적용학습활동 내용이었던 '나쁜 소식 전하기'는 간호대 학습자들에게 익숙한 내용이었으며, 학습자들은 각 질문에 자신이 선택한 답을 지지하기 위해 자신들의 목소리를 내며 적극적으로 참여하였다. 그러나 적용학습활동 보다 GRAT 활동에서 학습자들의 참여가 더욱 두드러졌는데 우리는 그 원인을 문제의 형태 때문이라고 보았다. 적용학습활동의 경우 문제에 대한 지식을 묻는 GRAT 문제와 달리, 학습자들이 자신이 선택한 답을 지지하기 위해 전체 학급을 대상으로 자신의 의견을 관철시켜야 했다. 한편, 우리는 학습자들이 한 학기 동안 이러한 학습활동에 참여함으로써 자기방어 기술에 익숙해졌는지 궁금해졌다.

오리엔테이션을 마칠 때 즈음, 우리는 8개의 모듈 중 4개는 TBL을 활용한다는 것을 알려주었다. 따라서 사전에 수업 준비가 반드시 되어 있어야 하는 TBL이 적용되는 수업이 언제 있는지 수업계획서 검토를 통해 미리 확인할 필요가 있다고 알려주었다. 우리는 학습자들로 하여금 수업계획서를 검토하게끔 하고 평가는 어떻게 이루어지는지 설명해 주었다. 보다 자세한 평가 방법은 다음 수업 시간에 알려주기로 하고, 학습자들에게 새롭게 적용된 TBL 교수전략에 대한 질문은 없는지 물어보는 것을 마지막으로 오리엔테이션을 마쳤다. 학습자들은 새로운 학습 방법에 대한 기대와 흥분을 표현하였으며 다른 질문은 없었다. 일부 학습자들은 오리엔테이션을 통해 경험한 TBL에 대해 "재미있었다." 그리고 "오늘 수업은 정말 빨리 지나갔다."고 말해주었다.

## TBL에 대한 첫 경험

노인 환자들과 약층 인구를 위한 4개의 간호 관리 모듈에는 준비도 확인시험(Readiness Assurance Test, RAT)이 포함되었다. 새로운 교수전략을 적용하는 목적 중 하나는 학습자들의 비판적인 사고능력을 개발하는 것이므로 교과내용과 연계된 적용학습활동은 4개의 모듈에서 모두 활용되었다.

## 평가체제 설명

두 번째 수업에서는 교수들은 TBL에서의 평가방법에 대해 설명해 주었다. IRAT과 GRAT이 성적에 12% 반영됨을 공지하였다. 그리고 각 점수는 분할되어 IRAT은 전체 성적의 1%를, GRAT은 3%를 차지하게 될 것임을 설명해주었다. 우리는 GRAT의 점수에 더 큰 비중을 두었는데 이는 학습자들 간 협력이 보다 활발히 이루어지고, 집단 점수가 개인 점수보다 더 큰 비중을 차지하므로 집단 구성원들이 서로 협력하고자 노력하여 동기유발이 촉진되고, 팀원 개개인이 수업 준비에 충실할 수 있도록 서로를 격려할 것이라 생각했기 때문이다.

## IRAT과 GRAT

자신들의 IRAT과 GRAT의 수행 결과가 성적에 포함된다는 것을 알았을 때 학습자들은 IRAT과 GRAT을 치르기 위해 그들에게 요구되는 읽기과제를 어떻게 효율적으로 소화해야 하는지에 대해 우려의 목소리를 내었다. 그때마다 우리는 학습자들에게 읽기과제가 많이 감소되었으며, 읽기과제들의 개요를 정리해보는 것이 도움이 될 것이라고 조언해 주었다. 학습자들의 이러한 우려에도 불구하고 첫 수업은 매우 잘 진행되었고 학습자들 또한 수업에 매우 활발히 참여하였다. 학습자들은 제일 먼저 읽기과제의 내용을 담고 있는 15개 문항의 IRAT을 보았다. 학습자들에게는 스캔트론(Scantron) 형식의 답안지가 주어졌고, 답안지에 각자의 이름과 번호를 기입하게 했다. 학습자들은 20분간 문제를 풀고, 답안지를 제출한 후 팀별 GRAT 문제를 풀었다. 학습자들이 문제를 풀 동안 교수들은 학습자들의 IRAT 점수를 채점하였다. 우리는 IRAT을 채점하는 과정이 학습자들이 수업 내용에서 잘 이해하지 못한 것을 명확히 파악할 수 있는 매우 유익한 과정임을 깨달았다.

첫 수업에서 우리는 모든 팀이 GRAT을 끝낼 때까지 기다린 후 미니 강의를 하거나 적용학습활동으로 넘어갔다. 어떤 학습자들은 어떤 팀이 GRAT을 하는 데 시간이 너무 많이 걸려 다른 팀들을 기다리게 한다는 것에 불만을 토로했다. 이러한 이유로, 우리는 GRAT에 40분의 시간제한을 두게 되었다. 이 시간제한은 잘 지켜졌고, 학습자들도 이렇게 시간을 관리하는 것이 보다 용이하다고 생각하는 것 같았다.

GRAT이 끝난 후, 각 팀은 팀별 점수를 보고하였다. 우리는 각 팀의 GRAT 점수를 칠판에 기입하여 각 팀이 다른 팀과 비교할 수 있도록 하였다. 이러한 단순한 행동이 개인의 책무성을 촉진시켰다. 실제로 한번은 이러한 기록 작업을 실수로 빼먹은 적이 있었는데, 한 집단의 학습자가 일어나 자신의 팀 점수를 칠판에 기록하기도 하였다.

## 항의

시험 문항에 대한 학습자들의 항의(Appeals)를 이미 경험한 우리로서는 TBL 시범수업에서 점수 항의 절차를 허용하는 것에 주저하였다. 특히 GRAT 문항에 대한 항의는 더욱 심했다. 그러나 종국에는 Michaelsen과 그의 동료들이 제안한 것과 유사한 성적 항의 절차를 설계하게 되었다(Michaelsen, Knight, & Fink, 2004).

우리는 학습자들에게 학습 내용에 근거하여 문제가 있는 문항이 있을 경우와 단어가 모호하여 문제의 의도를 명확히 알 수 없을 경우에 정식으로 문제에 대해 항의할 수 있다고 알려주었다. 이 시간이 학습자들이 시험 중 유일하게 학습자료나 참고자료를 활용할 수 있는 시간이었다. 학습자가 문제에 대해 이의를 제기한 경우, 우리는 정답을 다시 알려주거나, 질문을 보다 명확하게 재진술하도록 요청하였다. 그러나 수업 도중 문항 자체에 대해 학습자들과 논의하는 일은 금지되었다. 학습자들은 미리 마련된 항의서에 내용을 기입하고 그것을 시험이 끝날 때 답안지와 함께 제출하였다. 우리는 사전에 질문이 설사 잘못된 경우에도 항의를 한 집단에 한해서만 점수를 준다는 사실을 명확히 하였다.

초반에는 거의 모든 집단이 시험 문제에 대해 항의를 하였는데, 대부분이 시비조였고 인용 자료들은 질문과 관련 없는 것들이 많았다. 교수진을 대표하여 필자는 모든 항의 내용을 검토한 후 각각의 학습자들에게 직접 피드백을 해주었다. 또한 항의한 문항에 대해 점수를 받았는지 여부도 알려주었다. 필자의 피드백에 대해 학습자들은 더욱 비판적인 태도로 항의를 하였는데, 그러한 과정을 거치면서 점차 학습자들의 사고가 더욱 신중해졌고, 항의 근거 또한 수업 내용과 관련된 자료들이 많아졌다. 우리가 애초에 가졌던 걱정과 달리 항의 과정은 학습자들뿐만 아니라 교수들에게도 매우 강력한 학습 경험이 되었다.

## 간단하고 일목요연한 강의

GRAT 점수 채점 후에는 적용학습활동을 실시하는데, 이 단계는 학습자들이 배운 사례나 임상 상황의 내용을 적용해보는 과정이다. 그러나 우리는 적용학습활동 전, 학습자들이 GRAT을 마치고 교수들이 IRAT 점수 채점을 마친 시점에서 학습 내용 중 혼란스러운 부분에 대해 토의하는 시간을 가졌다. 간혹 IRAT에서 실수가 있었던 부분이나 불명확한 학습내용 등은 강의나 소크라테스식 발문법을 통하여 해결하였다.

## 적용학습활동

간호학 교육에서의 최근 추세는 간호대학 졸업생들에게 복잡한 의료상황을 해결하기 위한 비판적 사고능력과 문제해결 능력을 갖추도록 요구하고 있다(Garrett, Schoener, & Hood, 1996). 우리는 대부분의 학습자들이 주된 학습 자료를 강의시간에 나누어준 PPT 유인물 한 가지에만 의존하고 있다는 사실에 매우 당황하였다. 그리고 이것이 바로 국가간호사자격시험 점수가 날로 떨어지는 많은 원인 중의 하나일 것이라 생각했다. 우리는 TBL 적용학습활동이 학습자들로 하여금 문제해결 전략을 습득하고 간호사 자격시험에 시나리오 사례로 자주 등장하는 복잡한 의료 상황을 잘 관리할 수 있도록 도와주기를 기대하였다.

우리는 TBL 관련 문헌들을 통해 학습에서는 학습자들이 고등 인지 능력을 활용할 수 있도록 해야 함을 깨달았다. 따라서 우리는 모든 적용학습활동을 이러한 복잡한 임상 상황을 다루는 사례 연구에 기초하도록 개발하였다. 시나리오는 학습자들이 의사결정을 할 수 있는 수준으로 하되 집단 토론이 이루어지도록 적절히 복잡하고 어려운 난이도를 갖도록 구성하고, 이 적용학습활동은 성적에 포함시키지 않기로 하였다.

학습자들과 TBL 활동을 진행하면서 집단 역동성을 키우고 학습에 대한 책무성을 가질 수 있도록 하는 것이 매우 어려운 일이었다. 이러한 문제를 해결하기 위해 우리는 Michaelsen과 세 개의 S(same problem－동일한 문제, specific choice－특정한 선택, simultaneous reporting－동시 보고)를 활용하였다(Michaelsen et al., 2004).

우리는 세 개의 S가 집단 내 혹은 집단끼리의 심도 있는 토론을 이끌어내는 자극 요소라는 것을 알아내었다. 10개조는 동일한 사례연구를 가지고 학습하였는데, 이 과정에는 몇 가지 질문에 특정한 답을 선택해야 하는 학습활동이 포함되어 있었다. 우리는 모든 응답이 정답과 흡사한 내용을 담고 있도록 개발하였으나, 모든 내용을 고려하였을 때 가장 적절한 답은 한 가지가 되도록 하였다.

동시 보고가 가능하도록 하기 위해서 우리는 각 팀별로 A, B, C, D, E까지 인쇄된 카드를 나누어주었다. 학습자들은 팀별로 문제당 한 개의 답을 골라야 하는데, 정답은 A에서 E 중 하나로 표기되었다. 처음에 어떤 팀은 정답을 하나만 고를 수 없어서 정답이 2개가 된다고 불평을 하기도 하였다. 그럴 때마다 3분 정도의 시간을 추가로 주어 최종 선택을 할 수 있도록 배려해 주었다. 우리는 학습자들의 주의 집중을 위해 시나리오를 읽어주고, 첫 번째 문제부터 함께 풀어나갔다. 셋을 세면 각 팀별로 정답 카드를 들도록 사전에 약속하였다.

여러 팀의 의견이 분분한 문제가 발생하면, 해당 문제의 모든 가능성 있는 답을 읽은 후 집단 간의 토론이 이루어지도록 시간을 할애하였다. 토론은 대부분 활발하게 이루어졌다. 교수들도 이를 관찰하며 학습자들이 시나리오를 어떻게 분석하는지, 가장 적절한 답을 찾기 위해 문제해결 능력을 어떻게 활용하는지에 대한 통찰을 얻었다. 한편, 모든 집단이 문제에 대한 동일한 답을 골랐을 경우에도 여전히 토론을 이어갈 수 있었는데, 이때에는 특정 팀에게 왜 그 답이 다른 것에 비해, 예를 들면 답 B에 비해 더 적절하다고 생각하였는지 팀의 의견을 이야기하게 하였다. 그 다음 다른 팀에게는 왜 최종 선택한 답이 답 C에 비해 더 적절하다고 생각하는지 설명해보도록 하였다. 이러한 과정은 교수와 학습자들에게 임상적 의사결정이 어떻게 이루어지는지 알려주는 과정이 되었다. 처음에는 학습자들이 교수가 자신들에게 너무 많은 질문을 던지는 것이 어렵게 느껴진다며 불만을 토로하였다. 이러한 학습자들의 불만은 중간고사 기간 중 TBL 수업 방법에 대한 장단점을 기술하는 평가서를 통해 확인할 수 있었다. 이를 해결하기 위해 교수들은 학습자들이 선택한 응답에 대해 적극적으로 강화시켜 주는 방법을 사용하기로 하였다. 교수들은 학습자들이 사용한 문제해결 전략을 강조하고 학습자들이 가장 적절한 답을 고르지 못했을 때에도 적극적으로 지지해 주었다. 이와 반대로, 학습자들이 학습 내용을 잘 이해하지 못했거나 문제해결 전략이 부족했을 경우 교수들은 보다 적절한 답을 선택한 집단을 격려하여 어떻게 그러한 의사결정을 하게 되었는지 근거를 통해 설명하도록 하였다.

학습지들은 적용학습활동이 학습경험으로 가장 큰 도움이 되었다고 느꼈으나 한편으로는 자주 스트레스를 받았다고 했는데 이는 가장 적절한 답을 선택하는 과정에서 많은 시간이 소요됐고 모든 팀원들과 토론을 해야 했기 때문이었다. 또한 학습자들은 시험에서 이러한 종류의 문제가 나올 경우 답을 제대로 할 수 없을 것이라는 두려움이 있었다. 그러나 교수들은 이것이 학습자들의 학습을 촉진시키기 위한 과정임을 재차 역설하였다. 이와 대조적으로 일반적 시험 문제들은 대부분 학습자들의 교과내용에 대한 지식과 문제해결 능력을 평가하는 데에 그 목적이 있다(부록 13.A 참조).

## TBL 교수전략을 통해 얻은 교훈

TBL 수업을 위해서는 많은 준비가 필요하다. RAT과 적용학습활동에는 많은 생각과 시간을 투자해야 한다. TBL 과정을 수행하는 학습자들은 읽기과제에서 TBL을 위한 모든 정보를 얻을 수 있어야 한다. 때문에 읽기과제의 내용은 학습자들에게 가장 중요한 학습 내용으로 구성되어야 한다. 그러나 우리는 TBL을 하기 위해 학습자들이 투자해야 하는 준비 시간을 미처 제대로 계산하지 못했기 때문에 직접 읽기과제의 양을 줄이고 학습자들의 성공적 학습을 위해 필요한 주요 학습내용들을 선별해야 했다. 다행히도 처음에는 교육과정의 절반만 TBL을 활용했기 때문에 우리에게 TBL의 내용 구성, 학습활동, 그리고 다른 수업 도구들을 준비할 수 있는 여유가 있었다. 마찬가지로 학습자들에게도 사전에 학습 자료에 대한 활용법이나 학습조직 방법 등에 대한 도움을 줄 필요가 있다. TBL 과정을 실시하기 전 학습자들은 읽기과제를 제대로 수행하지 않고 있었으며, PPT 자료 없이 학습을 어떻게 준비하고 조직해야 하는지 알지 못했다. 우리는 학습자들에게 많은 시간을 할애하여 읽기과제를 어떻게 활용해야 하고, 다음 수업 준비를 위해 무엇을 해야 하는지에 대해 지도해주었다.

학습자들은 읽기과제만을 가지고서는 자신들에게 필요한 정보를 충분히 얻을 수 없었다고 불평하기도 하였고, 학습을 보충하기 위해 강의식 수업을 요구하기도 하였다. 우리는 이러한 불평을 하는 일부 학습자들에게 학습자 스스로 적절한 정보를 습득하는 것이 성공적인 학습이라고 설득하는 데 실패하였다. 그러나 그들은 곧 중간고사와 기말고사를 실시한 결과 자신들의 성적 분포가 TBL이 아닌 다른 학습방법으로 공부하는 학습자들의 성적 분포와 동일하다는 사실을 알게 되자 자신들이 경험하고 있는 학습에 확신을 갖게 되었다.

학습자들이 오리엔테이션 기간을 통해 TBL에 대하여 경험한 것들은 추후 TBL 수업에 많은 도움이 되었다. 학습자들은 이 기간 동안 TBL이 성적에 포함되지 않았기 때문에 수업을 즐거워했고, 학급이 TBL 수업을 위해 어떻게 팀별로 구성될 수 있는지를 배웠다. 이러한 경험은 많은 시간과 논의의 과정을 단축해주었다. 덕분에 첫 TBL 수업에서 학습자들은 TBL의 모든 과정에 참여할 수 있었다.

우리는 학습과 팀 활동에 도움이 되는 GRAT과 적용학습활동의 내용을 지속적으로 개발하였다(Michaelsen & Richards, 2005). 비록 GRAT의 목적은 학습내용을 평가하는 것이지만, 우리는 TBL 활동에 도움이 될 수 있는 방법으로 내용을 개발하였다. 또한 GRAT의 난이도가 쉬운 것부터 어려운 것까지 골고루 분포될 수 있도록 하였다. 각 문항은 집단으로 하여금 학습활동을 이어갈 수 있도록 할 뿐만 아니라 어려운 문제에서는 집단 토론과 협력을 촉진시켜 주었다.

우리 교수진들은 TBL을 매우 좋아했는데 TBL로 인해 학습자들을 보다 잘 알 수 있게 되었고 임상 문제를 해결하기 위해 학습내용을 어떻게 활용해야 할지 명확히 알 수 있었기 때문이었다. 한편, 학습자들은 TBL 방법에 대해 복합적인 반응을 보였는데 33%의 학습자들은 TBL을 매우 좋아하였고, 47%는 보통이라고 답하였고, 20%는 좋아하지 않는 것으로 나타났다. 학습자들의 반응은 복합적이었지만, 대체적으로 강의식 수업보다 TBL 수업에서 학습 참여도가 더 높아진다고 보고하였다(Clark, Nguyen, Bray, & Levine, 인쇄 중).

우리는 여러 가지 평가 방법이 혼용되었을 것이라고 생각하는데 그 이유는 이 수업이 TBL을 주요 교수전략으로 활용한 첫 사례이기 때문이다. 이와 더불어 TBL에서는 학습자들에게 읽기과제를 스스로 조직하여 학습해야 하는 책무성이 새롭게 주어졌다. 대부분의 학습자들은 그동안 강의식 수업에 의존하여 학습을 조직하여 왔다고 보고하였다. 이 때문에 읽기과제를 제대로 수행하지 못한 경우가 많았다. 이는 모든 교육의 궁극적인 목적이 평생학습자(Lifelong Learners)를 개발하는 것에 있다고 할 때 분명 우려되는 사항이다. 한편 학습자들은 강의식 수업에 비해 TBL 수업 준비를 보다 철저히 한 것으로 나타났는데 이는 GRAT 점수를 잘 받기 위함이었다.

우리는 RAT을 최종 성적에 포함시키는 것이 의미가 있다고 생각했는데, 그렇게 하였을 때 학습자들이 수업 준비를 미리 해 올 뿐만 아니라, 학습에 대한 책무성 또한 고취시켜 줄 수 있기 때문이다. 이때 IRAT보다 GRAT에 더 큰 비중을 두었는데 이는 IRAT 점수보다 GRAT 점수가 항상 더 높았고 이로 인해 팀 간의 협력이 이루어지고 서로 격려하는 분위기가 조성될 수 있기 때문이었다.

## 결론

우리는 TBL의 장점이 전통적인 강의 범위 장점을 훨씬 능가한다고 생각한다. TBL 수업에서 학습자들은 학습과정에 보다 적극적으로 참여하였고 자신들의 주장을 펴기 위해 의사소통 기술을 많이 사용하였다. 그 결과 학기 중 교수와 학습자들 간의 대화나 학습자들끼리의 대화량이 많아져 학습자들의 의사소통 능력이 향상되었다. 또한 TBL은 복잡한 임상 문제를 해결하는 데 매우 유용한 교수-학습 방법이었다. 더 중요한 것은 TBL을 활용한 학습자들은 비교적 적은 수의 강의를 들었지만 학습목표는 보다 잘 달성되었다는 점이다. 학습자들의 열정이 교수들이 기대했던 방향과 정확하게 맞지는 않았지만 학습자들은 어려운 임상문제를 푸는 방법과 함께 다양한 학습자들로 구성된 집단과 어울리는 방법을 배웠다고 인정하였다.

우리가 경험한 TBL은 간호대 학습자들의 학습을 향상시킬 수 있는 좋은 교수전략임을 보여줌과 동시에, 변화하는 의료체제가 요구하는 팀 간의 보다 수준 높은 의사소통 능력을 키우기 위한 매우 훌륭한 교수-학습 방법임을 보여주었다.

## 참고문헌

Clark, M. C., Nguyen, H. T., Bray, C., & Levine, R. (in press). Team learning in an undergraduate nursing course. *Journal of Nursing Education.*

Garret, M. L., Schoener, L., & Hood, L. (1996). Debate: A teaching strategy to improve verbal communication and critical-thinking skills. *Nurse Educator, 21*, 37–40.

Michaelsen, L. K., Knight, A. B., & Fink, L. D. (2004). *Team-based learning: A transformative use of small groups in college teaching.* Sterling, VA: Stylus Publishing.

Michaelsen, L., & Richards, B. (2005). Drawing conclusions for the "Team-Learning" literature in health-sciences education: A commentary. *Teaching and Learning in Medicine, 17*(1), 85–88.

# 부록 13.A

## 집단 적용학습활동 사례 : 환경 점검

**사례:** A부인은 75세의 여성이다. 그녀는 10년 전 학교에서 영문법을 가르치는 일을 그만두고 작은 시골집에서 혼자 살고 있다. 부인은 얼마 전 심장병으로 쓰러져서 4주간 병원에 입원하였었고, 그 후유증이 심하게 남았다.

얼마간의 재활훈련을 받은 후 부인은 몸의 기능과 체력, 거동이 불편했던 면이 많이 회복되었지만 그럼에도 불구하고, 여전히 신체적 장애를 안고 있다. 부인은 도움 없이 스스로 잠자리에서 일어설 수 있으며, 4발 지팡이만 있으면 집안에서 이동이 가능하다. 그러나 사회 활동을 하려면 휠체어가 필요하다. 부인은 오른손잡이지만, 그녀의 오른손은 힘이 거의 없고 기능도 제대로 하지 못한다. 또한 오른쪽 다리의 힘과 기능도 보통 수준이다. 그녀는 혼자 살고 있고 곧 퇴원할 예정이다. 그녀의 집 사진을 잘 관찰하고 다음의 질문에 답해 보시오.

1. 다음 사항들은 당신의 당면 과제들이다. 가장 우선시되어야 할 것은 무엇인가?
   가. 등유 히터의 사용
   나. 침실에서의 흡연
   다. 위험한 전선 작업
   라. 금연 경보
2. 시나리오에서 알 수 있는 정보와 시골집 사진에 기초하여 당신이 부인의 퇴원에 대해 어떤 제안을 해줄 수 있겠는가?
   가. A부인이 근력을 다시 회복할 때까지 4주간의 생활 센터의 도움을 받게 한다.
   나. A부인과 남편이 잘 지내는지 매일 확인해주기만 하면 문제없을 것이다.
   다. 가정방문 의료진을 배치하여 필요한 서비스를 제공한다.
   라. 근력 회복 치료를 위해 4주간 더 병원에 머물도록 한다.
3. A부인 집의 외관을 살펴보았을 때 무엇이 그녀에게 가장 위협이 된다고 생각하는가?
   가. 넓은 비탈길
   나. 창살 있는 창문들
   다. 집안일
   라. 비탈길에 보호벽이 없는 것

4. A부인의 식당을 검토한 후, 부인이 넘어지는 것을 방지하기 위해 당신이 가장 먼저 제안할 수 있는 것은 무엇인가?
   가. 의자와 바닥의 여러 가지 물건들 치우기
   나. 바퀴가 달려 움직이는 의자들을 고정 의자로 교체하기
   다. 바닥 여기 저기에 깔려 있는 깔개 치우기
   라. 의자들을 재배치하기
5. A부인의 침실에는 여러 가지 위험한 요소들이 있다. 당신이 방문 의료를 마치기 전에 반드시 처리하고 싶은 한 가지 요소를 뽑으라면 어떤 것이겠는가?
   가. 엉켜 있는 전선
   나. 전화기 위치 바꾸기
   다. 치료약들을 정리하기
   라. 방에 물건들을 치우기
6. 안전하게 이동할 수 있도록 A부인을 도와주기 위한 당신의 첫 번째 행동은 무엇이겠는가?
   가. 재활 치료를 도와줄 수 있는 레크리에이션 활동을 하도록 격려한다.
   나. 그녀의 침대에 이동 가능한 기기를 설치한다.
   다. 침대의 높이를 환자의 다리 길이에 맞추어 조정한다.
   라. 비상시에 사용할 수 있는 호출 벨을 설치한다.
7. A부인은 또 쓰러질까봐 걱정이 된다고 당신과 상담하였다. 이때 A 부인에 대해 당신이 가장 먼저 고려해야 할 점은?
   가. 기능의 저하
   나. 병세의 악화
   다. 영양섭취 부족
   라. 사회적 고립

# 제 14 장

# 임상의사 보조 프로그램에서의 팀 바탕학습

*Bob Philpot*

필자는 많은 기간 동안 임상의사 보조 프로그램 교육을 제공해 왔다. 필자는 일찌기 강의식 교육의 한계를 느꼈다. 학습자들은 "쪽지 시험"을 예상하고 있지 않은 이상 그날 배울 학습 내용을 미리 예습해오는 경우가 드물었다. 대부분의 학습자들은 수업 중에 필기를 하지만, 솔직히 필기할 만한 가치가 있는 것들이 무엇이었는지, 그리고 그들이 진정 배운 점은 무엇인지 알지 못했을 것이다. 그래서 필자는 지난 세월동안 많은 시간과 노력을 투자하여 보다 효과적인 강의를 하기 위해 힘썼고 그 결과 조금 개선되었다고 느꼈다. 하지만 때때로 필자 자신이 단순히 강의에 재미만을 더해가는 것은 아닌지, 더 오랜 시간 학습자들을 졸지 않게 하는 재주만 늘어가는 것은 아닌지 의심스러웠다.

탁월한 교수가 되는 것은 우리와 같은 "학자들"이 평생 추구하고자 하는 목표이다. 학습자들의 주의를 집중시키고 호기심을 자극할 수 있는 수업을 계획하고 제공한다면 학습자들로 하여금 집으로 돌아가서 더 많은 학습을 하도록 자극할 수 있다. 바로 이것이 교수인 우리가 원하는 것이다. 전통적인 강의식 교수법 혹은 상호작용 학습이 가능한 소집단 교수법을 통해 학급을 수업에 적극적으로 참여시킬 수 있는 혁신적인 방법을 찾아내는 것이 학습자들에게 보다 많은 학습의 기회를 제공해주는 것이라고 믿는다.

우리는 학습자들이 수업을 미리 준비해 오도록 항상 격려한다. 하지만 어떤 학습자가 중요한 학습개념을 인식하지 못했다면, 나머지 더 중요한 학습내용에 대해 혼란스러워할 수 있다. 학습에 대한 두려움과 무력감은 학습을 방해할 수 있다. 팀 바탕학습(Team-Based Learning, TBL)은 학습자들이 동료들과의 상호작용을 통해서 학습내용의 주요 개념을 명백히 학습할 수 있는 기회를 제공한다. 팀 활동을 통해 비판적 사고와 문제해결 능력을 촉진시킬 수 있다. 학습자들, 특히 보건의료직과 관련된 학습자들에게는 보다 더 깊게 사고하는 능력과, 술기가 뛰어난 임상의사뿐만 아니라 다양한 상황에서 여러 직종의 사람들과 협력하여 일할 수 있는 능력이 있는 의사가 되도록 도전적인 과제들을 던져주어야 한다.

필자가 TBL을 처음 접한 것은 의학교육 교수개발 프로그램의 일환이었던 TBL 워크숍에서였다. 예습 과제로 읽기과제(reading assignments)가 배포되고, 준비도 확인시험(Readiness Assurance Tests, RATs)과 소집단으로 진행된 적용학습활동 후에 TBL의 개념에 대한 간략한 설명이 있었다. 워크숍이 무르익어감에 따라 필자는 "학습자"가 된 참가자들이 상호작용해 나가는 전략구조에 얼마나 많은 흥미를 느끼는지 파악할 수 있었다. 우리 모두 학습의 즐거움을 경험하였다. 필자는 그 즉시 우리 대학에서 제공하고 있는 임상의사 보조 프로그램에 TBL을 적용할 수 있는 여러가지 방법을 생각해 낼 수 있었다.

그후 필자는 TBL 전략을 모든 수업에 가장 우선적인 교수전략으로 사용하고 있으며, 교육과정 내용 중 보다 적절한 학습내용을 선택하여 적용하고 있다. TBL 경험을 통해 학습과정에서 일어나는 집단의 역동성을 보게 된 이후에는, 수업의 내용을 직접 설계하여 학습자들이 학습내용을 단순히 습득하는 것이 아니라 이를 적용할 수 있도록 교육과정을 변화시키고 있다.

## 요리 수업에 참석한 수백 명의 요리사들

이제부터는 임상의사 보조 교육과정에 어떻게 TBL을 도입할 수 있었는지 구체적인 내용을 공유하고자 한다. 수업명은 의학 입문으로 2학기 동안 진행되는 과정이며 수많은 외부 연자들이 카메오 출연을 해주는 수업이다. 따라서 어떤 수업은 매우 훌륭하고 어떤 수업은 그렇지 않다. 심지어 같은 수업목표를 가지고 수업을 진행할 몇몇의 교수진을 확보하는 일조차 매우 힘들었다. 필자는 TBL 교수전략으로 전체 과정을 진행할 생각은 없었기 때문에 몇몇 주요 강의를 선별하여 이를 TBL 진행하였다.

강의를 TBL 수업으로 바꿀 경우, 두 가지 핵심사항을 염두에 두어야 한다: (가) 사전 읽기과제는 수업목표에 보다 알맞게 재구성되어야 할 때가 있다. (나) 학습자들이 다른 수업으로 인해 지쳐 있을 때에는 TBL 수업을 위한 준비에 소홀해질 것이므로 학습자들을 보다 면밀히 파악하도록 하고, TBL 수업을 계획할 때에는 학사일정 중 학습자들에게 부담되는 일정을 미리 파악해 두어야 한다.

TBL 적용의 성공으로 인해 우리는 매년 더 많은 TBL 수업을 만들고 있다. 많은 학습자들이 제자리에 가만히 앉아서 듣는 전통적인 강의법보다 활동적인 학습유형을 좋아한다. 어떤 학습자들은 활동적인 TBL 수업으로 인해 기존에 할 수 있었던 다른 활동(예. 전자 메일 보내기)을 더 이상 할 수 없다는 사실에 불평을 토로하기도 한다. 그러나 필자와 필자의 동료들이 TBL 교수전략에 보다 능숙해지자 학습자들은 수업에 대하여 준비하고, 문제를 해결하기 위해 매우 적극적으로 동료들과 함께 학습하고, 더 많이 학습하는 등 학습에 대한 새로운 책무성을 갖게 된 것에 대해 일제히 감사해했다.

## TBL을 활용한 시험 준비

또 다른 교육과정에서 필자는 TBL을 주요 시험 전에 활용할 수 있는 매우 유용한 복습과정으로 활용하였다. 큰 시험을 며칠 앞둔 대부분의 학습자들은 그들이 시험을 잘 치르기 위해 알아야 하는 내용이라면 무엇이든지 배우고자 하며, 모르는 내용에 대해서는 매우 불안해한다. TBL 복습과정에서 학습자들은 먼저 성적에 반영되지 않는 20~30문항의 RAT을 치룬다. 이어서, TBL 원리에 입각하여 각 팀은 같은 질문을 가지고 팀 활동을 실시한다. 이 시간을 통해 학습자들은 서로 많이 가르치고 배울 수 있다. 다음으로 학습자들은 소집단 활동을 통해 짧은 사례 연구 내용을 익히고 관련 질문들에 답하는 과정을 갖는다. 이 질문들은 앞으로 치러야 할 시험 문제와 비슷한 난이도의 문제들로 학습자들에게 충분한 토론 시간을 주어 필요한 지식을 충분히 채울 수 있도록 하였다.

마지막으로 학습자들은 TBL 복습과정을 정리하기 위해 시험에 나올 수 있는 예상 문제들을 검토해보는 과정을 갖는다. 이 시간을 통해 학습자들만이 발견할 수 있는 문제의 결함, 모호함, 해석의 차이 등의 내용이 검토될 수 있다. 어떤 경우에는 문항을 개선하기 위해 단순한 문법 수정만이 요구되기도 하고 또 다른 경우에는 시험 문제에서 제외되어야 하는 문항을 발견하기도 한다.

이 활동의 종반에 다다르면 학습자들은 필자의 문제 출제 형식에 익숙해지고, 수업 목표를 확실히 이해할 수 있게 되며, 자신감 수준이 월등히 향상된다. 그리고 보너스로, 교수는 20~30여 개의 새롭고 이미 검증된 시험 문항들을 확보하게 되어 문제 은행에 저축하여 몇 년간 유용하게 활용할 수 있게 된다.

## TBL 시험

우리는 학습자들이 어려운 시험을 치른 후에는 즉각적인 피드백과 함께 시험 문제를 잘 풀었는지 확인하고 싶어 한다는 것을 잘 알고 있다. 학습자들은 사전 지식이 부족하여 시험에서 아깝게 풀지 못한 문제들에 대해서도 그 빈 지식의 공간을 채우고 싶어 함을 자주 표현한다. 필자는 이러한 상황이 학습을 위한 엄청난 기회라는 사실을 깨달았다.

시험 진행 과정에 약간의 수정을 통해 필자는 이 학습의 기회를 잘 이용할 수 있었다. 시험의 진행은 우리가 평상시 하던 방식과 유사하게 진행하였다. 학습자들에게 50문항의 선택형 시험문항과 정답지를 배포하였다. 그러나 시험을 마친 후 학습자들은 교실을 나가는 것 대신 모든 학습자가 시험을 마칠 때까지 기다리도록 했다.

모든 학습자들이 시험을 마친 후에, 학습자들은 소집단으로 모여 집단학습 준비도 확인시험(Group Readiness Assurance Test, GRAT) 형식과 동일한 시험문제를 다시 풀도록 하였다. 이 학습활동에 참여할 경우 팀 수행 결과에 따라 학습자들에게는 추가 점수가 제공되었다. 즉각적으로 필자는 일반 수업에서의 GRAT보다

이 시간에 팀 활동을 하는 것이 학습자들이 보다 열정적이고 활발하게 학습 내용에 대해 논의한다는 사실을 알 수 있었다.

TBL 시험에서 학습자들은 강의 평가와 교수 평가 모두에서 자신들의 시험성적 향상의 기회를 제공받았을 뿐 아니라 수업내용에 대해 보다 많은 이해를 할 수 있어서 큰 만족감을 느낀다고 기술하였다. 그 무엇보다, 이 점이 가장 중요하지 않은가?

## TBL 방사선 실습

플로리다 대학(University of Florida)의 임상의사 보조 프로그램에 들어오는 학습자들이 가장 먼저 경험하는 학습과정 중 하나는 바로 해부학이다. 이 교육과정은 항상 매우 짧은 기간 안에 많은 것을 소화해야 하는 과정이다. 3D 인간해부학 교육과정을 제공하기 위해 우리는 일반 해부학 과정에 방사선 촬영 해부학(Radiographic Anatomy) 과정을 추가로 개설하였다. 이 수업은 정상적인 방사선 사진들과 더불어 비교를 위한 약간의 '비정상' 사진들을 분석하는 매우 기초적인 입문 과정이다.

필자는 수년간 Lucy Frank Squire(1988)의 평범한 사진들을 바탕으로 학습자들이 주도하는 실습 수업을 운영해왔다. 이 과정에서 학습자들은 팀으로 구성되어 사전에 마련된 각 스테이션을 돌면서 학습한다. 5개의 스테이션에서는 각각의 방사선 사진의 주인공인 환자의 병력과 임상 기록들이 제공된다. 각 스테이션에서 학습자들은 8개에서 10개의 사진을 분석하고 몇 가지 깊은 사고를 요구하는 질문에 답해야 한다. 한 스테이션당 30분의 시간이 주어진다. 지난 몇 년간 필자는 이 학습과정의 내용을 수정하였고 CT와 MRI 분석과정을 새로이 추가하였다. 학습자들은 이 수업을 "도움이 되나 조금 어렵다."고 평가하였다.

방사선 촬영 해부학 과정은 TBL을 적용하기에 매우 용이해 보였다. 필자는 곧장 RAT과 유사한 25개 문항의 선택형 시험 문항을 개발하였다. 이 문제들은 각 스테이션마다 5개씩 제공되었다.

필자는 학습자들의 성별, 임상 경험 그리고 성적을 고려하여 6명씩 10개의 팀을 구성하였다. 5개 팀씩 나누어 2개의 150분짜리 실습수업에 참여하게 하였다. 각 팀은 자신들의 팀이름을 짓고 모든 사람들이 볼 수 있도록 점수판에 기록하였다. 또한 각 팀에게는 즉각적인 피드백-평가 기술(Immediate Feedback-Assessment Technique, IF-AT) 답안지가 배포되었다.

팀 활동이 끝나면 점수가 계산되어 점수판에 기록되었고 학년 웹사이트에서도 확인할 수 있었다. 가장 높은 점수를 받은 팀에게는 학교 근처 식당에서 점심을 먹을 수 있는 쿠폰을 제공하였다.

방사선 촬영 해부학 과정을 마친 학습자들은 학습 내용은 기존의 수업방식대로 했을 때와 같이 여전히 어려웠지만 실습 과정 자체가 보다 즐거워 학습을 유쾌하게 할 수 있었고 학습 주제에 대한 이해 또한 매우 향상되었다고 평가하였다. 학습자들에게 있어서는 큰 변화였고 보다 흥미로운 학습 경험의 기회가 되었던 것이다.

## 환자 시뮬레이터

환자 시뮬레이터의 활용은 많은 의과대학 수련 과정에서 매우 인기가 높다. 어떤 시뮬레이터는 매우 섬세하여 전기나 약물 주입으로 인한 혈압, 맥박, 심장과 폐소리, 소변 검사, 동공 수축 등의 변화를 측정할 수도 있다. 적절한 계획과 교육내용 구성, 구체적인 알고리즘 구축을 통해 매우 상세한 환자 시나리오를 만들 수 있다. 성공적인 환자 시뮬레이터 교육의 가장 중요한 요소 중 하나는 학습자들의 준비도이다.

만약 학습자들이 준비 없이 수업에 임한다면, 수업은 기본적인 개념을 이해하는 데 그치는 꼴이 될 것이다. 어떤 교수는 "가르칠 수 있는 순간"에 지나치게 욕심을 내는데, 학습자들이 시나리오를 다 경험하기도 전에 자신이 시간을 모두 소비해 버렸다는 것을 금방 깨닫게 된다. 수업 준비를 잘 한 학습자들은 일부 수업 준비가 안 된 학습자들을 위한 기본적인 원리 설명으로 인해 시뮬레이션 수업이 지루하고 짜증스럽게 느껴질 수 있다.

필자는 환자 시뮬레이션 수업을 마치 연극의 총 연습을 하는 것과 같이 임하도록 학습자들에게 인식시키는 것만으로도 학습자들이 수업에 더 진지하게 임한다는 사실을 알게 되었다. 또한 이를 위해 학습자들이 시뮬레이션 수업에 준비가 되었는지를 적극적으로 평가할 수 있도록 여러 가지 준비과정을 더해야 한다는 것도 알게 되었다. 수업의 준비도를 개선하기 위한 가장 이상적인 방법은 사전 읽기과제를 제공하고, 이어서 개인학습 준비도 확인시험(Individual Readiness Assurance Test, IRAT)과 GRAT을 시행하는 것이다. 이러한 RAT 시험들에 의해 학습자들이 준비되었을 때 비로소 환자 시뮬레이션 수업은 집단 활동 수업으로 진행될 수 있었다.

필자가 성공적으로 적용한 TBL 시뮬레이션 수업은 인명구조 고급과정이었다. 이 과정동안 학습자들은 4개의 환자 시뮬레이션 시나리오를 통과해야 했다. 이 시뮬레이션은 서맥(bradycardia)난청, 빈맥(tachycardias), 맥박이 없는 전기신호(pulseless electrical activity) 그리고 무수축(asystole) 상황을 통합적으로 훈련할 수 있는 기회를 제공하였다. 각각의 시나리오를 접하기 전에 학습자들은 읽기과제를 제공받았고 해당 주제에 대한 강의를 들었다. 그 후 IRAT과 GRAT을 실시하여 주요 학습목표를 점검하였고, 각 팀은 30분짜리 환자 시뮬레이션 수업에 참여하였다.

각 학습자들은 소속 팀을 최소한 10분 정도 총괄하게 되어 있었다. 시나리오가 전개되면서 팀에게 요구되는 활동은 몇 가지로 줄어들었다. 각 활동은 DVD로 녹화되었고 이는 해당 팀에게 자신들의 팀 수행을 검토하고 평가할 수 있도록 제공되었다.

## 결과 측정

TBL의 다양한 특성 중 필자가 처음부터 관심을 가졌던 것은 팀 수행의 결과를 자유롭게 기록할 수 있다는 점이었다. 필자는 수업 중에 팀 수행을 통해 얻을 수 있는 이점을 측정하고자 여러 차례 노력하였다. 이 과정을 통해 수업에서 사용했던 교수 방법이나 팀 구성법에 대해 다시 한 번 점검하게 되었을 뿐만아니라 일명 적용학습활동이라고 부르는 학습 전략과 함께 활용할 수 있다는 사실을 깨달았다.

필자가 개설한 인명구조 고급과정을 마친 학습자들은 환자 시뮬레이션 경험에 대해 높은 만족도를 표현하였다. 그러나 필자는 여전히 새롭고 뛰어난 기술력이 동원된 것에 비하여 실제로 학습자들에게 얼마만큼의 학습이 일어났는지 궁금하다.

시뮬레이션 수업에 임하기 위해서는 사전 준비를 해야 하는데, 학습자들은 미리 읽어 와야 하는 읽기과제를 제공받는다. 시뮬레이션 수업은 보통 IRAT이나 GRAT으로 진행된다. 이러한 읽기과제와 활동들은 학습자들로 하여금 시뮬레이션 수업을 미리 준비해 오도록 요구한다.

한편, 필자는 시뮬레이션 연습 이후 GRAT를 계획하여 사후 검사의 기능으로 활용하고자 하였다. 주제는 응급 빈맥을 관리하는 내용에 관련된 것이었다. 필자의 궁금증은 시뮬레이션 수업을 경험한 학습자들이 시뮬레이션 수업을 경험하지 못한 학습자들에 비해 GRAT 점수를 더 잘 받을 수 있는가 하는 것이었다.

이 사례의 경우, 통제집단(5인 6조)은 시뮬레이션 수업 전에 IRAT과 GRAT을 실시하였다. 실험집단은 시뮬레이션 수업 전에 IRAT을 실시하고 시뮬레이션 수업 후에 GRAT을 실시하였다. 표 4.1은 RAT의 개인과 집단 점수를 나타내고 있다. 통제집단의 IRAT 평균점수는 76이며, 실험집단의 평균점수는 72였다.

**〈표 14.1〉** 준비도 확인시험 점수

| 집단 | 개인 점수 | | | 팀 점수 | 팀 점수와 개인 점수의 차이 | | |
|---|---|---|---|---|---|---|---|
| | 최저 점수 | 최고 점수 | 평균 | | vs 평균 | vs 최저 점수 | vs 최고 점수 |
| 통제 1 | 60 | 90 | 75 | 80 | 5 | 20 | −10 |
| 통제 2 | 50 | 100 | 77 | 100 | 23 | 50 | 0 |
| 통제 3 | 60 | 100 | 77 | 90 | 12 | 30 | −10 |
| 통제 4 | 70 | 100 | 80 | 90 | 10 | 20 | −10 |
| 통제 5 | 50 | 100 | 72 | 90 | 18 | 40 | −10 |
| **전체 통제집단** | **50** | **100** | **76** | **90** | **14** | **40** | **−10** |
| 실험 1 | 50 | 80 | 66 | 100 | 34 | 50 | 20 |
| 실험 2 | 50 | 100 | 78 | 90 | 12 | 40 | −10 |
| 실험 3 | 40 | 100 | 75 | 100 | 25 | 60 | 0 |
| 실험 4 | 50 | 90 | 73 | 100 | 27 | 50 | 10 |
| 실험 5 | 60 | 80 | 70 | 100 | 30 | 40 | 20 |
| **전체 실험집단** | **40** | **100** | **72** | **98** | **26** | **58** | **−2** |

[그림 14.1] 준비도 확인시험에서의 팀 획득 점수

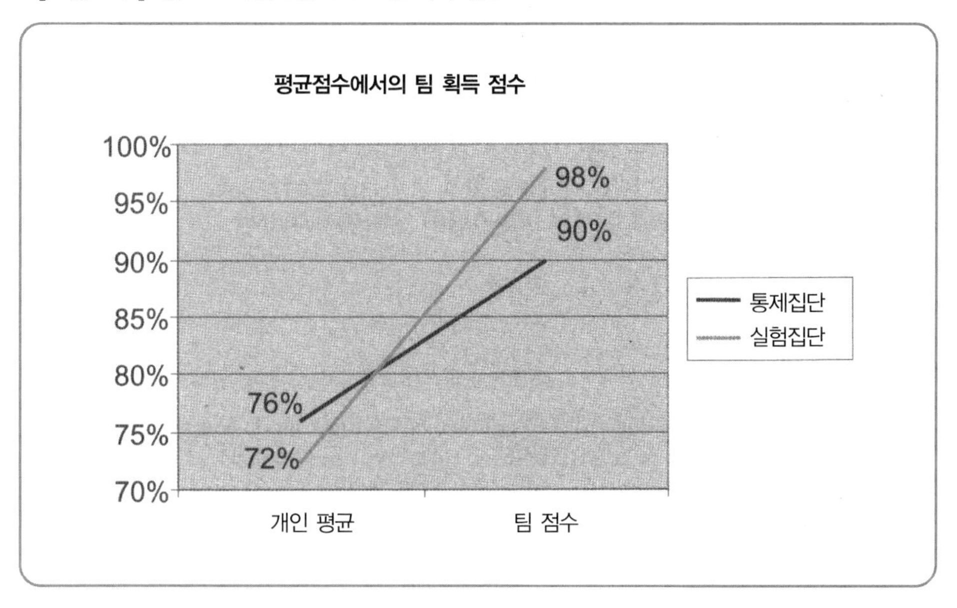


수업이 끝나갈 무렵 모든 학습자들은 팀의 평균점수를 능가했다. 그림 14.1은 실험집단이 통제집단에 비해 높은 RAT 점수를 받았다는 것을 보여준다. 통제집단의 5개 조는 IRAT의 팀 평균 점수에 비해 평균 14% 높은 점수를 보였다. 실험집단의 경우 26%의 이득을 보았다.

이러한 결과들과 필자의 개인적인 TBL 경험은 TBL 교육에 관한 많은 지혜를 축적해 주었다. TBL 수업은 학습자들로 하여금 미래의 직장에서 동료가 될 학급 친구들과 협력하여 일하는 방법과 실제적인 문제를 해결해야 하는 상황에서 보다 깊은 사고를 하게 하는 데 도움이 된다. 필자는 TBL의 창의적이며 개혁적인 전략과 수업을 직접 개발할 수 있다는 점에 매우 깊은 인상을 받았다. 필자는 가르치는 것이 더 즐거운 일이 되었고 학습자들 또한 더 많은 것을 배웠다고 생각한다.

## 참고문헌

Squire, L. F. (1988). *Fundamentals of radiology* (4th ed.). Cambridge, MA: Harvard University Press.

# 제 15 장

# 해부학 강의 대신하기: 읽기과제와 학습주제 활용 방법

*Nagaswami S. Vasan, David O. DeFouw*

우리는 2003년 가을 로버트 우드 존슨 의과대학(Robert Wood Johnson Medical School)에서 베일러 의과대학(Baylor Medical School)의 Nancy Searle 교수가 발표하는 것을 Vasan 교수가 듣게 되면서 처음 팀 바탕학습(Team-Based Learning, TBL)에 대하여 배우게 되었다. 발표 후 우리는 TBL에 대한 토론을 통하여 TBL이 새로운 임상통합 교육과정에서 학습자의 비판적 사고를 유발하여 해부학 교육을 변형시키는 데 쓰일 수 있다는 것을 깨닫게 되었다. 그래서 우리는 2004년 봄 졸업생 대상 해부학 수업에 TBL을 처음 시행한 다음, 같은 해 여름에 신입 의과대 학습자를 대상으로 한 해부학 프로그램과 하계 심화 프로그램에서 해부학-생리학 고급과정을 듣는 고학년 학부 학습자들에게 이를 시험하여 보았다.

이 프로그램에 참여한 학습자들은 TBL 방식을 좋아했을 뿐만 아니라 1학년 해부학 수업에 TBL을 본격적으로 적용하기를 매우 원하였다. 의과대학 체제가 가지고 있는 학급 인원수를 비롯한 여러 가지 염려 때문에 우리는 2004년 가을 시험수업으로 해부학 수업에 TBL을 시행해 보기로 하였다. 그로 부터 일년에 걸쳐 Vasan 교수는 Searle 교수와 Dean Parmelee 교수가 실시하는 미국의과대학협회(Association of American Medical Colleges, AAMC) 주최 워크숍에 참여하였으며, 2005년에 오하이오 주 데이튼(Dayton)에서 개최한 제4회 연례 TBL 협동 집담회에 참가하여 TBL 집중 훈련을 경험하였다. 더불어, "*TBL: A Transformative Use of Small Groups in College Teaching*"이라는 책(Michaelsen, Knight, Fink, 2004)이 우리가 TBL을 성공적으로 실시하는 데 중요한 정보를 주었다.

## 첫 시험 연구에서 배운 점

- TBL 방식은 강의를 훌륭하게 대신하였다.
- 강의를 대신하려면 읽기과제(Readng Assignments)와 학습주제(Learning :Issues)를 적합하게 만드는 것이 매우 중요하다.
- TBL 수업에서 개인학습 준비도 확인시험(Individual Readiness Assurance Test, IRAT)은 필수적이었다.
- 집단학습 준비도 확인시험(Group Readiness Assurance Test, GRAT)은 동료 사이에 배움과 가르침을 일으킴으로써 학습자들이 모호하게 알고 있거나 잘못 알고 있는 부분을 교수들이 확인할 수 있도록 기회를 제공하여 주었다.
- 원활한 TBL 진행을 위해 수업 보조의 도움이 필요하였다.
- TBL로 인하여 심층학습을 할 수 있게 된 학습자들이 수업에 신나서 들어왔다.
- 동료평가(peer evaluation)는 학습자들에게 뜻있는 과정이었다.
- 시험 연구를 시작함으로써 TBL 방식의 핵심요소를 배울 수 있었고 TBL에서 일어날 수 있는 문제를 미리 발견하여 문제가 더 커지는 것을 막을 수 있었다.

## 시험 연구에서 생긴 의문

- 학급 인원이 180명이나 되는 대규모 학급이나 다양한 배경을 가진 학습자들에게 효과가 있을 것인가?
- 엄청난 분량의 수업 내용과 실습 부분이 있는 해부학 수업에 TBL 방식이 적합할까?
- 정말 모든 학습자료를 TBL의 틀에서 다룰 수 있을까?
- TBL 성적을 어떤 비율로 성적에 반영하여야 할까?

- 동료평가를 성적에 반영해야 할까?
- 동료 교수들이나 학교 집행부가 교육형태의 극적 변화에 대하여 느낄 우려를 어떻게 다룰 것인가?
- 학급 학습자 수가 많은데, 여러 개의 수업으로 나누지 않고 동시에 팀이 만날 수 있는 공간이 있을까?

## 작게 시작하기

뉴저지 의과대학(New Jersey Medical School, NJMS)에서는 아주 오래전부터 경험 있는 교수진이 강의방식으로 육안 해부학을 가르쳐 왔다. 우리는 이렇듯 지극히 전통적인 수업을 변화시키려면, TBL 방식이 경쟁력 있다는 사실을 다른 이들로 하여금 확신할 수 있도록 긍정적인 결과가 수업에서 나와야 한다는 것을 알았다. 우연의 일치로 2004년에 우리 의과대학의 교육과정이 개편되고 있었기 때문에 학급 전체에 TBL 방식을 시험할 수 있는 절호의 기회를 포착할 수 있었다. 이런 기회와 더불어, 학습자들이 TBL 방식에 열광적이었다는 예비 조사 결과가 있었기 때문에, 우리는 여러 교육과정 위원회와 기초의학교실에 발표를 할 수 있었고 발표 후 TBL 방식을 도입할 수 있었다.

우리는 신입생 오리엔테이션 첫 주에 학습자들에게 TBL 방식의 개괄을 제시하면서 동료평가의 중요성을 설명하였고, 그런 다음 TBL 방식에 대한 소개 내용을 바탕으로 실제 TBL 수업을 실시하였다. 학습자들은 IRAT과 GRAT을 처음으로 체험하여 앞으로 진행할 TBL 수업에 대비하도록 하였다.

## 수업 내용을 다룰 수 있을까 하는 염려

해부학 수업처럼 방대한 분량의 내용을 전통적인 방법으로 가르치는 경우, 수업을 가르치는 방법에 상당한 변화를 시도하면 저항이 있기 마련이다. 강의는 가르치는 방법으로써 효율적이고 경제적이라고 생각되며, 특히 소집단 교육에 비하면 더욱 그러하기 때문에, 교수법을 행여 바꾼다면 그렇지 않아도 시간이 부족한 교수는 예전보다 상당한 시간과 에너지를 쏟아야 한다. 동료 교수들의 가장 큰 두려움은 이 방법으로는 강의를 할 때와 같은 분량의 내용을 다룰 수 없어서 학습자들이 아는 것이 적어질 것이라는 것이다. 하지만 다른 학교에서 비슷한 수업을 성공시킨 사례들이 있기 때문에, 우리는 이 문제를 그다지 걱정하지 않았다(Dinan, 2004; Nieder, Parmelee, Stolfi, & Hudes, 2005). 사실 우리는 TBL 교수전략이 학습 내용을 충분히 다룰 수 있을뿐더러 학습자들이 배운 것을 더 잘 적용할 수 있도록 할 것이라는 신념을 강하게 가지고 있었다.

## 육안해부학 수업에서 우리가 한 일

TBL이 다른 학문 수업에서도 성공하였고, 모험삼아 실시한 시험수업의 경험도 가지고 있으며, 강의 위주 교육방식에 사로잡혀 있던 교수들을 "높은 강단 위의 교수자(the sage on the stage)" 에서 "곁에 있는 안내자(guide on the side)" 로 탈바꿈시킬 태세를 갖췄다고 느낀 우리는 TBL을 확대 시행해 보고싶었다. 게다가 우리 모두가 지난 10~15년 동안 겪어서 알듯이 강의에 출석하는 학습자 수는 줄어만 가고 있었다. 그나마 나오는 학습자 가운데에서도 죄책감 때문에 억지로 나오거나 친구를 만나기 위하여 나오는 학습자도 많았다. 우리가 강단에 서서 뒤에는 파워포인트를 비춰 놓고 앞에는 반쯤 텅 빈 강의실을 바라보고 있노라면 학습자들이 강의에서 실제로 얼마나 배울까 하는 의문이 늘어만 갔다. 우리가 강의를 통하여 많이 배울 것이라고 오랫동안 믿어왔던 바와는 달리, 항상 출석하지 않는 학습자들도 시험은 잘 봤다.

우리 대학의 해부학 수업은 18~19주 동안에 걸쳐 세 단원으로 나누어서 열리는데, 수업에서는 6주간 상지, 5주간 두경부, 7~8주간 복부, 골반, 회음, 하지를 가르친다. 이때 세 번의 단원 시험과 두 번의 단원 중간 시험을 보는데, 이 시험에는 해부학 강의 내용을 묻는 해부학 문제와 전 학년을 대상으로 하는 발생학 강의를 토대로 출제한 발생학 문제가 포함되어 있다. 그러나 TBL에서는 이 시험을 읽기과제와 "학습주제" 에서 출제하였다.

성적에 포함하는 필기시험으로 IRAT과 GART을 치렀다. GRAT은 수업 말 성적의 15%를 차지하였다. 우리가 계획한 TBL에서 중요한 과정은 팀이 문제 도전에 성공하면 그 문제에 대하여 팀 전체가 점수를 얻게 된다는 것이다. 또한 세 번의 단원 시험에 일치하는 범위의 실습 시험이 세 번 있어서 이 실습 시험의 개인 점수는 수업 말 성적의 30%를 차지하였다. 개인 필기 시험은 85%로 TBL 활동 내에서의 개인 활동 가운데 매우 높은 비율을 차지하였다. 매번 단원 시험 후 동료평가를 하였지만 수업 말 성적에는 반영하지 않았다.

2004년을 시작으로 수업에서 강의를 없애고 구체적인 읽기과제와 학습주제를 개발하여 학습자들이 수업에 들어오기 전에 숙지하도록 하였다. 학습주제는 학습자들이 주제에 해당하는 임상문제를 풀 수 있도록 임상 해부에 관련된 학습자료에 초점을 맞추었다. 매주 TBL 수업마다 성적에 들어가지 않는 5~7개의 IRAT을 출제하였는데, 이 시험은 즉시 채점하여 학습자들로 하여금 자신들이 준비를 얼마나 잘 했는지 알 수 있게 하였다. 이때 교수는 IRAT에서 다룬 개념에 대하여 요점강의를 해주었고, 그런 다음 팀별로 GRAT을 보아서 즉각적인 피드백-평가 기법(Immediate Feedback-Assessment Technique, IF-AT) 답안지를 사용하여 채점하였다. 그러자 IRAT 성적에 반영하지 않았는데도 이 수업의 출석률은 100%였다.

수업 전 과제에 관한 질문에 해답을 얻을 수 있다는 점과 팀 동료들과 함께 같은 문제를 해결해 간다는 점이 함께 어우러져 엄청난 동기부여를 한 것이다. 읽기과제는 교과서에서 공부할 부분과 넘어갈 부분, 임상 관련 요점, 발전시킬 개념, 참고 자료 등의 목록을 제공하였다. 학습자들은 학습과제를 효과적으로 이용하여 그와 관련된 임상 해부에 집중하였고 우리가 낸 질문이 제기하는 문제를 해결할 때 임상 추론에 몰입하게 되었다. 그들은 어려운 개념에 대해 동료의 설명을 요청하는 데 거리낌이 없었다. 학습자들은 특정 해부 지식 이상의 것을 배웠고, 여러 가지 자료를 동원하여 임상 관련 지식의 축적을 확장하였다. 긍정적인 분위기 속에서 학습자들 서로간에 신뢰가 생기고, 의사소통 기술이 향상되었으며, 좋은 대인관계를 유지하였다. 수업은 90분이었는데, 이전에 여름과 봄에 가졌던 경험에 토대를 두어, 문제의 수나 난이도를 조절하여 시간을 맞추었다.

우리가 실시한 TBL은 Michaelsen 등(2004)이 기술하고 다른 사람들이 실행하였던 기존 방식과는 차이가 있었다. 시험 다음에 다섯 번의 TBL 수업에서 개인과 팀 점수가 성적에 반영되는 것을 제외하고는, 매주 TBL에 포함된 IRAT과 GRAT은 성적을 매기지 않았다. IRAT 문제는 증례를 바탕으로 만들어서 성적에 포함하는지 여부와 상관 없이 학습자들로 하여금 배운 것을 적용하도록 하였다. 또한 원래 TBL 방식에서 기술되었던 수업 개념을 응용하는 별도의 세 번째 단계는 따로 두지 않았다.

학습자 수가 180명이나 되는 학급 크기 때문에 TBL 수업을 해부실습실에서 가졌다. 팀별로 학습과제에 대한 토론을 하는 동안 교수 두 명이 학급 전체를 돌아다니며 필요할 때마다 설명을 해주었다. 2006학년도 신입생 오리엔테이션 때 TBL에 열광적인 2학년 학습자들이 제작한 "좋은 팀, 나쁜 팀, 못난 팀"이라는 비디오를 틀어주어 TBL에서 최선의 활동과 행동방식을 강조하였다. 이 비디오는 1학년 학습자들에게 깊은 인상을 주었고 수업 시작 때부터 TBL을 높이 평가하게 만드는 강력한 도구 역할을 하였다.

우리 대학의 1학년은 보통 7년 프로그램(3년간의 학부과정과 4년간의 의과대학 과정으로 학습자 10%, 사회생활을 해본 경험이 있거나 없는 대학원 출신 학습자 30~35%로 구성되어 있다. 우리는 팀을 짤 때 학습자들의 학업 경력을 감안하여 남녀 비율, 학업과 경험, 인종 등을 균형에 맞게 구성하였다. 흥미롭게도 이 학습자들을 상대로 하는 다른 수업의 교수들도 소집단 상호작용 수업에 같은 팀을 사용하였다.

우리는 동료평가를 수업 성적에는 반영하지 않았다. 그러나 동료평가 점수를 추적하여 다른 동료에 비하여 계속 낮은 점수를 받는 극히 소수의 학습자들에게는 사전 상담에 자료로 제공하였다(부록 15.A). 예상했던대로 이 학습자들은 예외 없이 수업에서 이미 최하위권 성적을 받았다. 우리 생각에 이 학습자들이 점수가 낮은 것은 수업 준비를 제대로 해오지 않았기 때문인 듯하였다. 동료에 비하여 본보기가 될 만한 성적을 받은 학습자들은 거의 항상 수업시간 동료평가 점수도 최상위를 기록하였는데, 우리는 다음해 신입생 오리엔테이션에서 팀 활동을 성공적으로 이루려면 수업 준비와 협동 활동이 얼마나 중요한지 강조하는 데 이 정보를 사용하였다.

# 육안해부 TBL의 결과

## 교수자 의견

학과 시험의 수행을 보면 TBL 교육과정의 학습자들이 전통적 강의법을 사용한 교육과정 학습자들에 비하여 수행을 더 잘 하는 경향을 나타내었다(표 15.1). 아마도 TBL을 함으로써 학습자들이 과제를 밀리지 않고 따라가니 시험 전 벼락치기를 할 필요가 없게 되어서 학습 준비도가 향상된 것으로 짐작된다. 더구나 팀별 토론에 이바지하고 정보를 공유해야 한다는 팀 구성원간 압력이 작용한 덕에 수행이 향상되었다.

TBL을 실시하여 학습자들이 학습에서 얻을 것으로 예상하는 이득말고도, 의사국가시험(National Board of Medical Examiners, NBME)의 학과 시험에서 수행을 향상하는 데 기여한 요인들은 여러 가지가 있을 것이다. 이 요인에는 (가) 팀 수업에서 임상 적용 연습을 포함한 것, (나) 임상 교수와 협동하여 출제함으로써 단위과정 시험 문제의 질이 향상된 것, (다) 여러 자료에서 얻은 질 좋은 문제해결, 임상추론 질문을 TBL 토론에 포함시킨 것 등이 있다.

**〈표 15.1〉** 기존 교육과정 대 팀 바탕학습 교육과정에서의 학습자들의 수행 요약

| 교육과정 유형 | 시험 | | | |
|---|---|---|---|---|
| | 단원 1 | 단원 2 | 단원 3 | 단원 4 |
| 2002 (기존) | 79 | 81 | 79 | 70 |
| 2003 (기존) | 70 | 73 | 77 | 64 |
| 2004 (TBL) | 77 | 81 | 80 | 72 |
| 2005 (TBL) | 81 | 88 | 85 | 72 |
| GRAT (2005) | 97 | 98 | 97 | |

비고. 이 표는 기존 교육과정과 팀 바탕학습 교육과정에서 학습자들의 수행을 요약한 것임. 수치는 개인 시험 점수 평균.

### 학습자 의견

갓 입학한 학습자들이 이 수업에 대하여 "뭐야! 해부학 강의가 없다고?" 하는 반응을 보이는 것은 당연했다. 그러나 이러한 탄식의 말은 학습자들이 TBL 수업을 한두 번 거치면서 팀 응집력이 빠르게 생기고 상호작용 과정으로 인하여 자신의 사고력이나 심화학습을 위한 처리 과정이 확장되는 것을 경험하면서 급격히 달라졌다. 전형적인 의견 몇 개를 열거하면 이렇다. "TBL이야말로 NJMS에서 최고의 교수법입니다. TBL이 우리 학습에 포함된 것이 너무 좋아요." "TBL 요소는 가장 효과적인 학습 방법이에요." "TBL!!! 모든 수업을 TBL으로 배워야 돼!" "TBL은 학습자들이 공부를 뒤쳐지지 않게 해줍니다."

## 결론과 제언

우리 의과대학의 2004년 새 교육과정에서는 육안해부에 배정한 시간이 줄었다. 동시에 핵심 교수 여럿이 떠나는 바람에 둘만이 전체 수업을 책임지는 교수로 남게 되었다. 다행히도 TBL을 계속 실시할 수 있어서 수업을 듣는 학습자들이 앞으로 전문직을 수행해 나갈 지식을 갖출 수 있었다. 자료를 보면 알 수 있듯이 이 변화와 더불어 학업 성취가 향상되었고 우리는 이러한 향상이 TBL의 결과라고 생각한다. 팀 과제와 TBL 토론에 쓰일 임상적용사례를 추가로 더 다듬어 간다면, 학습자들이 임상실습 때나 그 이후까지도 해부학 지식을 간직하여 응용할 수 있을 것이라 예상한다.

우리가 실시한 시험 수업과 학습자들의 열렬한 반응에 힘입어, Vasan 교수는 하버드 메이시 의학교육학자에 공모에 당선되었다. 하버드 메이시 의학교육학자 프로그램(The Harvard Macy Scholar Program)은 의학교육의 개혁에 포부를 가진 지도자를 위한 저명한 교수개발 프로그램이다. 그는 2006년에 선발되어 다른 유명한 의학교육학 교수들과 함께 경험을 나누었고, 2007년에는 이 프로그램의 교수진으로 초대되었다.

우리는 TBL에 관심이 있는 교수들에게 점점 많아지고 있는 TBL 관련 논문이나 이 책처럼 TBL에 관한 문헌을 읽기를 적극 권장한다. 또 워크숍이 있는 TBL 공동연구회의 연례 집담회에 참석하고 TBL 공동연구회에 가입하기를 적극 권유한다.

## 참고문헌


Dinan, F. J. (2004). An alternative to lecturing in the sciences. In L. K. Michaelsen, A. B. Knight, & L. D. Fink (Eds.), *Team-based learning: A transformative use of small groups in college teaching* (pp. 97–104). Sterling, VA: Stylus.

Herreid, C. F. (1998). Why isn't cooperative learning used to teach science? *Bioscience 48*, 553–559.

Michaelsen, L. K., Knight, A. B., & Fink, L. D. (Eds.). (2004). *Team-based learning: A transformative use of small groups in college teaching*. Sterling, VA: Stylus.

Nieder, G. L., Parmelee, D. X., Stolfi, A., & Hudes, P. D. (2005). Team-based learning in a medical gross anatomy and embryology course. *Clinical Anatomy, 18*, 56–63.

# 부록 15.A

## TBL 동료평가

**팀 번호:**

| 학습자 이름 | 시간엄수 | 준비성 | 기여도 | 존중 | 융통성 |
|---|---|---|---|---|---|
| | | | | | |
| | | | | | |
| | | | | | |
| | | | | | |
| | | | | | |
| | | | | | |
| | | | | | |
| | | | | | |
| | | | | | |
| | | | | | |

점수 매기기
5: 매우 그렇다. 4: 상당히 그렇다. 3: 그렇다. 2: 그렇지 않다. 1: 전혀 그렇지 않다.

**시간엄수:** 팀 활동 시간에 맞추어 와서 끝까지 있었음
**준비성:** 팀 활동 내용을 준비하고 옴
**기여도:** 팀의 토론에 이바지함
**타인존중:** 다른 사람이 이바지할 수 있게 도움
**융통성:** 다른 시각을 고려함

팀 활동과정에 대한 피드백:

1. 긍정적인 학습 환경을 만드는 데 팀구성원이 기여한 바를 열거하고, 각 항목별로 가장 잘 기여한 사람의 이름을 적으시오.
2. 팀의 수행을 향상시키는 데 팀구성원들이 어떻게 하는 것이 가장 큰 도움이 될까?

제 16 장

# 스포츠 심리학에서의 팀 바탕학습

## *적용학습활동으로서의 사례분석과 개념도*

*Karla A. Kubitz*

필자는 '북미스포츠 심리학회' 소식지에 게재된 Harry Meeuwsen(2003)의 팀 바탕학습(Team-Based Learning, TBL)에 관한 논문을 읽고 필자의 수업전략을 바꾸어야 한다고 생각했다. 그동안 필자는 PPT를 만들고 학습자들에게 유인물을 나누어 주는 전통적인 강의법을 사용하는 교수였다. 어떤 학기는 학습자들이 수업시간에 필자가 하는 모든 행동을 다 싫어하는 것처럼 느껴지기도 했다. 이러한 이유로 인해 필자는 Meeuwsen이 TBL 전략을 통해 자신의 수업을 어떻게 활성화하고 학습자들에게 학업에 대한 동기를 부여했는지에 대해 매료되었다. 그후 필자는 TBL에 대해 더 자세히 알기 위해 Larry Michaelsen의 TBL 웹사이트(http://www.ou.edu/idp/reamlearning/)를 방문하였고, Michaelsen, Knight와 Fink(2004)의 책을 읽었다.

그 결과 필자는 몇 가지 혼란스러운 점을 감수하고, 새로 시작하는 계절학기(겨울방학 3주간의 집중강의)에 TBL을 적용하기로 결정하였다. 그로 인해 필자는 정말 좋은 경험을 했고 그 이후 TBL에 푹 빠졌다. 필자는 연간 8개의 수업을 TBL로 실시하였고 그 후 필자는 더이상 몇 장의 슬라이드를 만들어야 할지, 강의 중 학습자들의 집중력을 어떻게 유지해야 할지 등에 대해 고민하지 않게 되었다.

이 장에서는 필자가 TBL을 도입한 방법(적용학습활동 문제에서 사례와 개념도(concept map)의 사용 포함)과 TBL이 나와 학습자들에게 미친 영향에 관해 설명하고자 한다. 또한 TBL을 도입하고자 하는 교수에게 필자의 경험을 바탕으로 몇 가지 제안을 하고자 한다.

필자의 수업은 TBL의 모든 특성이 포함되어 있다. 수업 첫 번째 주에 팀을 가능한 한 이질적인 성질을 가진 학습자들로 구성하고 학기 동안 그 팀에서 학습하도록 하였다. 학기마다 팀의 수는 다르나 일반적으로 한 수업당 5개 팀으로 구성하고 한 팀에는 5~7명의 학습자가 참여하였다. 각 팀은 이름을 정하였고 출석과 참여를 파악하는 서류철을 만들었다. 필자는 각 팀의 이름을 알리기 위해 팀별 사진을 찍었다. 또한 TBL의 진행이 그러하듯이, 개인학습 준비도 확인시험(Individual Readiness Assurance Test, IRAT), 집단학습 준비도 확인시험(Group Readiness Assurance Test, GRAT)을 치르고, 반론을 하는 등 점차 복잡하게 수업을 진행하며 이와 동시에 학습자들이 개인과 팀별 연습문제를 풀도록 하였다. 마지막으로 개인과 팀의 수행 정도, 개인의 팀 참여도(동료평가를 통한)를 토대로 과정에 대한 점수를 부여하였다(예를 들어, 전형적으로 개인성적/팀성적/팀 참여도를 각각 60/30/10의 비율로 정하였다).

일반적으로 필자의 수업에서는 한 학기당 9번의 준비도 확인시험(Readiness Assurance Test, RAT)을 치르는데 각각의 RAT은 12개의 문제로 구성되며(부록 16.A 참고), 분량은 교재 1~2장 정도였다. 각각의 RAT은 지식, 이해, 적용 단계에 해당하는(Fink, 2003) 복합적인 문제로 출제되며, 학습자들의 학습가이드를 위해 13~15개의 학습목표를 포함한 출제계획을 알려주었다(부록 16.B 참고). 또한 학생들이 한 장 정도의 필기한 종이를 갖고 와서 RAT에 사용할 수 있게 하였다. 학습자들은 IRAT을 치르고, 답안지에 답을 옮겨 적은 후 팀 서류철에 넣어 필자에게 제출하도록 하였다. 모든 답안지가 제출되면 팀별로 GRAT을 실시하였다. GRAT은 즉각적인 피드백-평가 기법(Immediate Fe edback-Assessment Technique, IF-AT) 답안지를 사용하여 실시하였는데 학습자들은 이를 통해 즉각적인 피드백을 받을 수 있었다. 또한 IRAT과 GRAT에서 각각의 문제에 대해 가능한 2가지의 답을 선택하게하여, 이에 따른 부분점수를 받을 수 있게 하였다.

마지막으로 RAT과 읽기과제(reading assignment)와 관련한 내용에 대하여 미니강의를 하거나 토론(부록 16.C 참고)을 유도하였다(예. 토론의 범위는 학습목표로

부터 내용에 대한 숙고, 해석, 판단이 필요한 질문에까지 이른다; Stanfield, 2000).

학습자들이 RAT을 통하여 학습과정에 처음으로 노출되고 나면 다음 단계는 적용학습활동(application exercises)을 통해 실제적인 문제를 해결하도록하는 것이다. 적용학습활동 문항에는 개별, 팀별 문항뿐만 아니라, 주제와 관련된 내용과 통합적인 문항 또한 포함된다. 개별 적용학습활동은 팀 적용학습활동 이전 준비 과정에서 실시된다. 주제 관련 적용학습활동는 RAT 과정 중에 실시되며, 가장 최근의 RAT에 초점을 두어 실시한다(부록 16.D 참고). 통합적 적용 문제(Integrative Application Exercises, IAEs)는 학기당 3~4번 실시하며 몇 개의 RAT을 통합한 내용을 다룬다. 예습은 개별 IAE(부록 16. E 참고)를 통해 이루어지는데, 학습자들은 개별 IAE를 팀별 IAE(부록 16. F 참고)를 실시하기 최소 2시간 전에 온라인으로 교수에게 보내야 한다. 필자의 수업의 경우, 네 번째로 보는 시험이 최종시험이며, 이 시험은 개별적 IAE이다. 이는 학습자들이 이전의 완료한 것에 대한 누적 효과를 경험할 수 있도록 하였다.

필자에게 있어 TBL과 관련하여 가장 큰 어려움은 적용학습활동 문항을 만드는 것이었다. 특히, 심리학 관련 적용학습활동 문항을 Michaelsen과 그의 동료들(2004)이 제시한 문항과 문항의 보기, 그리고 동시 보고를 위한 기준 등에 적합하게 출제하는 것은 어려운 일이었다. 마지막에 필자는 학습자들에게 Meeuwsen(2003)의 개념도 그리기 포스터 과제를 제시하였다. 개념도 그리기가 무엇인지 잘 모르는 사람의 이해를 돕기 위해 간단히 설명하자면, 개념도 그리기는 학습자들에게 주제 관련 지식을 시각적으로 조직화하도록 함으로써 학습을 돕는 방법이다(Novak & Gowin, 1996). 또한 개념도 그리기를 통해 비판적 사고능력을 향상시킬 수 있는데, 그 이유는 학습자들이 어떤 아이디어가 개념도에 포함되는 것이 바람직한지와 아이디어간에 어떻게 서로 연관될 수 있는지를 결정해야 하기 때문이다. 필자는 개념도 그리기 과제의 초점을 사례연구 문헌에 있는 내용, 심리학적 영화 또는 수업과 관련된 최근 이슈 등 다양하게 두었다. 그리고 개념도 그리기를 진행할 때 팀에게 화이트보드(McIsaac, 2004)를 제공하여 개념도 그리기를 연습할 수 있도록 하였다.

필자의 심리학 수업에서 다룬 구체적 주제와 적용학습활동 문제는 2004년에 시행된 *"Discovery Health Channal's National Body Challenge"*에 나온 참가자들과 관련된 것이었다. 여기에 참여하는 사람들은 8주간의 운동을 통해 몸무게를 줄이는 체중감소 프로그램에 도전을 하게 된다. 주제 관련 적용학습활동 문항은 이론 또는 모형을 바탕으로 이 대회에 참가한 사람들 중 한 명을 골라 그 사람의 문제에 대해 개념도를 그리는 것이다(부록 16. D 참조). IAE는 여러 이론 또는 여러 모형들을 이용하여 개념도를 만드는 것이다(부록 16.E와 부록 16.F 참조). 비교적 쉬운 통합적 문제(학기 초에 제시함)는 대회 참가자의 문제에 대한 이유와 해결책을 찾는 것이었고, 이보다 복잡한 문제(학기 후반에 제시함)는 대회 참여자 또는 그의 트레이너에 초점을 맞추는 것으로, 이를 풀기 위해서는 보다 정교한 접근이 필요하도록 설정하였다.

개념도 작업은 1시간 또는 2시간(수업시간에 따라 달라짐)동안 이루어진다. 팀이 작업을 마치게 되면 개념도를 강의실 벽에 익명으로 동시에 부착하며(부록 16.H와 16.I 참조) 교수평가를 받게 된다. 벽에 부착되어 있는 개념도에는 교수가 제작한 개념도도 1~2개 정도 포함되는데, 이는 토론을 유도하기 위함이다. 이 개념도에는 사실과는 다른 정보가 포함되어 있으며 이는 논쟁을 유발한다. 각각의 학습자는 개념도를 검토하고 비판하며 방어하기 위해, 정확한 수업 관련 자료를 찾게 된다. 그리고 부적절한 증거, 즉, 강의와 관련 없는 자료를 찾아낸다. 팀들은 자신들의 아이디어를 수집하고 가장 좋은 증거자료와 부적절한 증거자료를 선택하며, 메모지에 표기하고 적절한 맵에 동시에 부착한다. 그런 다음 팀은 피드백을 검토하며(예. 좋은 증거자료와 부적절한 증거자료), 이를 자신들의 개념도를 평가하기 위해 사용한다(부록 16.G). 마지막으로 모든 학습자는 이를 통해 무엇을 학습하였으며, "1분 페이퍼"를 통해 어떻게 학습하였는지 발표하도록 한다(부록 16.J 참조).

일반적인 TBL에서와 같이 필자의 학생들도 팀 동료의 팀 기여도에 대해 평가를 한다. 필자는 Michaelsen과 그의 동료(2004, 266쪽)가 개발한 동료 평가(peer evaluation)지를 사용한다. 이 동료 평가지는 수업 종료 후 각 팀 구성원에게 10점을 기준으로 점수를 부여하도록 되어 있다. 이때 최소 한 명에게는 9점을 주어야 하며, 다른 한 명에게는 11점을 주어야 한다. 그리고 최하 점수와 최고 점수에 대한 이유를 설명해야 한다. 필자는 그 결과를 바탕으로 각 학습자의 팀내 기여도를 산정한다. 동료평가 시에 학습자들은 서로 떨어져 앉도록 하며, 동료평가를 진술하게 하겠다는 서약을 해야 한다.

TBL은 필자와 학습자들에게 좋은 경험이었다. 특히 필자에게는 두 가지 점에서 좋은 경험이었다. 첫째, 수업에서 학습자들이 무엇을 할 수 있을지에 대한 목표가 뚜렷해졌다. 필자는 학습자들이 심리학 이론을 실제 생활에 적용할 수 있는 것을 목표로 했기 때문에 RAT과 적용학습활동의 문항은 이러한 성과를 염두에 두고 개발되었다. 또한 심리학 이론이 학습자들에게 미치는 영향에 대해 더 잘 이해할 수 있게 되었다. 학습자들은 종종 성취도(achievement), 목표(goal) 등과 같은 유사한 단어를 통해 성취지향 목표이론(achievement theory)을 알고 있다고 생각하는 경향이 있다. 이와는 반대로 학습자들은 심리학 이론에 대한 설명에서 과다하게 제시되어 있는 도형, 상자, 관련 화살표 등으로 인하여 그것이 나타내는 것에 대해 이해하려는 노력을 안 하는 경우도 있다. 필자는 이러한 상황을 알고 있기 때문에 학습활동 문항을 학습자들에게 도전적이고 학습을 지원할 수 있는 형태로 제시하였다.

둘째, 필자는 강의실에서 예전과는 전혀 다른 역할을 하게 되었다. "교탁에서 강의(sage on the stage)" 하는 모습에서 "옆에서 촉진(guide on the side)" (King, 1993)하는 교수로 바뀌었다. 이는 필자가 더 이상 직접 강의를 하지 않으며 수업을 위해 슬라이드, 유인물 등을 갖고 다니지 않는다는 것을 의미한다. 대신 필자는 학습자들의 학습을 돕는 역할을 하는데 사실, TBL이 잘 이루어질 때는 학습자들과 함께 학습한다는 생각이 든다.

수업 종료 후 필자는 학습자들과 초점 집단 토론(focused conversation)을 하였다(부록 16.K 참조). 다음의 내용은 학습자들이 말한 것들이다. 필자는 학습자들이 한 학기 동안의 과정에서 스스로 특정 이론과 모형을 찾아냈다고 생각한다. 학습자들은 학습 자료를 읽으면서 이론들을 학습하였으며, RAT을 준비하면서 학습하였고, 다른 팀원들과 토론을 통하여 학습하였고, 몸무게 감소 관련 사례에 적용하면서 이론을 학습하였다고 말하였다.

학습자들은 TBL에서의 반복을 통해 한 학기 내내 강의자료를 기억할 수 있다고 하였다. 대부분의 학습자들은 강의가 재미있었으며 실제 상황에 적용 가능하다고 평가하였다. 예외는 있었지만 대부분의 학습자는 배운 방법과 내용에 대해 긍정적으로 평가하였다. 학습자들은 팀 활동을 즐겼다고 말하였으며 체중 감소 프로그램을 봄으로써 학습 자료가 "생동감" 있게 다가왔고, 개념도 그리기는 학습내용을 이해하는 데 도움이 되었다고 말하였다. 또한 대부분의 학습자들은 기존의 강의식 수업에서보다 TBL에서 더 많은 것을 배웠다고 평가하였다. 학습자들은 기존의 강의에서는 잠을 잤겠지만, TBL에서는 다양한 활동이 실시되어 출석에 대한 동기가 부여되었다고 하였다. 이와 같은 반응은 수업의 기간이 길수록 더 강하였다(예. 3시간짜리의 미니 학기 또는 금요일 오후 수업).

학습자들은 이 수업을 마친 후 자신들의 태도가 다양하게 바뀌었다고 하였다. 학습자들은 다른 학습자들과 함께 학습하는 능력이 향상되었고, 강의실에서의 참여도가 높아졌으며, 시간 관리를 잘 할 수 있게 되었고, 교재를 더 많이 읽게 되었다고 하였다. 마지막으로 학습자들은 이 수업의 개선을 위해 다음과 같은 제언을 해 주었다. (가) 사전 학습과제 및 읽기과제를 더 일찍 제시, (나) 적용학습활동 문제해결을 위해 보다 구체적인 지침 제시, (다) 개념도 그리기에 대한 보다 자세한 가이드 제공, (라) 적용학습활동 문항의 유형을 보다 다양하게 제시(예. 개념도 그리기 과제를 적게), (마) 50분 강의시간을 좀 더 길게 할 것. 마지막으로 (바) 학습자들은 기말시험을 팀 과제 형태로 치를 것을 제안하였다.

이 장에서 필자는 TBL에 대한 경험과 TBL이 필자와 학습자들에게 미친 영향에 대해 기술하였다. 이제 필자는 TBL을 도입하고자 하는 교수들을 위해 몇 가지 제안을 하면서 마치고자 한다. 첫째, 학습의 주요내용, 학습목적과 목표, RAT, 적용학습활동 문제를 잘 계획해야 한다. 즉, 학습목적과 목표가 RAT에 잘 반영되어 있어야 하며, 적용학습활동 문제와 잘 연계되어 있어야 한다. Michaelsen과 그의 동료(2004)에 따르면 학습목표를 "하는 것(doing)"에 초점을 두어 개발하면 도움이 된다. 둘째, 좋은 문항을 개발해야 한다. 특히 높은 수준의 사고력을 측정하는 문항이 좋다. 높은 수준의 사고력 측정 문항은 GRAT 활동 시 그룹 내 토론을 촉진한다. 필자에게 Haladyna(1994, 1997)의 책은 좋은 문항 개발에 많은 도움이 되었다. 셋째, TBL에 대해 잘 알고 있는 동료 교수들과 자주 교류하는 것이 도움이 된다. TBL 전문가들은 개인적으로 또는 이메일을 통해 수업을 개선할 수 있도록 도와주었다. 이들의 도움 없이는 수업을 성공적으로 이끌 수 없었을 것이다.

## 요약

1. 필자는 최근에 노트필기 할 것을 지참하지 않은 학습자들에게 자신이 예습하지 않은 것을 인정하고, 이러한 태만이 학점에 영향을 미친다는 것에 동의하는 서명을 하도록 하였다. 그 결과 노트필기를 하지 않는 학습자의 수가 줄어들었다.
2. 화이트보드(넓이 32인치, 길이 24인치)는 팀 활동 시에 지우개로 지웠다 썼다 할 수 있는 것이다. 브레인스토밍시 화이트보드를 자유롭게 이동시키며 사용한다. 활동이 끝나면 화이트보드는 벽에 세워놓거나 칠판 옆에 세우거나 또는 학습자들이 들고 있을 수도 있다.
3. TBL에 대해 긍정적으로 생각하지 않는 학습자들은 필자에게 TBL에서는 "필자가 필자를 가르친다."라는 느낌을 받기 때문에 싫다고 한다. 그들은 필자에게 강의를 해 주기를 바라고 있는데(이들은 읽기과제를 숙지해 오지 않는다), 그것은 강의가 이 학습자들에게 더 쉬운 방법이고 더 익숙하기 때문이다.

## 참고문헌


Fink, D. (2003). *Creating significant learning experiences: An integrated approach to designing college courses*. San Francisco: Josey-Bass.

Haladyna, T. M. (1994). *Developing and validating multiple-choice test items*. Hillsdale, NJ: Lawrence Erlbaum.

Haladyna, T. M. (1997). *Writing test items to evaluate higher order thinking*. Needham Heights, MA: Allyn & Bacon.

Hollander, E. (1967). *Principles and methods of social psychology*. Oxford, UK: Oxford University Press.

King, A. (1993). From sage on the stage to guide on the side. *College Teaching, 41*, 30–35.

MacIsaac, D. (2004). *Whiteboarding in the classroom*. Retrieved from http://physicsed.buffalostate.edu/AZTEC/BP_WB/

Meeuwsen, H. (2003, Fall). Changing your students' learning: From apathy to engagement. *North American Society for the Psychology of Sports and Physical Activity, 28*, 10–11.

Michaelsen, L. K., Knight, A. B., & Fink, L. D. (2004). *Team-based learning: A transformative use of small groups in college teaching*. Sterling, VA: Stylus.

Novak, J. D., & Gowin, D. B. (1996). *Learning how to learn*. New York: Cambridge University Press.

Stanfield, R. B. (Ed.). (2000). *The art of focused conversation*. Gabriola Island, B.C., Canada: New Society Publishers.

# 부록 16.A

## RAT 예시

**이 름 :** ________________________________

**방법 설명** : RAT에 있는 각 문항은 보통 문항당 2점이다(예. 총 24점). 당신은 문제에 대한 자신감 혹은 예습 정도에 따라 다음 중 한 가지를 골라 실시할 수 있다.

(a) 가장 적합한 하나의 답을 고르고 그것을 스캔트론에 있는 두 개의 연속된 선 안에 넣어라. 만약에 당신이 선택한 것이 정답이라면, 2점을 얻는다.

(b) 당신이 생각하기에 정답일 것 같은 답을 두 개 골라라. 그리고 그것들을 스캔트론에 있는 두 개의 연속된 공란 속에 넣어라. 만약에 당신이 고른 답 중에 적어도 하나가 정답이라면, 1점을 얻을 수 있다.

1/1-2/1

George는 수업이 끝난 후 20분을 걸었다. 다음 중 가장 옳은 설명은?

a. 급성운동

b. 만성운동

c. 무산소운동

d. 지속성운동

2/3-4/3

다음 중 '건강한 사람들 2010' 의 신체활동과 운동 목적이 아닌 것은?

a. 비활동적 여가활동을 줄이는 것

b. 직장 내 체력단련 프로그램을 늘리는 것

c. 체육수업을 늘리는 것

d. 청소년활동을 늘리는 것

e. 텔레비전 시청을 줄이는 것

12/11-12/12

다음 보기 중 신체활동에 대한 역학연구에 해당하는 것은?

a. 의사의 조언이 신체활동 수준에 미치는 영향을 조사하는 연구
b. 쇼핑몰에 있는 사람을 대상으로 신체활동 수준을 조사하는 연구
c. 운동 중 음악이 고통지각에 미치는 영향을 시험하는 연구
d. 자기보고에 의한 신체활동과 실제 신체활동 사이의 관계를 조사하는 연구
e. 체력이 자신감에 미치는 영향을 조사하는 연구

**비고** : RAT에 번호를 부여하는 방법은 점수분할 형식일 경우 학습자들에게 더욱 유용할 수 있다. 가장 왼쪽에 있는 숫자는 문제번호이며 가운데 있는 한 쌍의 번호는 스캔트론에 채울 선이다. 오른쪽에 있는 세 번째 숫자는 IF-AT에서 스크래치될 예정인 숫자이다.

# 부록 16.B

## 시험 계획서 예시

시험 계획서/RAT #1 (Ch.1 & 2)

| RAT을 위해서는 다음의 것들을 확실히 알고 있어야 한다. | |
|---|---|
| 1 | 급성, 만성 운동과 무산소 운동, 운동 지속성을 구분할 수 있어야 한다. |
| 2 | '건강한 사람들 2010'의 신체활동과 운동 목표를 인지하고 있어야 한다. |
| 3 | 신체활동의 역학연구방법을 알고 있어야 한다. |

**비고** : 시험 계획서에 있는 항목과 RAT에 있는 관련된 질문은 유사한 개념으로 서로 연관되어 있어야 한다.

# 부록 16.C

## 대화와 질문에 초점을 맞춘 사후 RAT 예시

Stanfeld(2000)에 의해 쓰인 대화에 초점을 맞춘 방식은 토론기술에 중대하고도 의미 있는 방향을 제시해주었다. 대화에 초점을 맞춘 방식은 학습자들에게 4가지 유형의 질문을 제공한다. 보다 정확하게 말하자면, 대화에 초점을 맞춘 사후 RAT(post-RAT)에서는 목적(Objective)형 질문부터 성찰(Reflective)형 질문, 해석(Interpretive)형 질문, 의사결정(Decisional)형 질문까지의 질문절차가 있다. Stanfield의 ORID 질문은 아래와 같다.

목적형 질문

오늘 배운 것은 무엇이었습니까?

성찰형 질문

낯익은 것은 무엇이었습니까?
놀라웠던 것은 무엇이었습니까?
혼란스러웠던 것은 무엇이었습니까?

해석형 질문

이번에 배운 정보 중 이미 알고 있었던 것과 관련된 것이 있었습니까?
이번 학습내용 중에서 놓친 것은 무엇입니까?

의사결정형 질문

이번에 배운 지식을 앞으로 사용할 의향이 있습니까?

# 부록 16.D

## 주제 관련 적용학습활동 문제 예시

1. "*Discovery Health Channel's National Body Challenge*" DVD에 나오는 Todd에 대한 노트를 다시 한 번 훑어보기.
2. 아래에 그려진 Hollander(1967)의 성격 모델 개념도(3가지 수준이 포함되어 있는)를 완성하기. 그리고 Todd의 개인적 성격을 추출하여 적어도 3가지 수준으로 구분하기.

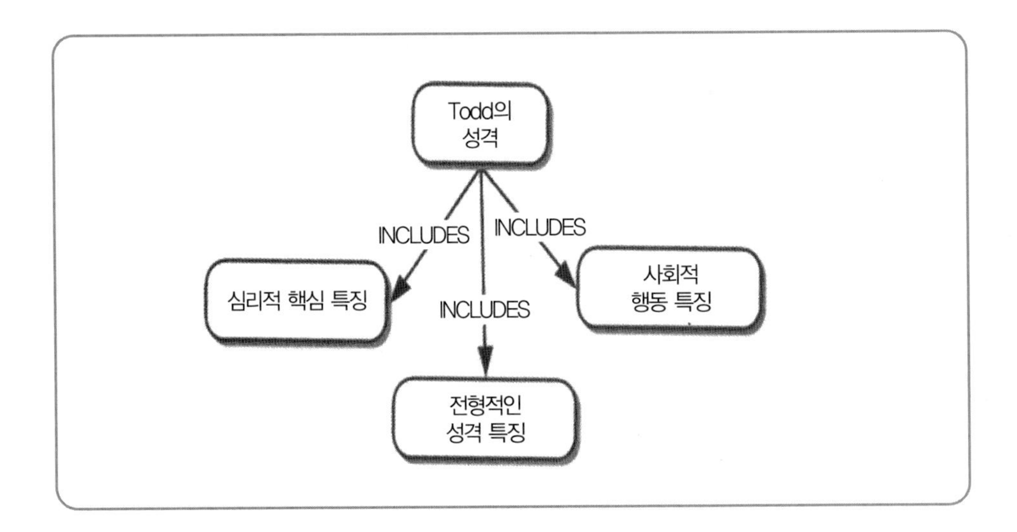

# 부록 16.E

## 개별 IAE 문제 예시

이 과제는 당신에게 수업에서 진행될 팀별 IAE를 대비하게 해 줄 것이다. 파일을 다운로드하고 설명에 따라 과제를 완수하길 바란다. 본인의 책이나 노트는 사용할 수 있지만 그 외 다른 자료들의 도움은 받지 않고 과제를 완수하기 바란다. 과제를 다 했으면 다음 3가지를 실행하여라.

1. 적어도 수업 2시간 전까지 온라인으로 과제를 제출
2. 과제를 출력하여 수업시간에 지참
3. 아래 제시된 진술문에 서명

---

필자는 본 과제를 자신의 힘으로 완수하였고 다른 학우의 것을 베끼지 않았습니다.

이름 : ______________________

날짜 : ______________________

1. "*Discovery Health Channel's National Body Challenge*" DVD의 참가자에 관한 당신의 노트를 다시 한 번 보아라. Algie는 심각한 문제를 가지고 있다. 그 문제는 그가 앉아서 생활하는 데에서 생기는 문제이다.
2. 당신이 한 학기 동안 배운 것을 사용하여, 과학적으로 타당한 '발생원인'과 가능한 '해결방법'을 알아내어라. 그 동안 가지고 있던 책과 노트, 우리가 이번 수업에서 실시했던 RAT의 주요내용, 운동 심리학 이론 혹은 모델을 참고하여라.
3. Algie의 문제에 관해 당신이 생각하고 있는 발생원인과, 해결방법들로 이루어진 개념도를 작성하라. 개념도를 만드는 데 있어 별도의 프로그램(Inspiration, C-map 등)을 사용하여도 괜찮다. 당신이 만들게 될 개념도 구조에는 문제점(Algie의 행동에 대한)을 가운데에, 문제의 원인을 왼쪽에, 문제의 해결방안을 오른쪽에 놓도록 한다.

# 부록 16.F

## 팀별 IAE 문제 예시

1. 본 과제의 초점은 "*Discovery Health Channel's National Body Challenge*" DVD의 Algie에 맞춰져 있으며 Algie는 심각한 문제를 가지고 있다. 그 문제는 Algie가 앉아서 생활하는 데에서 생기는 문제이다. 당신은 팀 개념도를 작성해야 한다. 타당한 근거가 있는 '발생원인'과 '해결방법'을 개념도에 표시하여라. 개념도는 아래의 평가 기준에 근거하여 평가될 것이다.

**평가 기준**

**평균 이상:** 그동안의 수업자료를 토대로 잘 만들어진 모범적인 개념도
매우 심사숙고하여 고른 수업내용들이 포함되어 있는 개념도
모든 수업자료를 상당히 정확하고 깊이 이해한 것이 표현되어 있는 개념도
매우 주의하여 세심하게 그려져 있는 개념도
각 항목마다 매우 적절한 이름을 붙인 개념도

**평균:** 수업자료를 토대로 잘 만들어진 개념도
꽤 심사숙고하여 고른 수업내용들이 포함되어 있는 개념도
대부분의 수업자료를 정확하게 이해한 것이 표현되어 있는 개념도
잘 그려져 있고 각 항목마다 적절한 이름이 붙여진 개념도

**평균 이하:** 수업자료를 가지고 급하게 만들어진 듯한 개념도
수업내용이 상대적으로 적게 들어 있는 개념도
수업자료들을 부정확하게 이해하였거나 표면적으로 이해하고 있고 개념도와 항목 이름 역시 주의를 기울여 만들지 않았다고 판단되는 개념도

2. Algie의 문제에 대해 당신이 미리 개별 IAE에서 알아낸 타당한 발생 원인과 해결방법에 근거하여 다른 팀구성원들과 의견을 나눈다. 팀구성원의 아이디어를 더해서 팀의 개념도의 초안을 화이트보드와 마커를 이용하여 만들어라.

3. 팀 개념도의 최종본을 도표용지와 매직펜을 사용하여 작성하여라. 가능한 깔끔하고 충분히 크게 작성하여 멀리서도 개념도의 글씨를 볼 수 있도록 하여라. 이후 개념도를 설명한 한 페이지 분량의 설명서를 교수에게 제출하여라. 모든 과정을 마친 후에 팀 이름을 개념도 뒤에 적어라.

4. 모든 팀들이 이와 같은 작업을 끝마친 후에, 교수가 각 팀의 개념도를 교실 벽에 붙이고 나면(교수가 그린 한 개 혹은 그 이상의 개념도를 포함하여) 붙인 개념도를 검토하고, 개념도 중 최고인 것과 개선이 필요한 것을 파악하여라. 지도에서 특히 감탄할 만한 것을 최고로, 의문스러운 점이 있는 것을 개선이 필요한 것을 선정하여라.

5. 개념도를 검토한 다음에, 각자가 생각하는 최고의 점과 개선이 필요한 점을 팀 구성원과 이야기 나누고 그 중에서 최고인 점과 개선이 필요한 점 하나씩 뽑은 후 메모지에 적어라. 모든 팀이 준비되고 나면 최고인 점과 개선이 필요한 점을 적은 종이를 개념도에 붙여라. 그것이 타당한 근거가 있는 최고인 점과 개선이 필요한 점이라면 각각 3점의 보너스를 받을 수 있을 것이다.

6. 최고인 점과 개선이 필요한 점을 개념도에 붙인 후에, 당신은 당신의 팀의 개념도와 팀 활동에 관해 팀 평가지를 이용하여 평가하여라. 그리고 '1분 페이퍼' 를 작성하며 학습내용을 돌아보는 시간을 가져라.

# 부록 16.G

## 팀 평가 양식

**팀 이름:** ______________________________

I. 아래의 질문에 답하시오.

1. 당신 팀은 어떤 팀의 개념도가 최고라고 생각하는가(당신 팀의 것을 제외하고)? 그 이유는 무엇인가?
2. 당신 팀의 개념도는 어떠한 칭찬을 받았는가? 만약 그렇다면, 무엇에 대해 칭찬을 받았는가?
3. 당신 팀의 개념도는 어떠한 지적을 받았는가? 만약 그렇다면, 무엇에 대해 지적을 받았는가? 그것은 가치 있었는가? 왜 그런가? 왜 그렇지 않은가?
4. 팀원으로서 자신이 잘한 것은 무엇인가?
5. 다음 번에 이번과 다르게 또는 더 나은 결과를 얻으려면 어떻게 해야 하는가?
6. 당신의 팀이 다음 번에 더 나은 수행을 할 수 있도록 돕기 위하여 교수는 무엇을 하여야 하는가?

II. 당신의 개념도에 개념도 평가 기준을 적용하라. 해당 항목에 동그라미하고 그 이유를 설명하여라.

평균 이상 —————— 평균 —————— 평균 이하

이유 :

# 부록 16.H

## 팀 개념도 예시 1 (Inspiration S/W 참고)

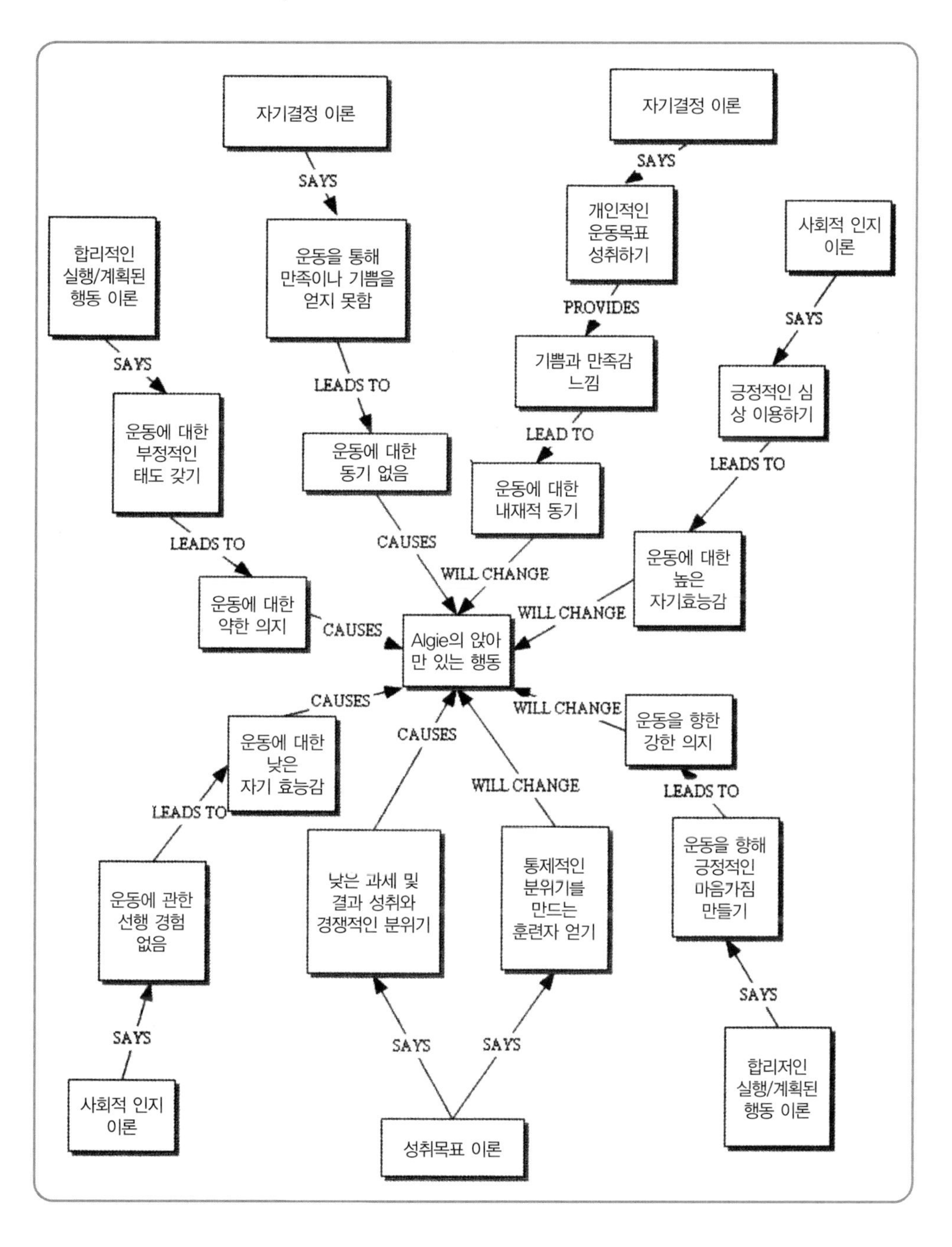

# 부록 16.I

## 팀 개념도 사례 2 (Inspiration S/W 참고)

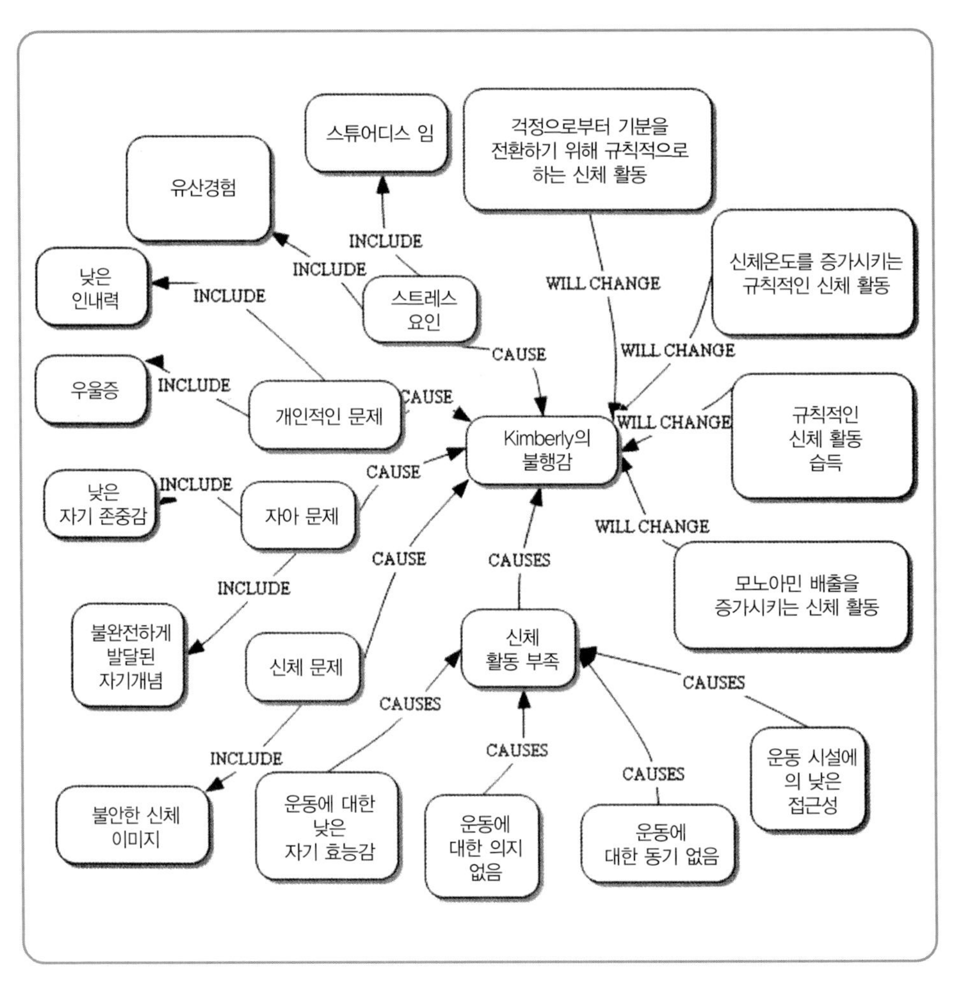

# 부록 16.J

## 1분 페이퍼로부터 발췌

팀별 IAE 후 교수는 학생들에게 다음 질문에 대하여 대략 1분 동안 답하도록 지시한다.

IAE로부터 당신은 무엇을, 어떻게 배웠습니까?

- 필자는 강의를 위해 더 많이 준비해야 한다는 것과 사람들의 제안을 받아들이는 것이 필자의 개념도를 좀 더 완벽하게 하는 데 도움이 된다는 것을 배웠다.
- 팀 구성원들이 그들의 모든 생각을 하나로 모았을 때 더 좋다는 것, 그리고 더 많은 팀 구성원들이 그것들에 대해 비평할 때 더 좋다는 것을 배웠다. 개념도의 강점과 실수에 대한 이해를 통해 스스로 돌아볼 수 있는 기회가 되었다.
- 때때로 당신의 팀이 실수를 할 수 있으나, 결국에는 모든 사람이 실수에 대한 책임이 있기에 그것은 별 문제가 되지 않을 것이다.
- 팀으로 함께할 때, 매우 많은 아이디어가 나온다는 것을 배웠다. 예를 들어, Kimberly에 대해 필자는 기억하지 못했던 것을 다른 팀원이 기억해냈다. 우리는 팀으로서 활발히 상호작용 했고 그것은 우리가 팀 과제를 좀 더 탁월하게 할 수 있도록 도와주었다.
- 만약 우리의 개념도에 무언가 잘못된 점이 있다고 생각될 경우에는, 필자의 의견을 고수하고, 잘못된 점이 무엇인지 증명하기 위하여 책을 활용해야 한다는 것을 배웠다.
- 팀 활동임에도 불구하고, 우리가 틀릴 수 있다는 것을 배웠다. 우리는 A형태와 B형태에서 갈피를 잡지 못하였다. 나머지 팀들은 그것들 사이에서 선택을 하였다. 우리의 페이퍼에 있던 것 중 어떤 것은 다른 팀의 페이피에 있는 것과 같다는 것을 볼 수 있는 것 역시 좋았다. 이로 인해 우리가 무언가를 배웠다는 느낌을 갖게 되었다.
- 필자는 전에는 절대로 생각해보지 않았던 선택들에 대하여 배웠다. 비록 대단히 세부적인 것을 생각하지는 않았으나, 다른 팀들의 개념도를 봄으로써 우리가 놓쳤던 부분과 우리가 질문을 어떻게 다르게 평가했는지에 대해 볼 수 있었다. 그것은 우리에게 새로운 시각으로 문제를 볼 수 있는 기회를 마련해 주었고 매우 큰 도움이 되었다.

- 정확하게 이론과 모델을 적용하는 방법을 배웠다. 이론을 적용하는 방법의 더 나은 이해를 얻기 위해 팀구성원들과 함께 정보를 공유함으로써 도움이 되었다. 칭찬할 점과 고쳐야 할 점을 공개한 것은 어떤 이론이 정확하게 사용되었는지에 집중하게 만들어 주었다. 다른 사람들이 붙인 것을 볼 수 있도록 한 것은 우리 팀이 더 많은 정보를 첨가할 수도 있었다는 것을 깨닫는 데 도움이 되었다.
- 이번 팀 과제로부터 필자는 작업을 분배하는 것의 장점과 Kimberly가 불행하게 된 원인을 배웠다. 우리는 더 빨리 일을 끝냈지만, 일곱 명의 팀원 모두가 각 주제마다 아이디어를 내는 것 대신에 우리는 단지 세 명만 그렇게 하였다. 다른 팀원들은 신체활동의 장점을 작업하고 있었다. 다음에는 가능한 한 많은 의견을 나누어 팀 개념도를 완성해 나가겠다.
- 필자는 팀으로 함께 작업하는 것이 개인적으로 하는 것보다 더 좋다는 것을 배웠다. 왜냐하면 우리는 모두 대단한 아이디어를 가지고 있었다. 서로 돕는 것은 좋았고 함께 좋은 개념도를 완성할 수 있었다.

# 부록 16K

## 학기 말에 실시된 초점집단토론 문항

목적형 질문

- 이번 학기에 당신이 배운 상세한 정보나 아이디어들은 무엇인가?
- 이러한 것들을 어떻게 배우게 되었는가?

성찰형 질문

- 당신이 무엇을 배웠는지와 관련하여 어떻게 느끼는가?
- 당신이 배운 방법과 관련하여 어떻게 느끼는가?

해석형 질문

- 만약 이 강의가 기존의 전통적 강의법으로 가르쳐졌더라면, 당신이 얼마나 많이 배웠을지 비교해보라. 얼마나 많이 배웠는가?
- 만약 이 강의가 기존의 전통적 강의법으로 가르쳐졌더라면, 얼마나 많이 즐거웠을지 비교해보라, 얼마나 많이 즐거웠는가?

의사결정형 질문

- 이 수업 후 당신은 얼마나 변화되었는가?
- 이 수업에서 무엇이 개선되어야 하는가?

제 17 장

# 정신과 임상실습에서의 팀 바탕학습

*Cheryl S. Al-Mateen*

대부분의 의과대학에서 3학년은 핵심 임상의학 분야에서 일정기간 실습을 하도록 배정된다. 이 임상실습에서 학습자들은 전공의와 교수의 감독 아래 환자를 진단하여야 하며, 일년 동안 환자를 돌보고 관리하는 임무를 차츰 늘려가며 책임지게 된다. 임상실습 동안 학습자들은 정맥채혈, 봉합, 정맥주사 선 잡기, 자신이 평가한 환자 증례를 상급자나 임상 치료 팀에게 간단 명료하게 설명하는 방법 등 내외과의 여러 기본 술기를 수행하는 방법을 배운다. 의과대학 학습자가 이전 두 해 동안에 걸쳐 배웠던 기초 의학 지식을 실제 적용하기 시작하는 것이 바로 이 한 해 동안이다.

필자가 2004년 임상실습 책임교수를 맡은 다음 요구 사정(needs assessment)을 한 결과, 여러 해 동안 학습자들이 경험하는 바에는 거의 변화가 없었다. 필자는 주임교수, 정신과학 학생교육 책임교수, 임상실습 담당교수 등을 만나 학습자 평가를 검토하였다. 또한 다른 의과대학에서는 정신과 임상실습을 어떻게 진행하는지 탐색하였고, 조사보고서를 작성하여 주임교수와 교수진에게 배포하였다. 다행히 정신과학 수업의 주임교수와 정신과학 학생교육 책임교수는 학습을 증진시키기 위한 교육 쇄신을 지지하였다. 2005년에 버지니아 커먼웰스 대학교의 의과대학은 캠퍼스 두 곳에서 팀 바탕학습(Team-Based Learning, TBL)을 시작하였다. 한 곳은

리치몬드에 있는 버지니아 의과대학 캠퍼스였고 다른 한 곳은 페어팩스의 INOVA 보건시스템 캠퍼스로 당시에 막 정신과 임상실습을 시작한 곳이었다.

학습자들이 정신과 임상실습에서 보내는 시간을 살펴보면, 6주간 매주 4일과 한나절을 임상 진료 부서에서 보내게 되는데, 각 주의 한나절은 교수가 임상강의 수업을 실시한다. 리치몬드에는 일곱 개의 임상실습소가 있는데, 그 중 네 곳은 캠퍼스에 있다. 모든 학습자들은 중앙 병원에서 순환제 호출 당직을 선다. 우리 대학의 임상실습소는 대형 치료감호 병원, 지역사회 정신보건 센터, 정신과 외래 진료소, 보훈병원, 소아청소년 정신병원, 입원병동이 있으며, 실습 내용으로는 중앙 병원의 자문-조정 및 정신과 진료활동 등을 포함한다.

요구 사정 결과를 살펴보면 학습자들은 분명히 훌륭한 임상실습 경험을 하고 있었다. 하지만 학습자들은 임상실습에서 요구되는 핵심 지식에 대한 공부를 하고 있지 않았다. 그들이 읽는 것이라고는 요약서와 의사 국가 시험 예상문제집이 고작이었는데, 이는 임상실습이 끝나고 치러야 하는 의사 국가 시험을 준비하기 위해서였다. 우리는 학습자들이 어떤 전공을 선택하더라도 환자를 포괄적으로 이해하고 돌보는 데 필요한 정신과 교육이 그에 합당한 수준으로 교육받고 있지 못한다는 염려가 되었다. 교수들은 다양한 주제로 임상실습 강의를 하였는데, 어떤 교수는 일정 수업의 경우 학습자들이 상호작용을 통한 학습경험을 갖도록 하는 데 능숙하다는 평가를 받았지만 다른 수업에서는 "무미건조"하다는 지적을 받았다. 필자는 성인학습이론에 대한 문헌을 고찰하여 전에 알고 있던 바를 재확인하였는데, 그것은 학습자중심의 능동적인 방식이 학습을 증진하는 가장 효과적인 방법이라는 사실이었다(Arseneau & Rodenburg, 1998; Guild & Garger, 1998; Kaufman, 2003). 학습자중심의 능동적인 방식은 학습자들의 선호도를 높이고, 학습량을 일정하게 하고 학습한 내용을 장기간 유지하게 하며, 평생 학습을 장려한다(Arseneau & Rodenburg, 1998). 문헌을 살펴보면 학습의 평가는 다양한 방식으로 실시하여야 하며, 사실학습에만 집중할 것이 아니라 임상 맥락에서의 지식 적용에도 주의를 기울여야 한다. 여기서 임상 맥락에서의 지식 적용이란 실제 상황과 모의 상황에서의 임상 수행 능력과 같은 것을 말한다(Wass, van der Vleuten, Shatzer, & Jones, 2001).

의학교육 분야도 이러한 방식을 수용하여 이름난 의과대학들에서는 학습자중심 교육에 주의를 기울여 왔다(Armstrong, 1997). 학습자들마다 학습하는 방식이 다르기에 교육과정에 있어 다양한 교수법이 요구된다(Guild & Garger, 1998; Kern, Thomas, Howard, & Bass, 1998). 다양한 교수법에는 토론, 시뮬레이션, 개인이나 집단으로 수행하는 학습활동 등이 있다(Kern et al., 1998). 문제바탕학습(Problem-Based Learning, PBL)이나 새로운 TBL은 이러한 학습활동을 필수적으로 사용해야 하기 때문에 최근 여러 대학에서 PBL을 의학교육과정의 핵심 교수전략으로 채택하여 활용하고 있다(Hoffman & Headrick, 2006).

우리는 갈바스톤에 있는 텍사스대학교 의학부에서 정신과 임상실습에 TBL을 맨 처음 사용한 Ruth E. Levine을 초빙하여 이 방식을 어떻게 실시하였는지에 대하여 워크숍을 가졌다. 그녀는 임상실습에서 TBL 활용에 관한 논문을 처음으로 발표한 사람으로서(Levine et al., 2004) 전국적으로 알려진 컨설턴트였다. 그녀는 우리 교수진을 상대로 종일 워크숍을 운영하였고, 그 후 정신과의 주요 주제 영역을 다루는 몇 개의 TBL 모듈을 개발하였다(표 17.1 참조).

〈표 17.1〉 임상실습 강의 수업

| 기존의 임상실습 강의 수업 | TBL 형식의 새로운 수업 |
|---|---|
| 오리엔테이션 | 오리엔테이션 |
| 정신약리학 | 정신약리학 |
| 정신분열병 및 기타 정신병적 장애 | 정신치료 |
| 정신치료와 인격장애 | 정신과와 신경과의 경계 |
| 알코올 및 기타 약물 남용 | 인격장애 |
| 윤리적 쟁점 | 정신분열병 및 기타 정신병적 장애 |
| 의학적 정신의학 | 알코올 및 기타 약물 남용 |
| 적응장애, 기분장애, 불안장애 | 윤리적 쟁점 |
| 소아청소년 정신장애 | 의학적 정신의학 |
| 4개 증례 컨퍼런스 | 적응장애, 기분장애, 불안장애 |
| | 소아청소년 정신장애 |
| | 3개 증례 컨퍼런스 |

〈표 17.2〉 TBL을 활용한 임상실습 수업의 학습목표

| TBL 수업 | 학습목표 |
|---|---|
| 오리엔테이션 | • 학습자는 정신과 임상실습의 요소와 활동을 기술할 수 있다.<br>• 학습자는 환자에 대한 정신상태검사와 포괄적인 정신과적 평가 요소들을 기술할 수 있다.<br>• 학습자는 생물심리사회 평가의 원칙을 기술할 수 있다. |
| 정신약리학 | • 학습자는 정신과에서 흔히 사용하는 약물의 적응과 금기를 확인할 수 있다.<br>• 학습자는 정신과에서 흔히 사용하는 약물의 작용기전, 부작용, 흔한 대체 치료를 확인할 수 있다. |
| 정신치료 | • 학습자는 정신역동/정신분석 치료에 사용하는 기본 기법을 기술할 수 있다.<br>• 학습자는 행동/인지행동 치료에 사용하는 기본 기법을 기술할 수 있다.<br>• 학습자는 인본 치료에 사용하는 기본 기법을 기술할 수 있다. |
| 정신분열병 및 관련 장애 | • 학습자는 다음을 이해할 수 있다.<br>– 정신분열병과 기타 정신병적 장애의 기본 병태생리<br>– 항정신병약물의 약리효과<br>– 정신병적 장애의 역학 |
| 정신과와 신경과의 만남 | • 학습자는 다음을 시작할 수 있다.<br>– 환자의 증상이 행동에 관한 것일 때 정신과 문제와 신경과 문제의 구별<br>– 흔한 신경과 질환의 표현 양상을 식별 |

## 시행

필자는 동료교수들과 함께 TBL 계획안을 따르기로 하였다(Michaelsen, 2004). 그래서 구체적인 학습목표를 정하고(표 17.2 참조), 매 수업 전에 준비해 올 읽기과제, 개인학습 준비도 확인시험(Individnal Readiness Assurance Test, IRAT), 집단학습 준비도 확인시험(Group Readiness Assurance Test, GRAT), 적용학습활동(Application Exercises), 동료평가(Peer evaluation) 등을 개발하였다. TBL은 정신과 임상실습 최종 성적의 15%를 차지하고 있다. 오리엔테이션 수업때 제공할 읽기

과제는 TBL 안내, 정신과적 진찰과 임상실습 방침에 관한 논문과 교과서 단원 등을 포함하였다. 주 캠퍼스에서는 수업을 계획하고 작성한 교수진이, 북 버지니아의 INOVA 캠퍼스에서는 임상실습 책임교수가 수업진행을 담당하였다.

## 팀 구성

한 학년 동안 학습자를 여덟 개 집단으로 나누어 정신과 순환 실습을 하도록 하였다. 한 학년 학급의 학습자가 180명이므로 각 집단은 VCU 캠퍼스에서 20~25명, INOVA 캠퍼스에서 5명 정도가 되었다. 각 팀은 4~6명으로 구성하였는데 실습 첫날 학습자들에게 그 날의 과제를 잘 안다고 생각하는지를 물어서 결정하였다. 이는 과제 내용을 잘 아는 학습자가 각 팀에 골고루 배분되도록 하기 위함이었다. 우리는 현재나 과거에 지속적으로 관계를 맺어온 학습자들이 다시 같은 팀으로 구성되는 일이 발생하지 않도록 유의하였다. 다만 실습 팀이 하나뿐인 INOVA 캠퍼스는 예외로 하였다.

## 준비도 확인시험

준비도 확인시험은 15~20개의 선택형 문항으로 구성된다. GRAT에서는 즉각적인 피드백-평가 기법(Immediate-Feedback-Assessment Technique, IF-AT)을 위해 스크래치형 답안지를 사용하였다.

## 적용학습활동

적용학습활동은 1~2개의 임상 증례를 활용하여 만들었으며 각 증례당 5~6개의 문제를 작성하였다. 통상 종이에 인쇄하여 사용하는데 어떤 교수는 설명에 생동감을 불어넣기 위하여 파워포인트 슬라이드를 사용하기도 하였다. 우리 프로토콜은 Michaelsen과 Knight(2004)가 말한 대로 코팅한 숫자판을 써서 "동시 보고(Simultaneous Report)"하는 방식을 따랐다. 각 팀은 자신들이 한 답안에 대한 논리적인 근거를 주장하게 된다.

## 동료평가

학습자 각자는 자기 팀원에게 피드백을 해 주게 된다. 피드백하는 내용은 수업 준비도, 팀 활동에 대한 기여도, 서로에 대한 존중, 팀 의견 불일치 때 보이는 융통성 등이다. 학습자마다 100점을 팀원들에게 나누어 주도록 하였고, 어떻게 하면 해당 팀원에게 더 도움이 될지를 무기명으로 제안할 수 있도록 하였다. 교수진이 별도로 강요하지 않았음에도 학습자들은 대부분 팀원들의 기여도에 적합한 점수를 부여하려고 노력하였다. 이 평가로 전문직업성에 대하여 유익한 정보를 수집할 수 있었는데, 수집한 정보를 토대로 학습자와 토론할 수도 있다(그림 17.1 참조).

**[그림 17.1]** 동료평가

아래에 여러분의 팀에서 자신을 제외한 각 팀원들이 기여한 바를 평가하여, 전체 100점을 나누어 부여하기 바랍니다. 각 팀원에 대한 의견도 빠짐없이 기재하십시오.

| 팀 번호: | 점수 |
|---|---|
| 1. 이름:<br>가. 동료가 팀에 얼마나 도움이 되었습니까?<br>나. 이 동료가 어떻게 하면 좀 더 효과적으로 향상될 수 있을까요? | |
| 2. 이름:<br>가. 동료가 팀에 얼마나 도움이 되었습니까?<br>나. 이 동료가 어떻게 하면 좀 더 효과적으로 향상될 수 있을까요? | |
| 3. 이름:<br>가. 동료가 팀에 얼마나 도움이 되었습니까?<br>나. 이 동료가 어떻게 하면 좀 더 효과적으로 향상될 수 있을까요? | |
| 4. 이름:<br>가. 동료가 팀에 얼마나 도움이 되었습니까?<br>나. 이 동료가 어떻게 하면 좀 더 효과적으로 향상될 수 있을까요? | |
| 5. 이름:<br>가. 동료가 팀에 얼마나 도움이 되었습니까?<br>나. 이 동료가 어떻게 하면 좀 더 효과적으로 향상될 수 있을까요? | |
| 평가 학습자 이름: 점수 합계: | 100 |

## 결과

우리 대학에서는 임상실습 수업에 TBL을 일년 반 동안 사용하였으며, 과정 종료 후 학습자들로 하여금 두 가지 방법으로 임상실습과정을 평가하도록 하였다. 하나는 의사국가시험의 정신과 과목 시험(shelf exam)을 마친 직후 인쇄한 서식으로 실시하며, 또 하나는 학교 교육과정 담당부서에서 관리하는 웹사이트에서 실시하였다. 우리 학교에서 TBL을 실시한 첫 해, 학습자들의 평가는 다른 학교에서 처음 도입하였을 때와 마찬가지로 엇갈린 반응을 보였다. 구체적으로 말하자면 강의가 없어진 것이나 읽기과제를 계속해서 숙지하고 수업에 임해야 하는 것을 좋아하지 않는 학습자도 있었고, 교수 가운데에도 강의를 더 하지 않는 것을 아쉬워하는 경우가 있었다. 하지만 우리는 Levine 박사의 의견을 좀 더 구하고 계속 개편을 하여 내과 임상실습에서 실습 강의에 TBL을 사용하기 시작하였다.

## 결론 및 제언

TBL을 의과대학 임상실습 수업에 적용하는 것은 여러 가지 이유로 경쟁력 있는 대안이 될 수 있다. TBL은 팀 협력을 증진시키고 전문직업인으로서 필요한 의사소통 능력의 향상과 다른 전문인을 존중하는 태도를 갖게 하며, 학습자들이 자기주도 학습을 더 많이 하도록 유도하고, 교수가 일년 내내 6주마다 같은 강의를 반복할 필요가 없도록 해준다. 우리 입장에서는 다른 임상실습에서 TBL을 먼저 도입하였더라면 TBL에 대한 학습자의 긍정적인 반응에 도움이 되었을 것이다. 그래서 필자는 학습자와 교수들이 한두 번 임상실습을 더 경험하고 나서 제공해 줄 다음 피드백을 애타게 기다리고 있다. 그 피드백을 통해 이 방식의 효과와 앞으로의 개선점을 좀 더 잘 파악하게 될 것이라 기대하기 때문이다.

## 참고문헌


Armstrong, E. G. (1997). A hybrid model of problem-based learning. In D. Boud, & G. Feletti (Eds.), *The challenge of problem-based learning* (2nd ed., pp. 137–150). London: Kogan Page.

Arseneau, R., & Rodenburg, D. (1998). The developmental perspective—Cultivating ways of thinking. In D. D. Pratt (Ed.), *Five perspectives on teaching in adult and higher education* (pp. 105–149). Malabar, FL: Krieger.

Guild, P. B., & Garger, S. (1998). Curriculum: McCarthy's 4mat System. In P. B. Guild & S. Garger (Eds.), *Marching to different drummers* (2nd ed., pp. 50–59). Alexandria, VA: Association for Supervision and Curriculum Development.

Hoffman, K., & Headrick, L. (2006). Problem-based learning outcomes: Ten years of experience at the University of Missouri–Columbia School of Medicine. *Academic Medicine, 81*, 617–625.

Kaufman, D. (2003). ABC of learning and teaching in medicine—Applying educational theory in practice. *British Medical Journal, 326*, 213–216.

Kern, D. E., Thomas, P. A., Howard, D. M., & Bass, E. B. (1998). Step 4: Educational Strategies. In D. E. Kern, P. A. Thomas, D. M. Howard, & E. B. Bass (Eds.), *Curriculum development for medical education* (pp. 38–58). Baltimore: Johns Hopkins University Press.

Levine, R. E., O'Boyle, M., Haidet, P., Lynn, D. J., Stone, M. M., Wolf, D. V., et al. (2004). Transforming a clinical clerkship with team learning. *Teaching and Learning in Medicine, 16*(3), 270–275.

Michaelsen, L. K. (2004). Getting started with team learning. In L. K. Michaelsen, A. B. Knight, & L. D. Fink (Eds.), *Team-based learning: A transformative use of small groups in college teaching* (pp. 27–50). Sterling, VA: Stylus Publishing.

Michaelsen, L. K., & Knight, A. B. (2004). Creating effective assignments: A key component of team-based learning. In L. K. Michaelsen, A. B. Knight, & L. D. Fink (Eds.), *Team-based learning: A transformative use of small groups in college teaching* (pp. 51–57). Sterling, VA: Stylus.

Wass, V., van der Vleuten, C., Shatzer, J., & Jones, R. (2001). Assessment of clinical competence. *The Lancet, 357*, 945–949.

제 18 장

# 팀 바탕학습을 통해 전공의 교육 프로그램에 활력 불어넣기

## *재활의학 교육 프로그램 운영 경험*

*Michael E. Petty, Kevin M. Means*

다수의 전공의 교육 책임자들은 전공의들이 세미나, 학술회의 및 각종 강의 준비를 위해 과제물을 읽지 않고 있다고 불평한다. 이러한 현상은 그 동안 교수들이 몇 년째 수도 없이 사용한 같은 자료를 제공하기 때문에 몇몇 전공의들이 전혀 관심을 보이지 않게되는 것이다. 바쁜 전공의들에게 동기부여를 하지 못하고 교수진이 열의를 갖지 못하는 것은 보다 근본적인 문제로 인해 나타나는 증상일 뿐이다. 즉, 더 나은 임상 기술의 증거를 보여주기 위하여 내용만 갱신하는 식의 정체된 교수 전략을 채택한 교육과정상의 문제인 것이다.

이 장에서는 교수가 활력을 되찾기 위해 팀 바탕학습(Team-Based Learning, TBL) 전략을 채택하여 수업 환경을 바꾼 예를 제시할 것이다. 이 방식은 전공의들이 TBL 수업에 대비한 준비를 해야 하고, 교수는 깊이 있는 질문을 더 많이 해야 하기 때문에 전공의들은 교과서와 연구논문 속에 정체되어 있지 않고 밖으로 나와 임상 상황 속에서 실제적 적용을 할 수 있게 된다. 즉 TBL 전략을 사용함으로써 학습자료의 가치가 더해지게 되는 것이다.

이 장에서는 TBL 적용 과정의 두 가지 측면 즉, 이 교수전략을 사용하기로 결정한 전공의 교육 책임자의 측면과 그 적용과정에서 조화를 이루기 위해 교수와 함께 일하는 교육 상담가의 측면을 안내할 것이다. 이 두 가지 측면은 전공의 프로그램으로 TBL을 고려하는 사람들에게 도움이 될 것이다. 또한 당신이 전공의 프로그램에 TBL을 도입하기로 결정할 경우, 이를 어떻게 진척시켜 갈 것인지를 보여주는 지침도 포함되어 있다.

## 교육 프로그램 책임자의 측면

TBL은 일반적으로 전공의 교육 프로그램에 수많은 가능성을 제공해 준다. 재활의학 전공의 프로그램에 관해서는 더욱 그러한데, TBL과 관련한 우리의 경험과 재활의학 전공의 교육 프로그램에 대한 간략한 개요에서 그 이유를 알 수 있다.

## 전공의 프로그램과 배경

미국에는 80개의 재활의학 전공의 프로그램이 있다. 우리의 4년제 전공의 프로그램은 1987년에 만들어졌으며 소규모 혹은 중규모로서 일 년에 약 3~4명씩 평균 14명의 전공의가 구성된다. 재활의학과 교수진은 비교적 소규모로 지난 5년간 전임교수 인원의 평균은 10~12명이었다. 전공의와 교수는 제휴병원의 입원 재활 병동의 위치에 따라 알칸소 주의 리틀 록시 안의 4개의 지역으로 분산되어 있으며 매주 교육 및 진료와 관련된 회의를 위해 한곳에 모인다.

TBL이 소개되기 전에 우리의 전공의 교육 프로그램은 다른 곳에서와 다를 바 없이 전공의들이 꼭 습득해야 하는 중요한 의료 지식을 강조하는 전통적인 주입식 강의에 의존하고 있었다. 이러한 주입식 강의는 체험적 진료 수련과 매일 노출되는 비공식적 진료 교육에 더하여 시행되었다. 재활의학과 전공의 교육 프로그램을 감독하고 기준을 만들어 내는 재활의학 전공의 리뷰 위원회는 이 분야에서 특정 분야의 의학지식을 다루는 강의체계를 포함하도록 규정지었다.

주입식 강의 프로그램은 전반적으로 근골격계 질환, 전기생리적 진단, 뇌졸중 환자의 재활과 같은 주요 주제를 다루는 2~6개 강의의 조합으로 구성되었으며 한 수업은 여러 개의 소분야 주제들을 다루었다. 재활의학과 교수진은 전문분야와 연관된 주요 강의 주제를 각각 담당하여 직접 강의를 하기도 하고, 그 분야의 전문가를 모셔와 초청강의를 하기도 하였다. 전공의 강의는 매주 열렸고 전체 과정은 2년을 주기로 반복되었다. 따라서 1년에 다섯 번의 강의를 갱신하고 수행하는 것과 두 개 혹은 세 개의 수업들을 조절 및 운영하는 것은 진료뿐 아니라 기타 연구 활동에도 수없이 참여해야 하는 우리 교수진에게 너무도 많은 것을 요구하는 것이었다. 그리고 우리 교수진 중 절반 이상은 이곳에서만 평균 16년 이상의 경험을 지닌 정년보장 부교수 혹은 정교수였다.

## TBL을 도입하게 된 상황

TBL을 도입하게 만든 요소들은 다음과 같다.

(가) 탐구환경의 저하에 대한 인식
(나) 전공의의 강의 참여율 저하
(다) 전공의 사전 학습의 현저한 결여
(라) 주입식 강의 준비와 발표에 대한 교수진의 권태

필자는 프로그램 책임자로서 교수진에 의한 전공의 평가와 전공의에 의한 교수평가를 검토하고 우리 과를 떠나는 교수진과 졸업을 하는 전공의들, 평가를 주목적으로 한 교수진 및 전공의와의 면담을 해마다 수행한다. 지난 4, 5년간 졸업을 하는 전공의들이 제기한 지속적인 지적 중 하나는, 교육 프로그램 진행 당시 교수진으로부터 도전적인 질문을 받지 못했으며 도전적인 질문이 이루어졌다면 교육 프로그램이 더욱 발전할 수 있었으리라는 점이었다. 의아하게도 이 프로그램을 마치기 전에는 어떤 전공의도 이런 지적을 하지 않았었다.

교수진 역시 전공의가 질문을 거의 하지 않는다는 점을 지속적으로 지적했다. 강의에 앞서 관련된 주제를 읽고 검토하는 습관을 가진 전공의가 거의 없으며, 강의 도중 혹은 강의 이후에 전공의가 질문을 하는 일도 매우 드물다는 것이다.

몇몇 전공의는 일부 교수들이 주제를 전달하는 능력도 부족하다고도 지적했다. 이는 일부 교수진이 같은 강의를 발표하고 동일한 내용을 반복해서 제시하다 보니 따분해졌기 때문일 것이다. 그럼에도 불구하고 교수진은 강의 주제를 새로운 것으로 바꾸는 것을 주저하였다. 그렇기 때문에 교수진 중 한 명이 이 과를 떠났을 때 그 교수가 담당했던 강의와 조정해야 할 강의 주제를 맡아 새로운 강의를 진행해 나갈 지원자를 찾는다는 것은 매우 어려운 일이었다. 전혀 준비가 안 되고 동기가 없는 한두 명만이 강의에 참석하는 일도 자주 일어났으니, '묻지도 말고 말하지도 말라' 는 공모에 교수진뿐 아니라 전공의도 참여한 셈이다.

종합해 보면 이런 상황은 한때 이 프로그램의 존재였던 탐구 환경이 상당히 열악해졌음을 말해주는 것이었다. 수년 전에 우리는 전공의들을 위하여 공식적인 전문의 시험 준비 프로그램을 시작하였고, 여기에는 교육적인 주제들, 선택형 문항에 대한 검토, 가상 구술시험 대비 같은 내용이 포함되었다. 그러나 최근 전문의 시험 준비 과정에 대한 관심은 출석률이나 준비 수준과 비교하여 줄어들었으며, 과거 주입식 강의들과 비슷한 수준이 되었다.

따라서 매년 시행되는 미국 재활의학회의 자기평가시험에서 전공의의 수행 능력이 전반적으로 떨어져 가는 경향이 나타나기 시작했으며, 필기 및 구술 시험으로 시행되는 미국 재활의학과 전문의 시험에서도 같은 결과가 나타났다. 이것은 전공의 수련 기간 동안 습득하는 의학적 지식의 통합능력과 환자의 진료에 적용할 수 있는 응용력에 주로 의존하는 구술시험에서 특히 명백히 드러났다. 게다가 2005년 전공의 과정 검토 위원회(RRC)에서 전공의 교육 프로그램을 운영하기 위해 필요한 최소 시험 통과율 기준을 2006년 7월부터 올리겠다고 발표함으로써, 감소 추세에 있는 전문의 시험 통과율이 더욱 비관적인 전망을 띄게 되었다.

## TBL 시행 계획

우리는 선제공격을 하기로 결정하였다. 다행스럽게도 우리 대학에는 전공의 프로그램을 도울 수 있는 교육전문가를 고용하고 있는 교육개발원(Office of Educational Development, OED)이 있다. 필자는 2005년 10월에 2005년도 우리 전공의 프로그램의 전문의 시험에서의 성취 통계치를 간략히 검토한 후, OED에 조언을 구하였다. 필자는 OED에서 우리의 프로그램과 교육, 연구 상황을 검토한 결과, TBL 교수전략을 받아들여 적용할 것을 검토해보라는 조언을 받았다(실제 실

[그림 18.1] TBL 도입 시간표

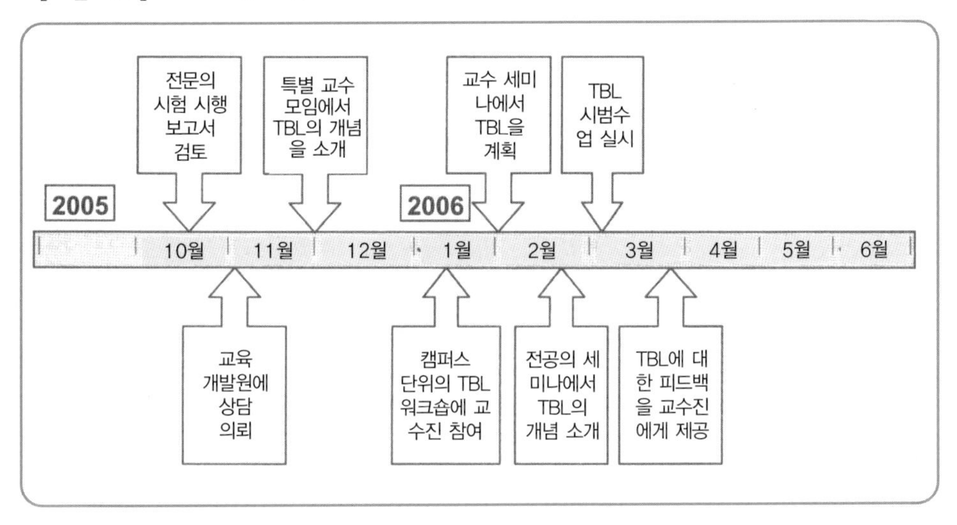


시 과정의 시간표는 그림 18.1을 참조).

## 재활의학과 교수진에게 TBL을 소개하다

TBL을 배울수록 필자는 이 길이 우리의 전공의 프로그램에 좋지 않은 영향을 주고 있는 교육문제를 조명하고 해결할 수 있는 이상적인 교수전략이라고 확신하게 되었다. 또한 교육방식에 혁신적 변화를 적용하려면 바쁜 의대 교수진, 특히 경험이 있는 중견급 이상에서 제기할 수 있는 어느 정도의 저항을 예상해야 한다는 사실 또한 알게 되었다. 하지만 필자는 전공의 교육 책임자일 뿐 아니라 과 책임자이기도 하기 때문에 다행히 상관으로부터 프로그램 개선에 필요한 지지를 이미 받고 있는 상태였다.

필자는 지속적이면서도 단계적인 접근을 통해 TBL을 소개하기로 결정하였는데 우선, 정기적으로 개최되는 교수 모임에서 우리의 교육 프로그램에 대한 가능성과 최근의 경향에 대하여 관찰하고 평가한 결과를 발표하고 개방적인 분위기의 토론을 유도하였다. 다음으로는 2005년 12월에 열린 교수진의 특별모임에 교육개발원 조언자인 Petty를 초대하여, TBL의 절차에 대하여 기본적인 설명을 하게 하고 질문에 답변하도록 요청하였다. 이 특별 모임은 전원이 100% 모여 본 적이 없는 교수 모임의 참석률을 높이고 교육문제에 대한 그들의 관심을 취합하기 위하여 시도되었다. 이 특별 모임은 참석률 측면에서 성공적이었다.

우연하게도, 우리의 특별 교수진 모임 이후 몇 주 뒤인 2006년 2월에 대학 캠퍼스에서는 TBL 워크숍을 주최할 계획이었다. 필자는 재활의학과 교수진 모두가 이 워크숍에 등록하고 참석하도록 격려하였다. 놀랍고 기쁘게도 당시 가족에게 응급 상황이 벌어져서 외지에 있어야 했던 교수 한 명을 빼고는 모두 참석하였을 뿐만 아니라 책임 전공의 및 전공의 프로그램 코디네이터까지 참석하였다. 필자는 교수진 모두가 그 워크숍을 즐겼을 뿐 아니라, 적극적이고 열정적으로 참가하는 것을 지켜보았다. 몇몇 교수는 발표자였던 Dean Parmelee에게 질문하기 위하여 워크숍이 끝난 뒤에도 남아 있었다. TBL 워크숍이 종료된 후, 필자는 워크숍 경험에 대한 교수진들의 긍정적인 피드백을 받았다.

TBL 워크숍에 의해 촉진된 열의를 이어가기 위해, 필자는 연중 행사인 2006년 2월의 교수 세미나에서의 주 의제를 'TBL 교수전략으로 전공의 교육 발전시키기'로 삼았다. 이 교수 세미나는 Parmelee의 워크숍이 있은 지 이틀 후에 열렸기 때문에 교수들의 지속적인 열의를 유도해 내는 데 긍정적인 효과를 발휘했다.

교수진은 Petty의 인도에 따라 TBL의 적용 계획 및 교육 목적 개발과 관련된 세부 사항을 마련했다. 이때 교수진들이 TBL의 개념에 매료되었음이 분명하다. 교수 세미나 중에 다수의 주요 문제들이 토론 주제로 다뤄지고 결정되었는데, 이는 주로 어떤 수업의 주제가 TBL 교수전략을 사용하는 데 적합하고 적합하지 않은지에 대한 문제, 팀에 대한 보상 체계를 확립하고 내용을 결정하는 문제, 그리고 팀 및 개인별 평가를 포함시키는 것과 그 방법에 대한 문제 등이었다.

## 재활의학과 전공의들을 대상으로 한 TBL 소개

다음 과정은 재활의학과 전공의들에게 TBL의 개념을 소개하는 것이었다. 필자는 2006년 2월에 있었던 연례 전공의 수련회 모임의 주요 의제의 일부로 TBL을 포함시켜서 이를 논의하였다. 책임 전공의가 TBL 워크숍에 참석하였고 몇몇 전공의들과 TBL에 대한 비공식적인 토론을 나누었기에, 이들에게 TBL의 개념을 이해시키기는 조금 더 쉬웠다.

필자는 전공의들에게 한 달 후에 첫 번째 TBL이 시작될 것임을 알렸다. 그리고 TBL을 실시 하지 않는 일반 강의 시간에도 TBL 때 하던 것처럼 팀을 나누었다. 우리는 강의식 교육에 반드시 참석하지 않아도 되는 전공의 1년차를 제외한 9명의 전공의를 세 개의 팀으로 나누기로 결정하였다. 또한 정원 외 팀원을 가지게 되는 한 팀에는 조만간 출산휴가를 갈 팀원을 배정하였다. 전공의 중 두 명은 외국인이었는데, 이들은 본국에서 이미 재활의학 전공의 과정을 마쳤지만 미국에서 활동하기 위하여 2년차 과정을 다시 밟고 있는 단계에 있었다. 우리는 이 둘을 의도적으로 다른 팀에 배치하여 한 팀이 특별히 혜택을 받지 않도록 하였다. 나머지 전공의들은 출생지에 따라 동서 방향으로 위치시키고 번호를 부여한 뒤 홀수 번호는 1조에, 짝수 번호는 2조에 배치하였다.

## 시행

필자는 TBL 방식으로 전환하는 과정의 첫 번째 주자에 자원하여 프로그램 책임자로서 모범을 보였고, 그리하여 2월과 3월에 있을 재활의학 연구에 관한 일련의 강의에 TBL을 도입할 수 있게 되었다.

강의에 앞서 TBL에 맞는 읽기과제가 부여되었다. 강의의 내용은 할당된 읽기과제에 맞게 수정하였고, 읽기과제에서 덜 강조했거나 중요하지만 어려운 문제에 초점을 두었다.

Petty는 집단학습 준비도 확인시험(Group Readiness Assurance Test, GRAT)과 개인학습 준비도 확인시험(Individual Readiness Assurance Test, IRAT)을 개발하는데 도움을 주었다. 또한 그는 재활의학 연구 강의에 모두 참석하여 TBL을 시행하는 기간 내내 즉각적인 피드백을 제공해 주었다. 이에 대한 반응은 참석자 모두가 긍정적이었다. 필자는 2006년 3월 교수진 세미나에서 이 피드백 결과와 교수·중재자의 입장에서 본 TBL 교육에 대한 인상을 보고하였다. 다른 교수는 Petty의 추가적인 도움을 받아 TBL 교수전략을 사용한 수업에 대하여 발표하였다.

## TBL의 성과

우리는 계속해서 2년 단위의 강의식 교육 프로그램을 TBL의 형태로 바꾸어 가고 있다. 또한 TBL의 전반적인 효과를 평가해 줄 주요 지표들을 관찰할 예정이다. 이 지표에는 전문의 시험에서의 지필시험과 구술시험 점수 및 합격률, 미국 재활의학 자기평가 시험(AAPM&R SAE) 점수, 강의 참석 통계치, 전공의와 교수진의 평가점수가 포함된다.

필자는 중요하고 객관적인 평가지표 외에 몇 가지 예비적이고 일화적인 관찰을 하였는데 이는 평가지표 측정보다 더 어려운 것들이다. 관찰 결과, 교수진과 전공의들은 새로운 TBL 방식에 긍정적으로 적응해 가는 것으로 보였다. TBL 교수전략이 도입된 후 전공의들은 강의시간에 정시에 출석할 뿐 아니라, 교육 전에 미리 나누어준 읽기과제를 읽고 더 나은 준비를 갖추었다. 교수진은 이제 전공의들이 강의 준비를 하고 왔을 것임을 기대하게 되었으며, 이에 따라 전공의에게 사고과정을 묻는 질문을 더 많이 할 수 있게 되었을 뿐 아니라 질문에 대한 사려 깊은 대답도 더 많이 들을 수 있게 되었다.

TBL 과정 중에 전공의가 문헌에 근거하여 시험 문항에 대한 자신의 대답을 옹호하고 방어하는 것과 자기주도학습과 TBL을 통하여 배운 것을 활용하는 것을 관찰하는 것은 참으로 경이롭다. 교수-전공의 간의 적극적이고 생산적인 상호 적용 과정은 모두에게 매우 유쾌하고 만족스러운 일이다.

TBL 도입에 따른 장기적이고 객관적인 효과는 더 조사하고 평가해봐야겠지만, 이 교수 방법의 도입으로 이미 우리의 교육 프로그램에서 긍정적이고도 구체적인 체제의 변화가 일어나고 있다. TBL 교수전략을 도입함으로써 생긴 태도와 행동의 변화는 우리의 교육 프로그램에 활력을 주는 데 기여하였으며 앞으로도 오랫동안 이러한 이로움이 지속될 것이라고 예상한다. 또한, 우리의 교육 프로그램과 유사한 범위를 다루는 전통적인 주입식 강의 위주의 교육 방식이라면 그 중 일부를 TBL로 대체하는 것을 심각하게 고려해 볼 가치가 있다고 믿는다.

## 조언자의 시각: 교수에 의한 TBL 수업 준비

전공의 교육을 담당하는 교수진은 임상 교육 환경에서 다양한 방법들을 동원한다. 교육 환경이 TBL 방식으로 옮겨감에 따라 교수의 개인적인 기술이나 특성이 전면에 드러나게 되었다. 따라서 교수는 특정한 분야를 강조하기 위해 자신의 개인적인 경험을 활용할 것이다. 예를 들어, 전문적인 기술을 지닌 사람은 웹 바탕의 기술력을 써서 내용을 전달하려 할 것이고, 일부는 계속 특별한 지식을 가진 자를 초청하여 전공의들을 교과서를 넘어서는 영역으로 인도하려 할 것이며, 또 다른 이들은 최신 연구 논문을 활용함으로써 전공의의 지식 범위를 넓히려고 할 것이다.

이와 같은 개인적인 성향에 따라 영상의학소견, 보행보조기구, 신체적 제한사항 등 특이한 관심영역에 활용되는 자료의 유형이 달라지며 RATs 문항을 작성하는 방식과 질문의 배경을 제시하는 방식도 달라진다. 전공의 교육을 담당하는 교수진이 기초과학 분야나 임상실습 학습자에게 주어지는 질문에 임상 정보를 보다 많이 활용하기에 전공의들은 학습의 적용시기뿐 아니라 RATs을 수행하는 동안에도 진단적 추론을 사용하여야 했다.

언급한 대로 이들은 TBL을 준비함에 있어서의 요청을 점차 줄여나갔다. 교수진이 '가장 적합한 문항 고르기' 의 형태를 이해함에 따라 문항 자체는 문제가 되지 않았으나, 교수마다 수업과정을 계획하고 가르치는 방식이 다르다는 점이 실질적인 문제가 되었다. 한 예로 어느 교수는 10개 이상의 IRAT 문항을 계획했는데, 퀴즈 형태가 아닌 내용 이상의 것을 묻는 자세한 시험이었으며 RATs 실시만으로도 두 시간이 필요했다. 이러한 문제에 대한 간단한 해결책이 제시되었는데, IRAT을 위해 학습 도우미가 질문을 제공하고 그 질문으로부터 5~10개 문항을 고르게 하는 것이었다. 그 교수는 그 제안을 마음에 들어 했고 그로 인해 수업을 성공적으로 마칠 수 있었다. IRAT에 소요되는는 시간이 줄어 여러 가지 의견을 개진하는 단계에서 시나리오를 고치고, 환자의 치료계획을 작성할 때도 작은 차이들이 미치는 영향을 탐색해 볼 충분한 시간을 확보하게 되었다.

그 동안 관찰한 바에 의하면, 전공의 담당 교수들은 집단 간 토론을 활성화시키는 데 어려움을 겪고 있었다. 교수들은 GRAT과 적용학습활동 단계동안 그룹 내에서 토론을 하도록 허용하긴 했지만, 집단 간에 토론을 할 때 방향을 제시함으로써 너무도 빨리 '방의 앞에 서 있는 전문가'가 되어버렸다. 이런 경향을 극복하기 위하여 집단에게 특별한 방향을 제시하거나 방의 앞쪽에 있기보다, 뒤쪽에 위치하거나 방을 배회하는 등 다른 기술들을 제안하고 시도해 보았지만, 교수진이 이 기술을 실질적으로 활용하게 되는 데에는 지속적인 강화가 필요하였다. 이와 같은 경향은 임상실습 학습자를 담당하는 교수진에게서도 관찰되고 있다.

TBL의 적용학습활동 단계는 기초과학이나 임상실습 교육에서 나타나는 전형적인 방식을 따르고 있다. 먼저, 집단에 임상 시나리오와 특정한 임상 조건에서라면 모든 반응이 가능하도록 만든 선택형 문항이 주어진다. 각 집단은 시나리오와 가능한 선택에 대해 토론하고 한 가지 선택을 한 후에 모든 집단이 동시에 결과를 제시한다.

전공의 수준의 강의 방식이 이전과 다른 점은 방사선학적 소견, 사진, 비디오 등 훨씬 많은 시각적 정보가 주어진다는 것이다. 이런 자료는 시나리오에 기술하려면 많은 글자를 필요로 할 정보를 제공하여 준다. 또한 이런 형태는 교수진이 언제 그리고 왜 특정 휠체어의 디자인이 처방되거나 처방되어서는 안 되는지, 왜 특정 운동이 실행되거나 되어서는 안 되는지, 그리고 어떻게 다른 보행의 문제가 표현되는지 등을 강조하거나 식별할 때 개인의 경험을 자세하게 활용하게 해준다. 이 정보 중 많은 부분이 TBL 준비를 위한 읽기과제 속에 포함되어 있지만 적용학습활동 단계 동안에 전공의의 학습은 훨씬 발전하게 된다.

적용학습활동 단계 동안에 사용되도록 개발된 수정은 그 시기를 최고조에 달하게 하기 위해 처방 연습 시간을 추가하는 것이었다. 교수진들은 전공의들로부터 질문을 받고 자세한 설명과 성찰을 도모하는 질문을 한 후, 전공의들에게 자세한 처방을 쓰고 그 추천에 대한 임상적 배경을 제시하도록 하였다. 그리고 두 집단은 그들의 처방에 대하여 상대방에게 설명해야 했으며 교수 및 다른 집단의 일원들은 그에 대해 비평이나 추천을 하였다. 이 과정은 교수들에게서 자연스럽게 생겨났으며 주제 영역이 적당할 경우 다른 교수도 사용하도록 제안되었다.

한 가지 강조해야 할 점은 교수진을 너무 제한해서는 안 된다는 것이다. TBL에서는 일관성을 유지하기 위해 교수진을 조정해야 하는 기본 사항이 있긴 하지만,

대부분의 교수들은 수업과정에서 창의력을 발휘할 수 있다. 기초과학과 임상실습의 경우 가르치는 내용의 지식적인 측면에서 교수진을 제한하기도 해야 하지만, 전공의 교육에서는 임상 지식이 강조되는 만큼 교수진에게 그들의 전공분야와 교수법에 따라 교육과정을 설계할 수 있는 자유를 허용해야 한다.

## 이해당사자 관점에서의 성과

재활의학과 전공의 교육 프로그램은 수년간의 과정 중 초기 단계에 있다. 이 프로그램은 아직 10개월 정도밖에 되지 않았기에 전공의들은 TBL 시행 전과 후의 차이를 측정할 수 있는 근무 중 평가시험을 치르지 않았다. 따라서 여기에 기술한 성과는 Kevin Means, 교수진, 행정직원, 그리고 전공의들 간의 수많은 대화의 결과이다.

전에도 기술했듯이 학과장은 TBL의 철학을 열정적으로 받아들이는 교수진을 보고 기뻐하였다. 교수진 한두 명은 아직 TBL에 익숙하지 않은데, 이는 그들이 교수 세미나에 참석하지 않았고 아직까지 TBL을 사용해 전공의를 가르칠 기회가 없었기 때문이었다. 세미나에 참석했었고 TBL을 사용해 전공의를 가르쳐 본 교수진은 이 학습 방식에 대해 모두 열의를 갖게 되었다.

교수들은 수업 준비 시간이 길어졌지만, 전공의들은 수업을 더 잘 준비하게 되었으며 교육활동에 열성적으로 참여하고 기꺼이 의견과 아이디어를 내게 되었다. 또한 전공의들은 양호한 출석률을 보이고 있으며 TBL 경험에 대하여 지속적인 열정을 보이고 있다. 그들은 교수와의 상호작용을 가치 있게 받아들이고 있었으며, 각 수업에서 토론되는 실질적인 사례와 교수의 임상 경험을 배울 수 있다는 이점을 강조하고 있었다.

이 교육 프로그램을 실시하면서 초기에 했던 걱정 중 하나는 어떻게 전공의들로 하여금 자신들의 수행에 있어 책무성을 갖게 하는가에 대한 것이었다. 기초과학이나 임상실습 학습자들의 수업에서는 성적이 강한 동기를 유발하지만 전공의는 성적을 부여받지 않기 때문에 다른 동기 유발 요인이 필요했다. 지금까지는 참여를 독려하기 위하여 교과서 같은 보상체계를 활용하였으나, TBL 수업을 계속해

나가면서 전공의들이 보상체계를 좋아하는 것은 사실이지만 진정한 동기 유발은 팀 간의 경쟁과 교수와의 상호작용에서 비롯된다는 사실이 밝혀졌다. 손에 쥐어지는 보상은 동기를 이끌어내는 데 있어 가장 우선시되는 요소가 아니었다. 하지만 TBL을 시작하고 있는 다른 전공의 프로그램은 전공의 교육의 마지막 해에 동기 부여용으로 회의 자금을 사용하고 있으며 전체 TBL 점수의 80%를 보상해 주고 있다.

## 시행을 위한 로드 맵

모두가 전공의 프로그램 책임자인 동시에 학과장이 될 수는 없는 일이므로, 로드 맵 혹은 체크리스트를 제공하여 계획 수정을 돕는 것이 좋을 것 같다.

필자는 교육과정 개발 전문가로서 어느 정도의 질 관리가 필요하다는 점을 강조하고 싶다. 당신의 시간은 매우 소중하기에 비교, 대조가 되는 교수진들의 기술은 우선순위가 낮아질 것이다. 그러나 몇 가지 기전은 장착되어야 한다. 이 과정에서 필자는 생각하지 못했던 특이점을 발견하였다.

첫 번째 단계는 TBL을 이해하도록 하는 것이다. 당신이 이 책을 갖고 있다면 이미 첫 단계를 시작한 것이나 다름없다. 표 18.1은 이것을 넘어서는 방향을 제시하고 있다. 성공의 열쇠는 결정권자의 지지를 얻어내는 것이다. 이 단계를 편안하게 시행하려면 1단계와 2단계가 거의 동시에 이루어져야 한다(몇 사람은 이 단계 이전부터 반대의견을 펼 수도 있다). 그런 다음, 당신은 다음 사항에 대하여 자문해야 한다.

- 당신은 프로그램을 통해 무슨 이득을 얻을 것이라고 기대하는가?
- 변화를 고려하는 목적은 무엇인가?
- 당신은 변화가 필요한가?

이상의 3단계는 당신이나 TBL 경험이 있는 사람에 의해서 달성될 수 있다. 이 시점에서 발표자가 TBL 수업전략에 대하여 상세하게 이해하고 있는 것이 매우 중요하다. 여기서 주의할 점은 짧게 15분간 TBL의 개요를 설명하는 것은 거의 효과가 없으며 오히려 성공을 방해한다는 것이다. 발표와 토론은 30~60분 정도의 시간이 주어져야 충분한 효과를 낼 수 있다. 이 시점에서 당신은 교수진이 열정을 갖게 만들어야 한다. 그리고 가능하다면 교수진의 지지를 얻어내는 데 도움이 되도록 교수진 중에서 변화를 옹호하는 사람을 이용하는 것이 좋다. 재활의학과에서 TBL의 도입 과정은 매우 쉽게 진행되었는데, 이는 교수 몇 사람이 재빨리 지원자가 되어 앞장섰기 때문이다.

**〈표 18.1〉** TBL 도입을 위한 길잡이

1. 과정책임자 / 전공의 책임자 / 학과장의 관심을 확보하라.
   A. TBL 워크숍 (자체 혹은 지역단위)
   B. 일대일 상담
2. TBL 도입의 목적을 규명하라.
   A. 시험성적을 올리기
   B. 수업중의 관심도를 올리기
   C. 교수진의 관심도를 올리기
3. TBL의 기본개념을 교수진에게 전달하라.
   A. 충분한 시간을 할애하라 – 15분으로는 달성하기 어렵다.
   B. 교수 회의 – 1시간
4. TBL 경험을 갖게 하라.
   A. 외부인을 초대하라.
   B. 교실 환경에서 당신이 직접 해 보라.
5. TBL 개발 과정의 시작으로 형식이 정의된 과정을 갖도록 하라.
   A. 교수 세미나
   B. 가능하면 언제나 임상의와 상의하라.
6. 문제 작성법의 검토로 정의된 과정을 갖도록 하라.
   A. 장기간에 걸쳐 활동하게 되는 교수진에게 특히 중요하다.
      i. 질 관리 단계 1
7. 수업 운영을 촉진하는 과정에 대하여 관찰자가 비평을 하게 하라.
   A. 교수는 이따금 너무도 창의적인 방법을 시도하려 한다.
      i. 질 관리 단계 2
8. 재조정과 피드백 단계
   A. 효과가 있었던 것, 좋았던 것, 놀라운 것, 실망스러운 것에 대하여
      i. 질 관리 단계 3
9. 교수개발을 계속하라.

일단 교수진이 흥미를 갖게 되면 TBL 워크숍을 개최하라. TBL 협력체(Team Based Learning Collaborative, http://www.tlcollaborative.org/)에 도움을 요청하면 이 과정을 촉진시키는 데 도움을 받을 수 있다. 또한 이 워크숍에 외부 강사를 초청한다면 당신에 대한 신뢰도가 올라갈 것이며, 당신의 학과를 조명하고 새로운 교수법을 배울 기회를 얻을 수 있게 될 것이다.

4단계는 교수진과 함께 일에 착수하는 단계이다. 재활의학과에서 TBL이 잘 진행될 수 있었던 것은 도입계획을 마무리짓기 위해 Dean Parmelee의 워크숍 직후 1주일도 안 되어서 교수 세미나를 시행한 덕분이다. 그 워크숍 이후 교수진의 열정은 대단하였다. 교수 세미나에서 우리는 그 열정 안에서 작업을 하였고, 그 열정은 각 단계를 거치며 오늘까지도 지속되고 있다.

이제부터는 앞서 언급한 질 관리의 문제에 초점을 둔다. 교수진 일부는 IRAT과 적용학습활동 문제를 위해서 강도 높은 검토 과정을 원하지만 일부는 그렇지 않다. 6단계를 얼마나 강제적으로 만들 것인지 정하는 과정은 꼭 필요한 단계이며, 어떻게 결정될지는 당신에게 달려있다. 최소한 몇 사람은 본인이 수업을 어떻게 진행해야 할지를 예상할 수 있도록 주제와 TBL 수업의 진행방식에 대하여 책임자와 사전에 토론을 해야만 한다.

그 다음은 결정적인 단계로, 발전적인 비평을 하기 위해 누군가가 TBL 수업을 관찰하는 단계이다. 임상실습 학습자를 대상으로 하는 TBL 수업에서는 교수가 같은 수업을 모든 학습자에게 3개월간 반복적으로 실시하므로 일관성을 유지하기가 쉽다. 하지만 재활의학과 전공의를 대상으로 하는 TBL 수업은 2년에 한 차례 주어진 주제 영역에서만 실시되므로, 수업 내용을 반복함으로써가 아니라, 모든 수업 내용을 다루는 과정을 반복함으로써 일관성을 얻게 된다.

재조정하고 피드백을 받는 단계도 매우 중요하다. 이 단계로 인해 5개의 병원과 2개의 도시에 흩어져 있는 교수들이 한데 모여 자신들의 경험을 토론할 수 있었다. 지금까지 이 과정은 재활의학 교수들과 비공식적으로 시행되어 왔다. 연례 교수 세미나에서 다루어질 것으로 확신하지만, 특히 과정 전반의 조기에 하면 초기의 열정을 토대로 교수들 간의 관점을 공유할 수 있고 외부의 관찰자에게는 보이지 않는 약점을 알아내는 데 도움이 될 것이다.

마지막으로 전공의 교육 프로그램으로서 교수개발 활동은 프로그램 운영에 상당한 시간이 필요하다. 따라서 지속적인 질 향상 과정을 거쳐야 교수진이 열정과 활력을 유지할 수 있을 것이다.

# 찾아보기

### ㅍ



### ㅎ



### 기타

## 역자소개

**김 선**
- 독일 쾰른 대학교 교육학과 졸업
- 독일 쾰른 대학교 교육학 석사, 박사
- 현, 가톨릭대학교 의과대학 의학교육학과 교수

**박 주 현**
- 가톨릭대학교 의과대학 의학과 졸업
- 가톨릭대학교 대학원 의학과 석사, 박사
- 미국 서던캘리포니아 대학교 의학교육학 석사
- 현, 가톨릭대학교 의과대학 내과학교실 교수
  가톨릭대학교 의과대학 의학교육학과 교수

**유 남 진**
- 가톨릭대학교 의과대학 의학과 졸업
- 가톨릭대학교 대학원 의학과 석사, 박사
- 현, 가톨릭대학교 의과대학 병리학교실 교수
  가톨릭대학교 의과대학 의학교육학과 교수

**이 수 정**
- 가톨릭대학교 의과대학 의학과 졸업
- 가톨릭대학교 대학원 의학과 석사, 박사
- 미국 예일 소아 연구소 연수
- 현, 가톨릭대학교 의과대학 정신과학교실 교수
  가톨릭대학교 의과대학 의학교육학과 교수


**팀 바탕학습**

Team-Based Learning for Health Professions Education
A Guide to Using Small Groups for Improving Learning

초판 인쇄 • 2009년 6월 1일
초판 발행 • 2009년 6월 10일
편저 • Larry K. Michaelsen, Dean X. Parmelee, Kathryn K. McMahon, Ruth E. Levine
역자 • 김 선, 박주현, 유남진, 이수정
발행인 • 홍진기
발행처 • 아카데미프레스
주소 • 122-900 서울시 은평구 역촌동 58-9 부호아파트 102동 상가 3호
전화 • (02)2694-2563
팩스 • (02)2694-2564
웹사이트 • www.academypress.co.kr
등록일 • 2003. 6. 18, 제313-2003-220호
ISBN • 978-89-91517-63-9

**정가 15,000원**

* 역자와의 합의하에 인지첨부는 생략합니다.
* 잘못된 책은 바꾸어 드립니다.